CASAS JUNTO AL MAR

BEACH HOUSES
CASE SULLA SPIAGGIA
CASAS DE PRAIA

Edited by Macarena San Martín

Art director:
Mireia Casanovas Soley

Editorial coordination:
Simone Schleifer

Project coordination:
Macarena San Martín

Texts:
Esther Moreno

Layout:
Esperanza Escudero

Translations: Mary Cecelia Black (English), Emanuella Rossato (Italian), Elisabete Ferreira (Portuguese)
Multilingual management: LocTeam, Barcelona

Editorial project:
2008 © LOFT Publications l Via Laietana, 32, 4.°, Of. 92 l 08003 Barcelona, Spain
Tel.: +34 932 688 088 Fax: +34 932 687 073 l loft@loftpublications.com l www.loftpublications.com

ISBN 978-84-96936-13-3   Printed in China

Cover design: © Claudia Martínez   Cover photo: © Ken Hayden
Back cover photo: © Trevor Mein/Meinphoto

LOFT affirms that it possesses all the necessary rights for the publication of this material and has duly paid all royalties related to the authors' and photographers' rights. LOFT also affirms that it has violated no property rights and has respected common law, all authors' rights and other rights that could be relevant. Finally, LOFT affirms that this book contains no obscene nor slanderous material.

The total or partial reproduction of this book without the authorization of the publishers violates the two rights reserved; any use must be requested in advance.

If you would like to propose works to include in our upcoming books, please email us at loft@loftpublications.com.

In some cases it has been impossible to locate copyright owners of the images published in this book. Please contact the publisher if you are the copyright owner of any of the images published here.

CASAS JUNTO AL MAR

BEACH HOUSES
CASE SULLA SPIAGGIA
CASAS DE PRAIA

Edited by Macarena San Martín

KOLON

"The difference between landscape and landscape may be small,
but there is great difference in the beholders."

Ralph Waldo Emerson, American writer, philosopher and poet

"La differenza fra paesaggio e paesaggio può essere piccola,
ma c'è una grande differenza fra gli osservatori".

Ralph Waldo Emerson, scrittore, filosofo e poeta americano

"La diferencia entre un paisaje y otro es poca,
pero existe una gran diferencia entre los que los contemplan."

Ralph Waldo Emerson, escritor, filósofo y poeta norteamericano

"A diferença entre uma paisagem e outra pode ser mínima,
mas há uma enorme diferença entre os que as observam."

Ralph Waldo Emerson, escritor, filósofo e poeta norte-americano

12   STRAUSS RESIDENCE

20   IGUANZO RESIDENCE

30   HOUSE IN EASTERN VIEW

38   RESIDENCE ON FRENCH RIVIERA

50   EQUIS HOUSE

58   CAPISTRANO BEACH HOUSE

68   LEBOSS RESIDENCE

76   PENZON RESIDENCE

84   JENNINGS RESIDENCE

94   SUNSET ISLAND MIAMI

102   DUNBAR RESIDENCE

112   GONTOVNIK HOUSE

226   WEISS HOUSE

236   CAPE FLORIDA HOUSE

244　　OCOTAL BEACH HOUSE   254　　DIRECTORY

This typical Florida-style structure is especially designed for its residents, lovers of sailing and the ocean. A private mooring berth was built on the yard, and inside the house, the bedrooms, which are face the sea, have breathtaking views. The floors in this elegant home are parquet, and their colour contrasts with the white of the walls.

Questa costruzione tipica della Florida è stata espressamente progettata per i suoi abitanti, appassionati della navigazione e dell'oceano. Nel giardino è stato costruito un molo privato, mentre all'interno le stanze orientate verso il mare godono di viste straordinarie. I pavimenti di questa elegante dimora sono di parquet e il legno crea un contrasto di colore con il bianco delle pareti.

STRAUSS RESIDENCE
Barry Sugerman

Miami, Florida, USA

Esta típica construcción de Florida está especialmente diseñada para sus residentes, amantes de la navegación y del océano. En su patio se ha construido un muelle privado, y en el interior las habitaciones, orientadas hacia el mar, ofrecen maravillosas vistas. Los suelos de esta elegante vivienda son de parqué, cuyo color contrasta con el blanco de las paredes.

Esta estrutura de estilo típico da Florida foi concebida especialmente para os seus residentes, amantes da navegação e do oceano. Um cais acostável privado foi construído no pátio, e, no interior da casa, os quartos virados para o mar possuem vistas impressionantes. Os soalhos nesta elegante casa são de parquet, cuja cor contrasta com o branco das paredes.

Next to the gallery leading to the kitchen, living room and dining room, there is a small space overlooking the terrace with a table that is used for breakfast.

Junto a la galería que conduce a la cocina, el salón y el comedor, se encuentra un pequeño espacio desde el cual se contempla la terraza y que ha sido habilitado con una mesa utilizada para desayunar.

Vicino alla galleria che porta alla cucina, al soggiorno e alla sala da pranzo, si trova un piccolo spazio da cui si contempla la terrazza e in cui è stato collocato un tavolo per la colazione.

Junto à galeria que conduz à cozinha, sala de estar e sala de jantar, situa-se um pequeno espaço que dá para o terraço, com uma mesa utilizada para o pequeno-almoço.

The idea behind this home was to break with the tradition of walls that are perpendicular to the floor. A painstaking design by the architects yielded a home in which rounded, dynamic shapes predominate. The most striking feature of the structure is an aluminium staircase leading up to the loft and a bridge that connects it to the bedroom.

L'idea sottesa a questa struttura era rompere con la tradizione dei muri perpendicolari al pavimento. L'attenta pianificazione degli architetti ha consentito di realizzare un'abitazione in cui predominano forme dinamiche e arrotondate. L'elemento di maggior richiamo è una scala di alluminio che conduce al *loft* e a un ponte che lo mette in comunicazione con la camera da letto.

IGUANZO RESIDENCE
Luis Lozada

Miami, Florida, USA

La idea de esta vivienda era la de romper con la tradición de las paredes perpendiculares al suelo. Un planeado trabajo por parte del arquitecto dio como resultado una vivienda en la que predominan las formas redondas y dinámicas. El elemento más llamativo de la construcción es una escalera de aluminio que conduce hacia el *loft* y un puente que lo comunica con el dormitorio.

A ideia subjacente a esta casa foi romper com a tradição das paredes perpendiculares ao chão. Um design esmerado por parte dos arquitectos deu origem a uma casa em que predominam as formas arredondadas e dinâmicas. As características mais impressionantes da estrutura são uma escadaria em alumínio que conduz às águas-furtadas e uma ponte que estabelece ligação ao quarto.

The original furniture in this house, with aesthetics reminiscent of retro and kitsch, is unique and was custom-built by the architect, who is also an industrial designer.

L'arredamento di questa casa, unico e di grande originalità, presenta un'estetica ricca di reminescenze *kitsch* e retro. È stato costruito su misura dall'architetto, che è anche progettista industriale.

El original mobiliario de esta residencia, de estética con reminiscencias retro y *kitsch*, es único y fue construido especialmente por el arquitecto, quien también es diseñador industrial.

O mobiliário original desta casa, apresentando uma estética reminescente dos estilos retro e *kitsch*, é único e foi construído à medida pelo arquitecto, que também é designer industrial.

Unlike many homes located in similar sites, this house did not resort to structural gymnastics in order to maximise the views. Its structure is more hidden behind a dune and adapts to the natural slope of the land. Protected in the rear by a public forest, the house becomes invisible from the urban hustle-bustle and gains privacy and isolation.

A differenza di molti degli edifici ubicati in luoghi simili, questa casa non fa ricorso ad acrobazie strutturali per ottimizzare le vedute panoramiche. La sua struttura si cela parzialmente dietro una duna, adattandosi all'inclinazione naturale del terreno. Protetta sul retro da un'area di foresta pubblica, risulta invisibile e isolata dal caos urbano e acquisisce riservatezza e tranquillità.

HOUSE IN EASTERN VIEW
Hayball Leonard Stent

Victoria, Australia

En contraste con muchas viviendas emplazadas en puntos similares, esta casa no recurre a la gimnasia estructural para maximizar sus vistas. Más bien rezaga la estructura tras una duna y se acopla a la pendiente natural del terreno inclinado. Protegida en la retaguardia por un bosque público, la casa se hace invisible al movimiento urbano y gana en privacidad y aislamiento.

Ao contrário de muitas casas situadas em locais semelhantes, esta casa não recorreu a uma ginástica estrutural para optimizar as vistas. A sua estrutura está mais escondida por trás de uma duna e adapta-se ao declive natural do terreno. Protegida na retaguarda por uma floresta pública, a casa torna-se invisível à azáfama urbana e ganha em termos de privacidade e isolamento.

Different elevations that show the storeys of the house

The client wanted a house that would make the most of the impressive natural setting. Thanks to a grove of trees, the home is partly hidden from passers-by and enjoys the privacy the owners wanted.

Il cliente desiderava una casa che si adattasse al massimo a questo scenario naturale di grande effetto. Un piccolo bosco nasconde in parte la casa ai passanti e consente ai proprietari di godere della loro privacy.

El cliente deseaba un hogar que sacara el mayor partido del impactante entorno natural. Gracias a una masa arbórea, la vivienda queda semioculta a los transeúntes y obtiene la privacidad deseada.

O cliente pretendia aproveitar ao máximo o impressionante cenário natural. Graças a um pequeno bosque, a casa está parcialmente escondida dos transeuntes e beneficia da privacidade desejada pelos proprietários.

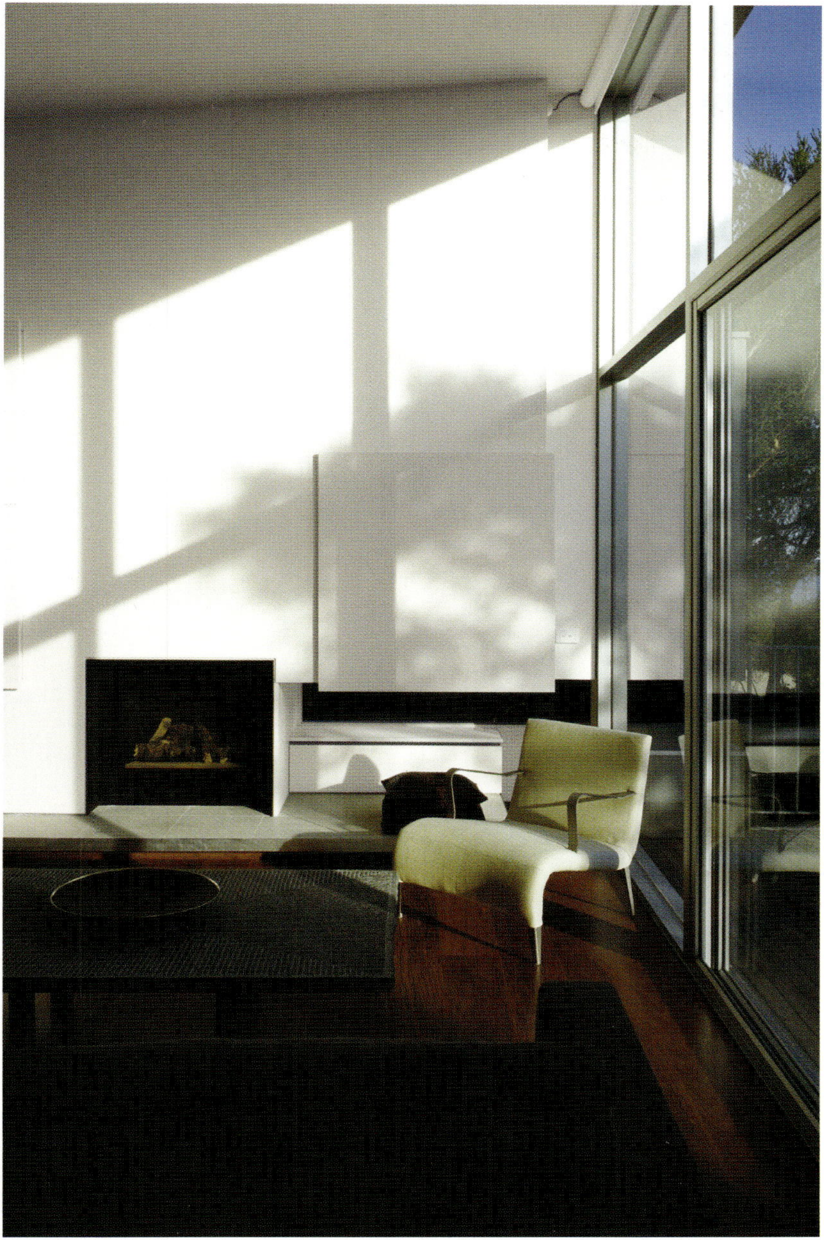

This construction, which dates from the turn of the century, was refurbished with the intention of bringing the different quarters more in harmony with each other and opening them fully to the sea without necessitating any change in the original external structure. The common and entertainment areas were placed on the ground level, while the spa was housed in the basement.

Questa costruzione, che risale agli inizi del secolo, è stata ristrutturata con l'intenzione di dare più continuità alle diverse stanze e di aprirle pienamente al mare, senza modificare in alcun modo la struttura originale esterna. Al piano terra sono stati ubicati gli spazi comuni e di intrattenimento, mentre nel seminterrato è stata predisposta una zona *spa*.

RESIDENCE ON FRENCH RIVIERA
CLS Architetti

France

Esta construcción datada de principios de siglo fue rehabilitada con la intención de conceder más continuidad a las diversas estancias y abrirlas plenamente al mar, sin que ello conllevase modificación alguna de su estructura exterior original. En la planta baja se han situado los espacios comunes y de entretenimiento, mientras que en el sótano se ha habilitado una zona de *spa*.

Esta construção, datada do virar do século, foi renovada com a intenção de harmonizar os diferentes aposentos entre si e de os abrir completamente para o mar, sem ser necessário efectuar qualquer alteração na estrutura externa original. As áreas comuns e de entretenimento foram colocadas no nível inferior, ao passo que o *spa* ficou alojado na cave.

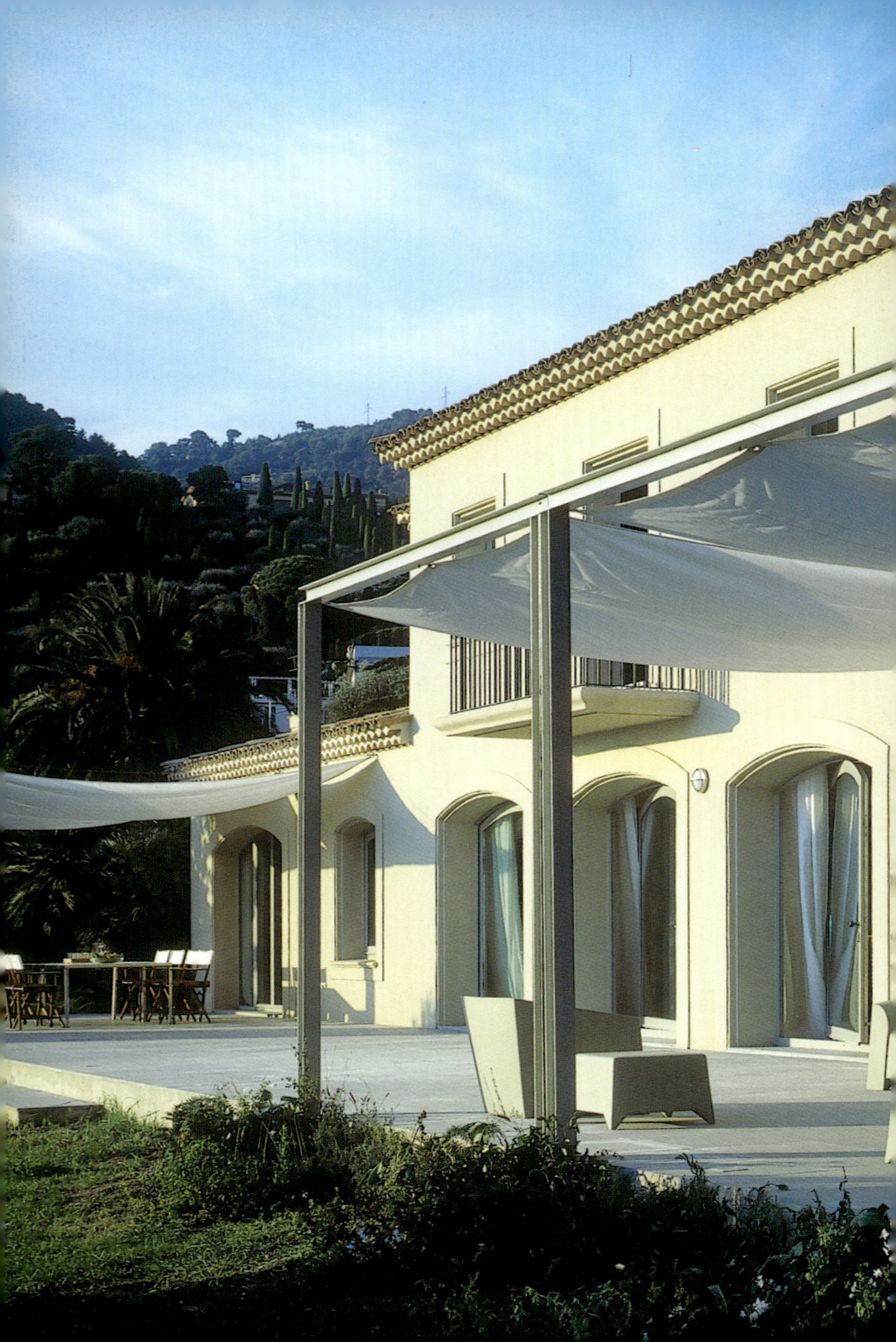

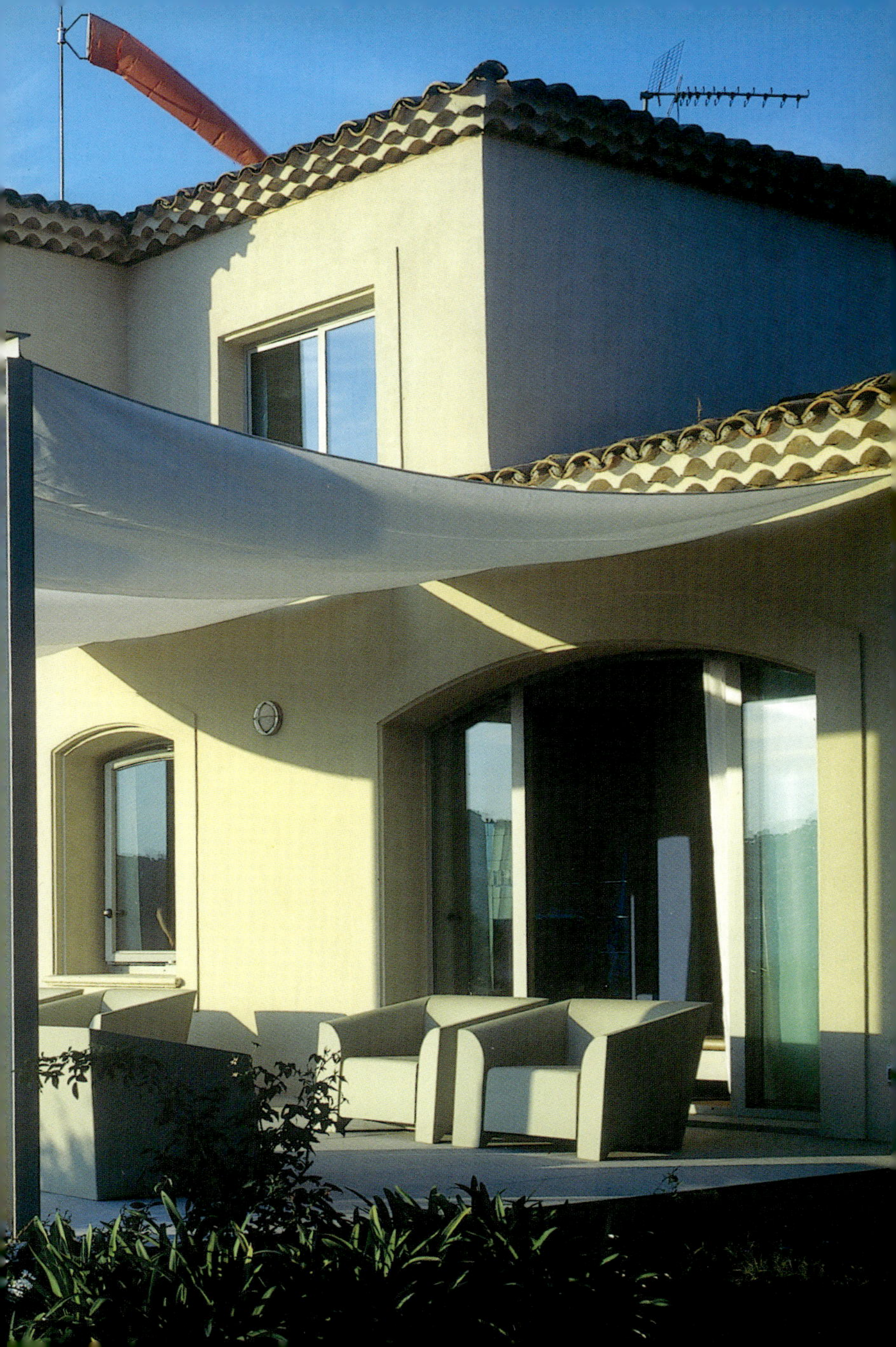

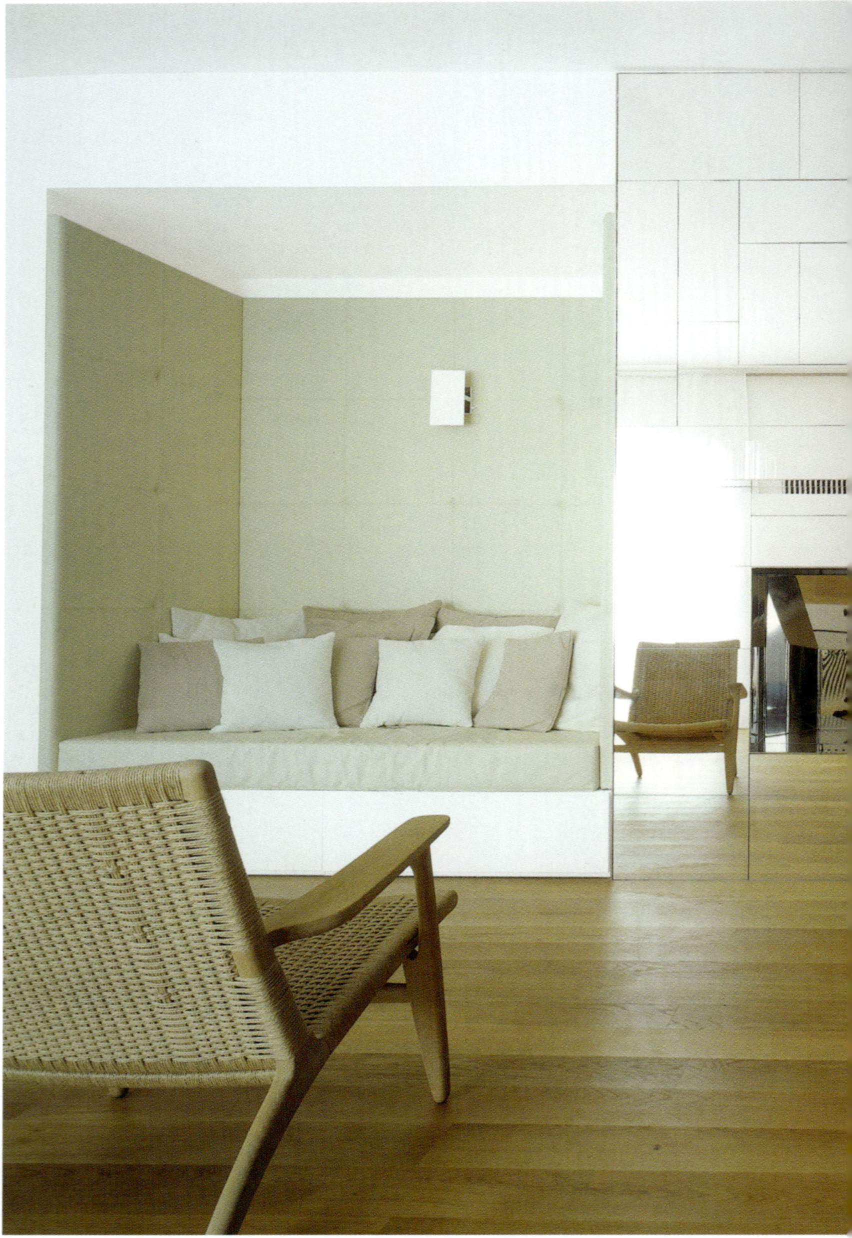

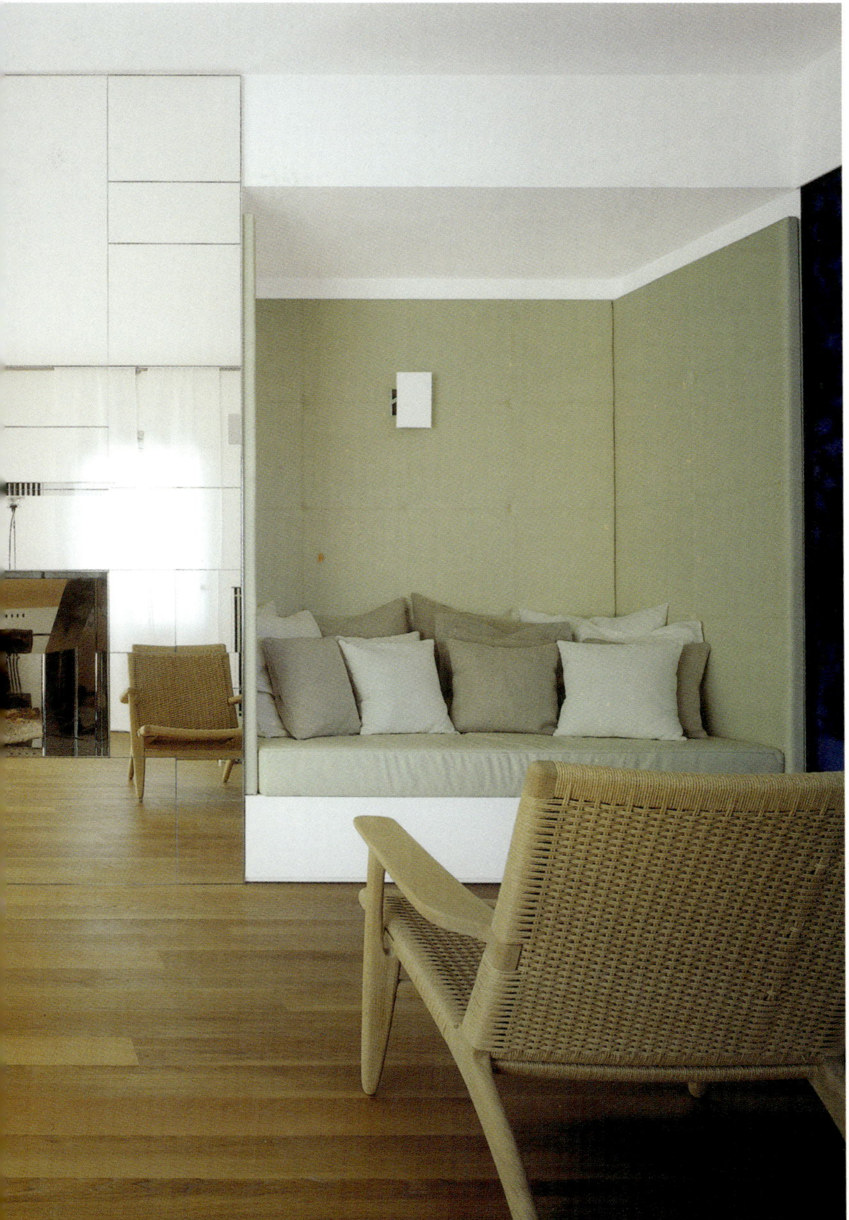

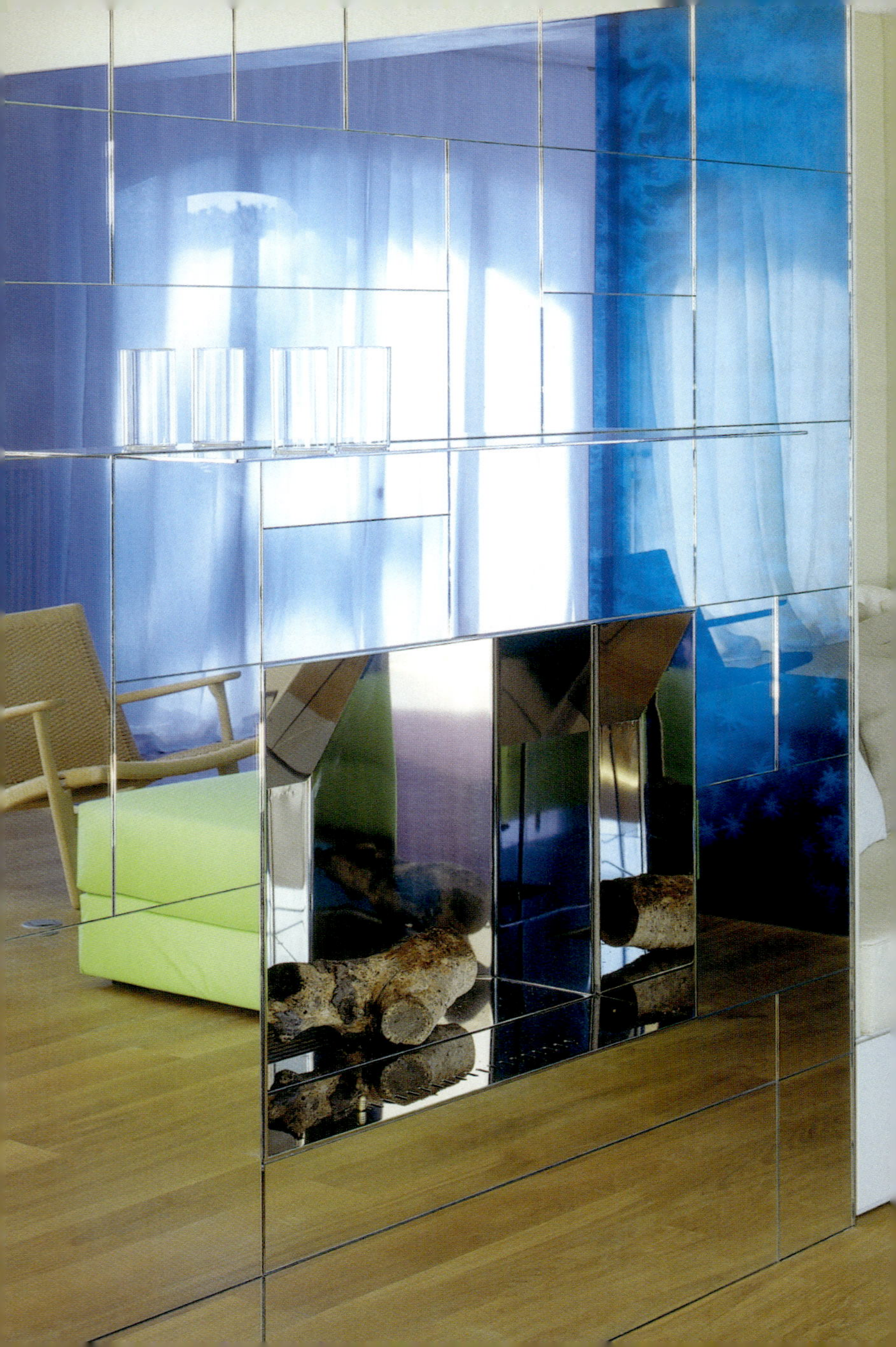

The apparent simplicity of the décor actually shows a bold, elegant style typical of a vacation destination associated with luxury and choicer locales like the Côte d'Azur.

L'apparente semplicità della decorazione mostra in realtà uno stile audace ed elegante, tipico di una destinazione di vacanze associata al lusso e ad ambienti ricercati come la Costa Azzurra.

La aparente sencillez de la decoración muestra en realidad un estilo audaz y elegante, propio de un destino vacacional asociado al lujo y a los ambientes más selectos como la Costa Azul.

A aparente simplicidade da decoração apresenta, na realidade, um estilo elegante típico de um destino de férias associado ao luxo e a locais de eleição como a Côte d'Azur.

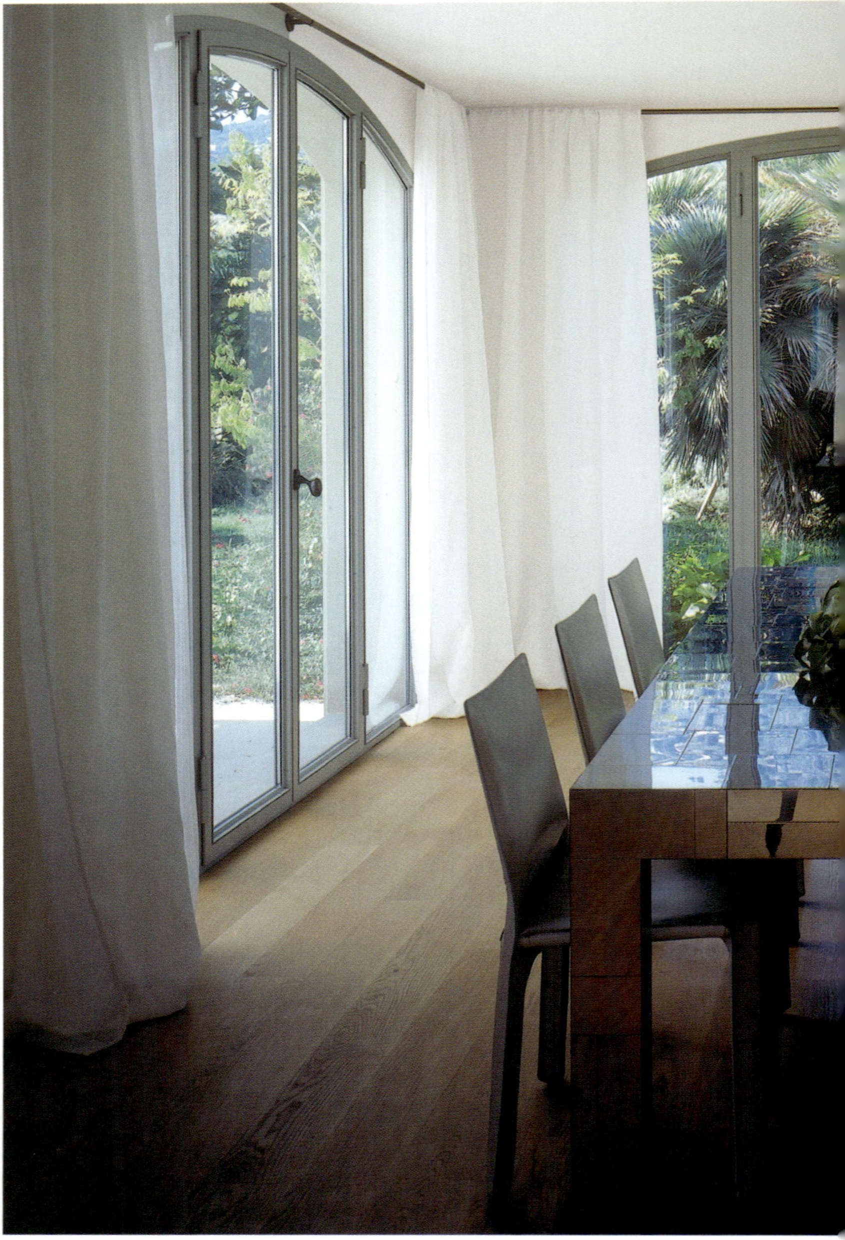

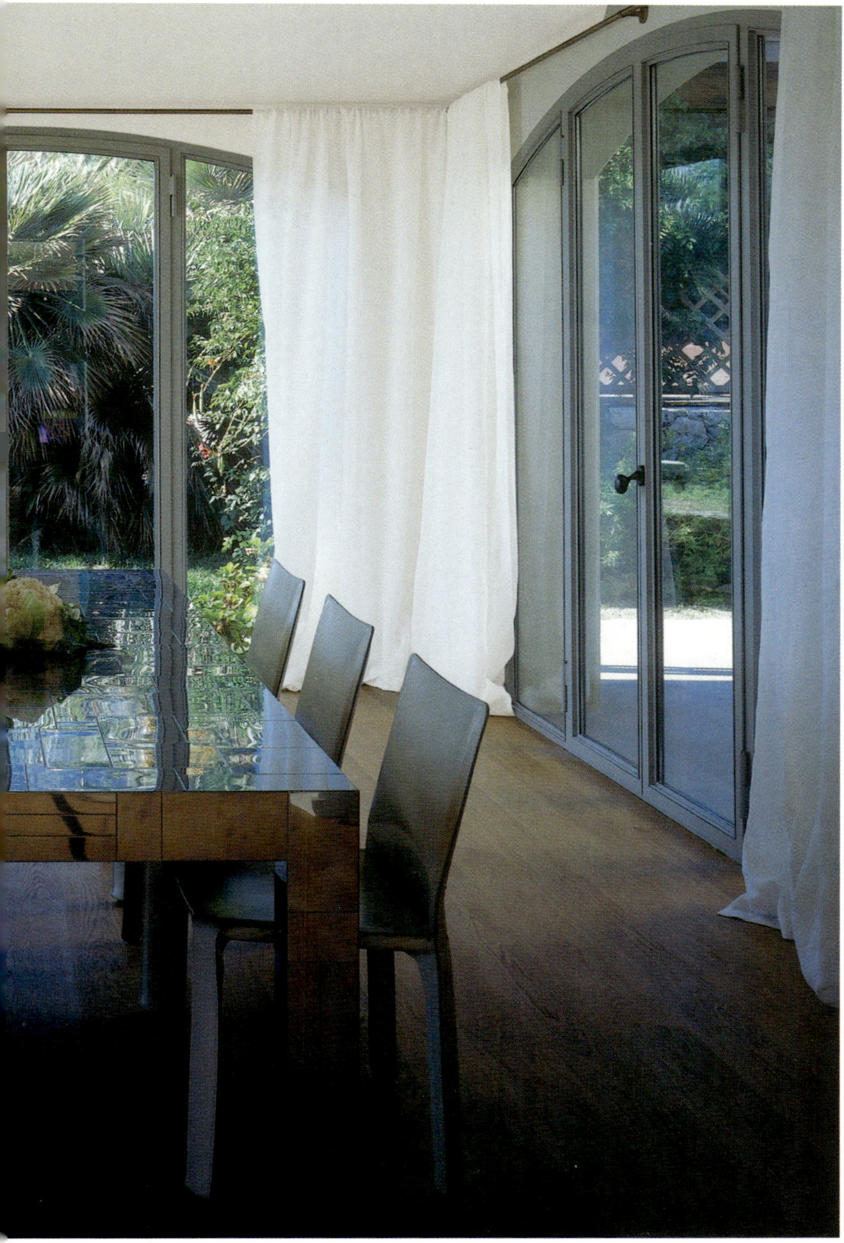

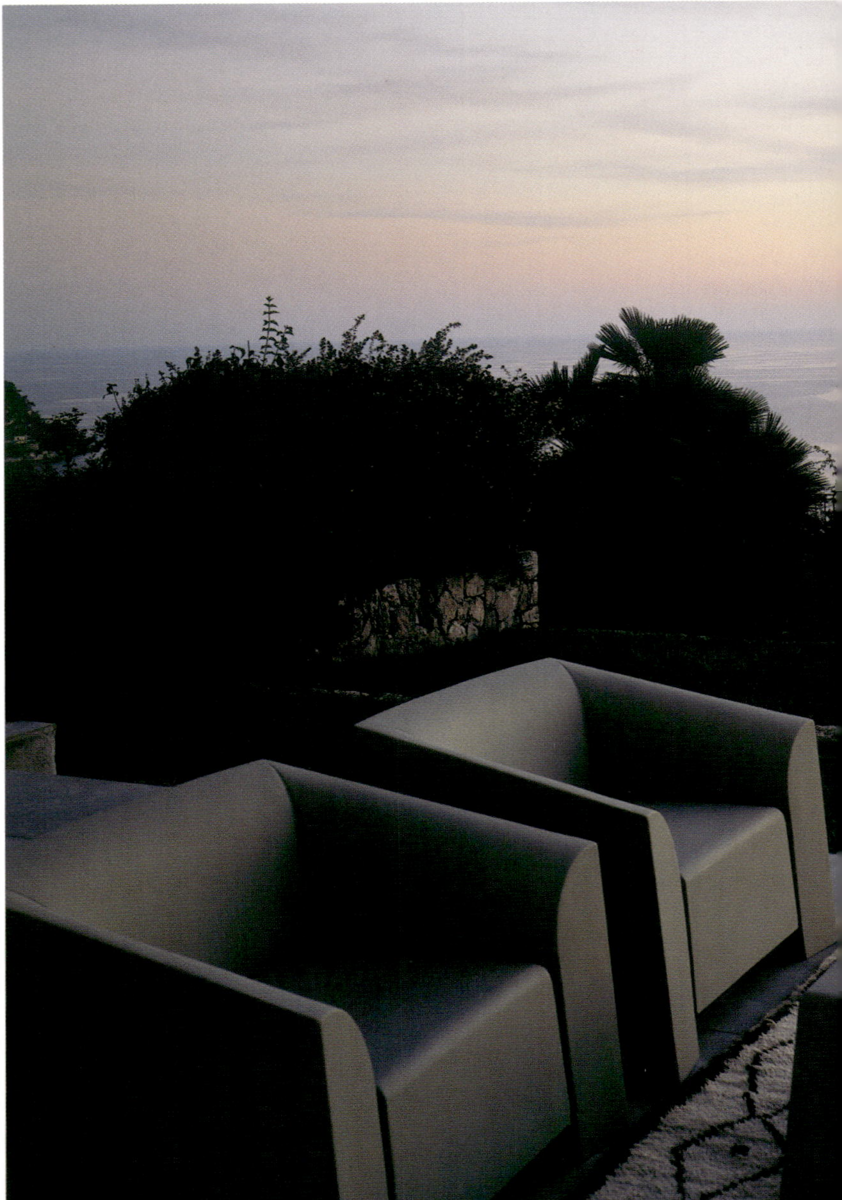

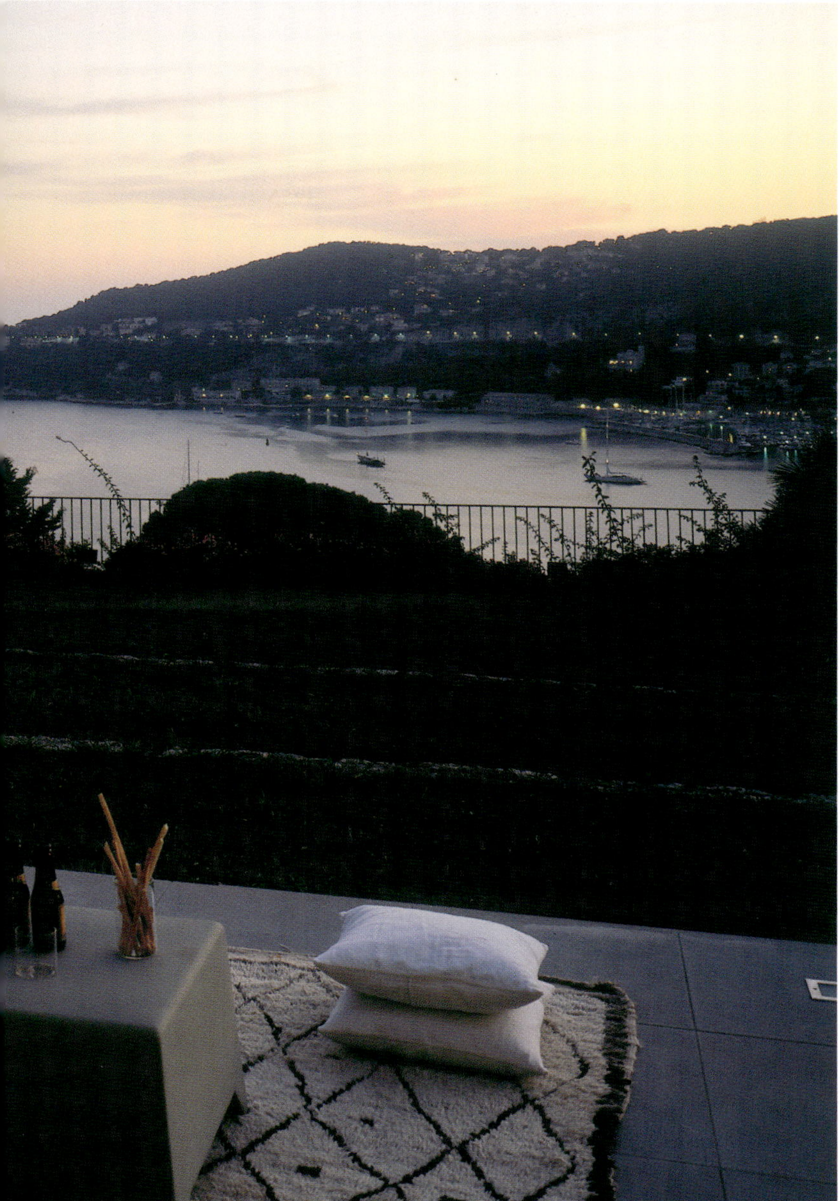

This design is an example of architecture integrated with a natural setting as spectacular as the Peruvian coast. The architects managed to achieve an environmentally-friendly design by planning the structure of the home as a solid volume anchored in the land in perfect harmony with its surroundings. The landscape also influenced the choice of colours and materials.

Questo progetto è un esempio di architettura perfettamente integrata con un ambiente naturale spettacolare come quello della costa peruviana. Gli architetti sono riusciti a creare un design rispettoso dell'ambiente, progettando la struttura come un solido volume ancorato alla terra e in perfetta armonia con il contesto. Il paesaggio ha influito anche sulla scelta dei colori e dei materiali.

EQUIS HOUSE
Barclay & Crousse

Cañete, Peru

Este proyecto es un ejemplo de arquitectura integrada en un entorno natural y tan espectacular como la costa peruana. Los arquitectos consiguieron crear un diseño respetuoso con el lugar proyectando la estructura de la casa como un sólido volumen anclado en la tierra que armoniza perfectamente con el contexto. El paisaje también influyó en la selección de colores y materiales.

Este design é um exemplo de arquitectura integrada com um cenário natural tão impressionante como a costa peruana. Os arquitectos conseguiram obter um design ambientalmente correcto através da planificação da estrutura da casa como um volume sólido abrigado no terreno, em perfeita harmonia com o meio circundante. A paisagem também influenciou a escolha de cores e materiais.

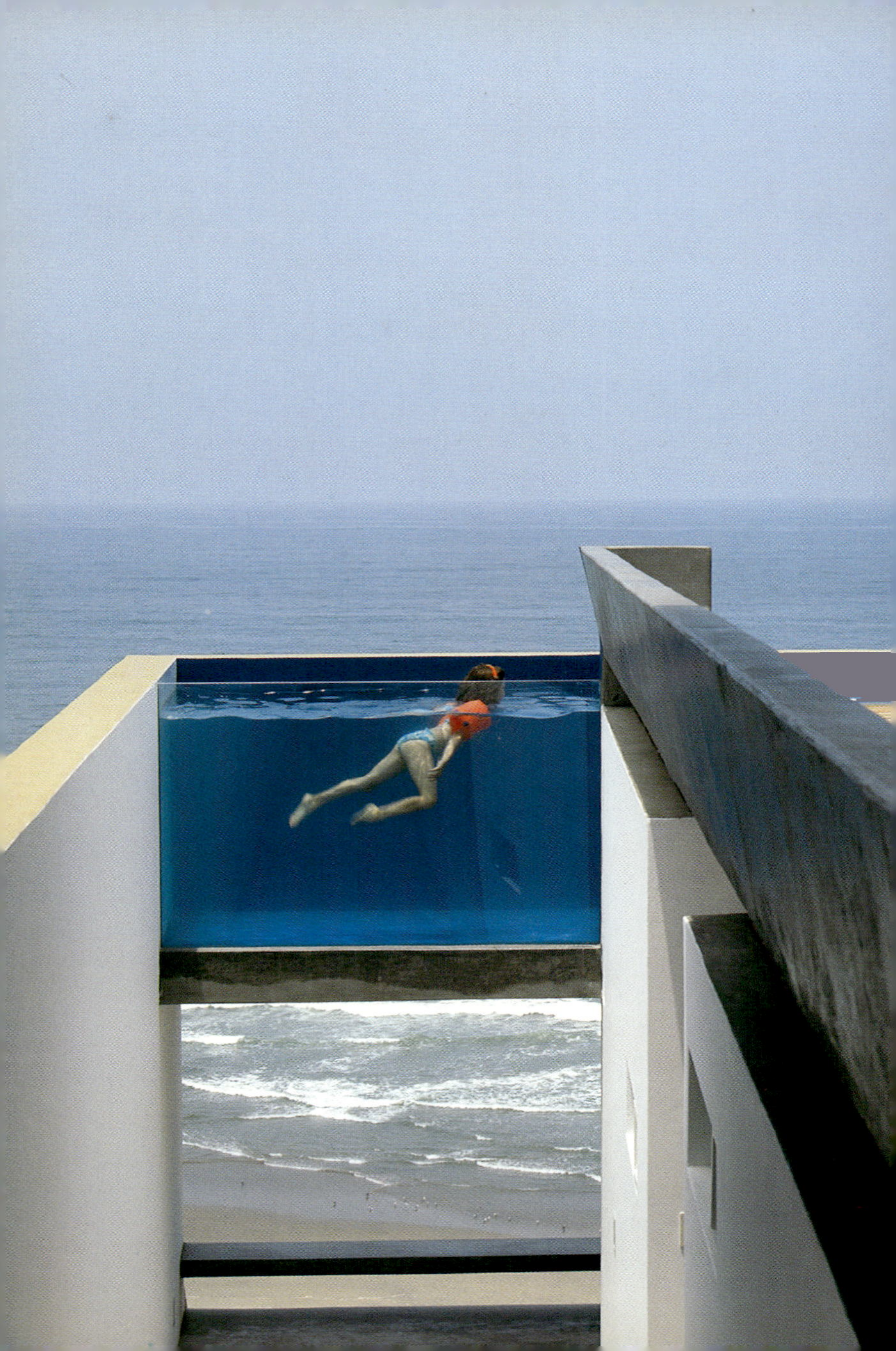

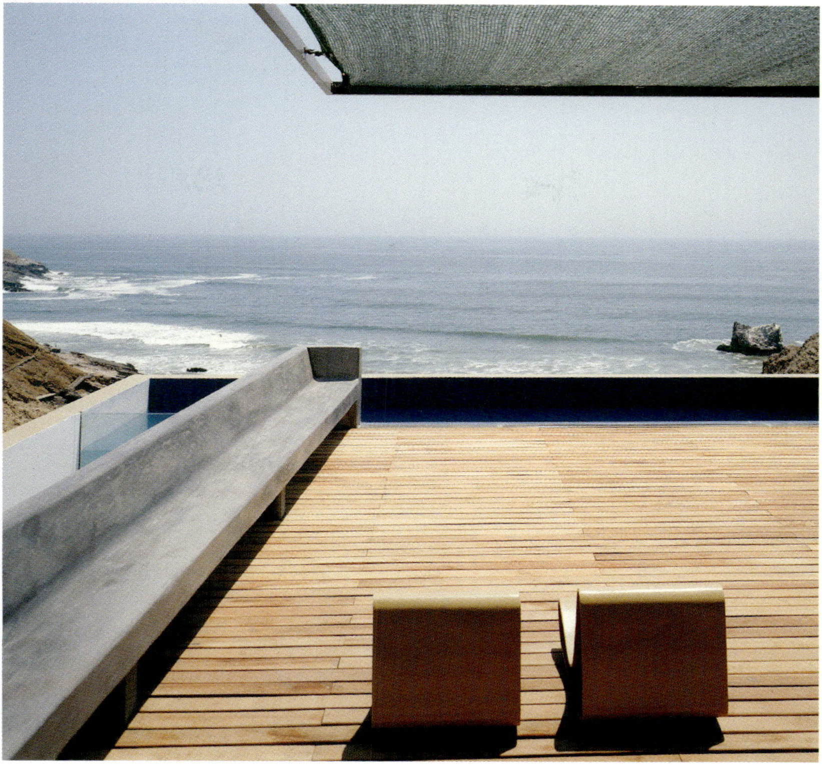

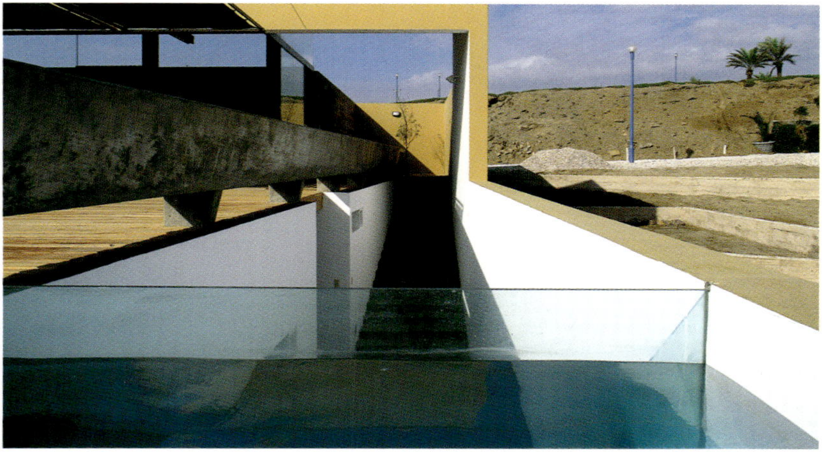

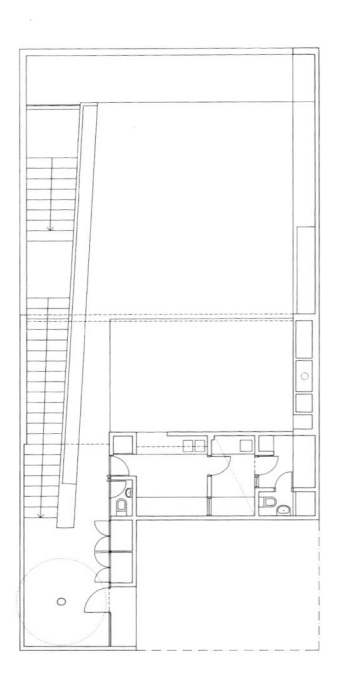

Floor Plan

First Floor

A spacious terrace, designed as a man-made beach, extends to the horizon line via a unique narrow swimming pool. This area is characterised by its relationship with the sky and the water.

Un'ampia terrazza, ideata come una spiaggia artificiale, si protende verso l'orizzonte attraverso una piscina stretta e originale. Questa zona è caratterizzata dal rapporto che si viene a creare con il cielo e con l'acqua.

Una amplia terraza, ideada como una playa artificial, se extiende hacia el horizonte a través de una estrecha y singular piscina. Esta zona se caracteriza por su relación con el cielo y el agua.

Um terraço amplo, concebido como praia artificial, prolonga-se até à linha do horizonte através de uma piscina estreita singular. Esta área caracteriza-se pela sua relação com o céu e a água.

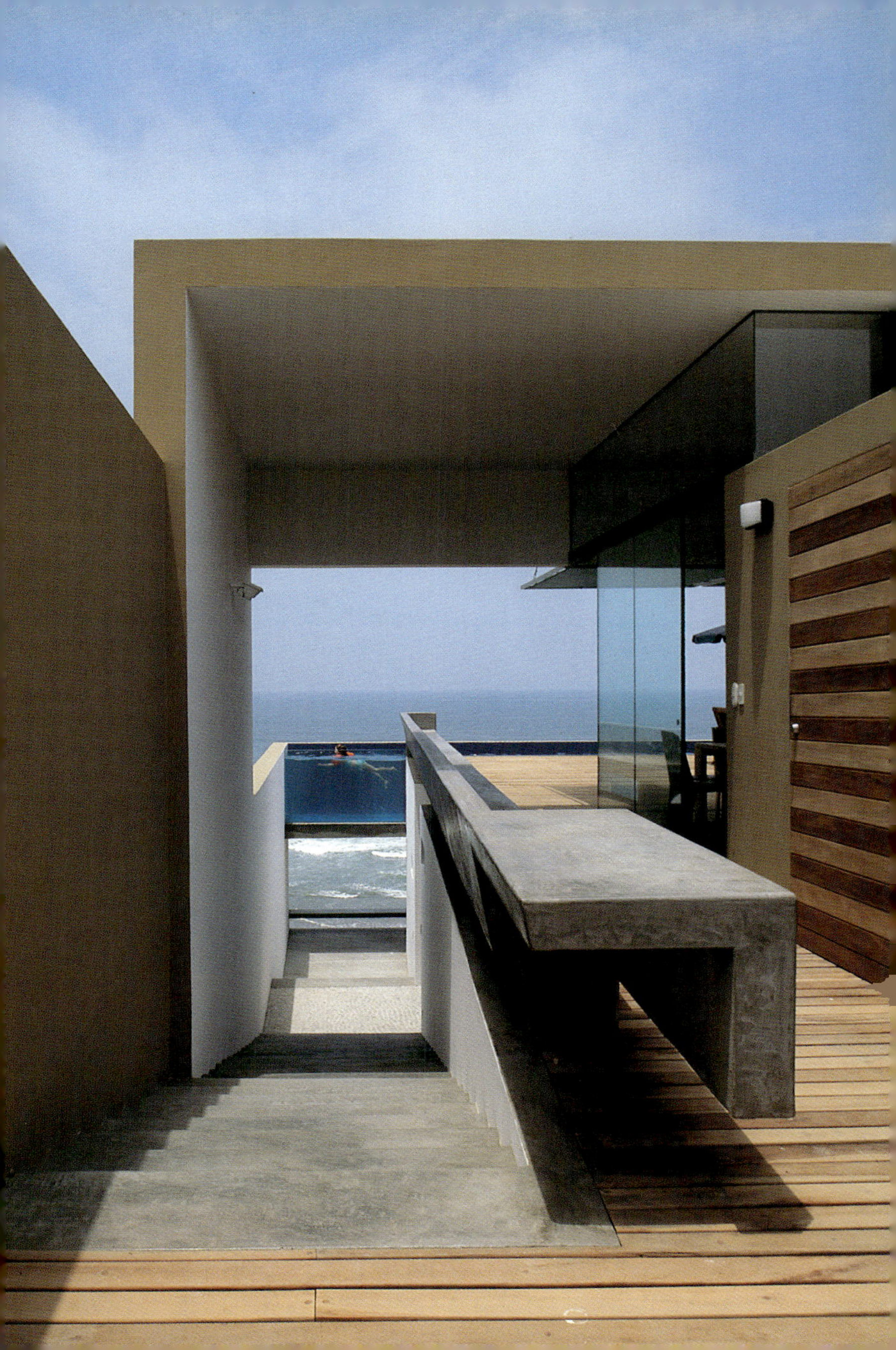

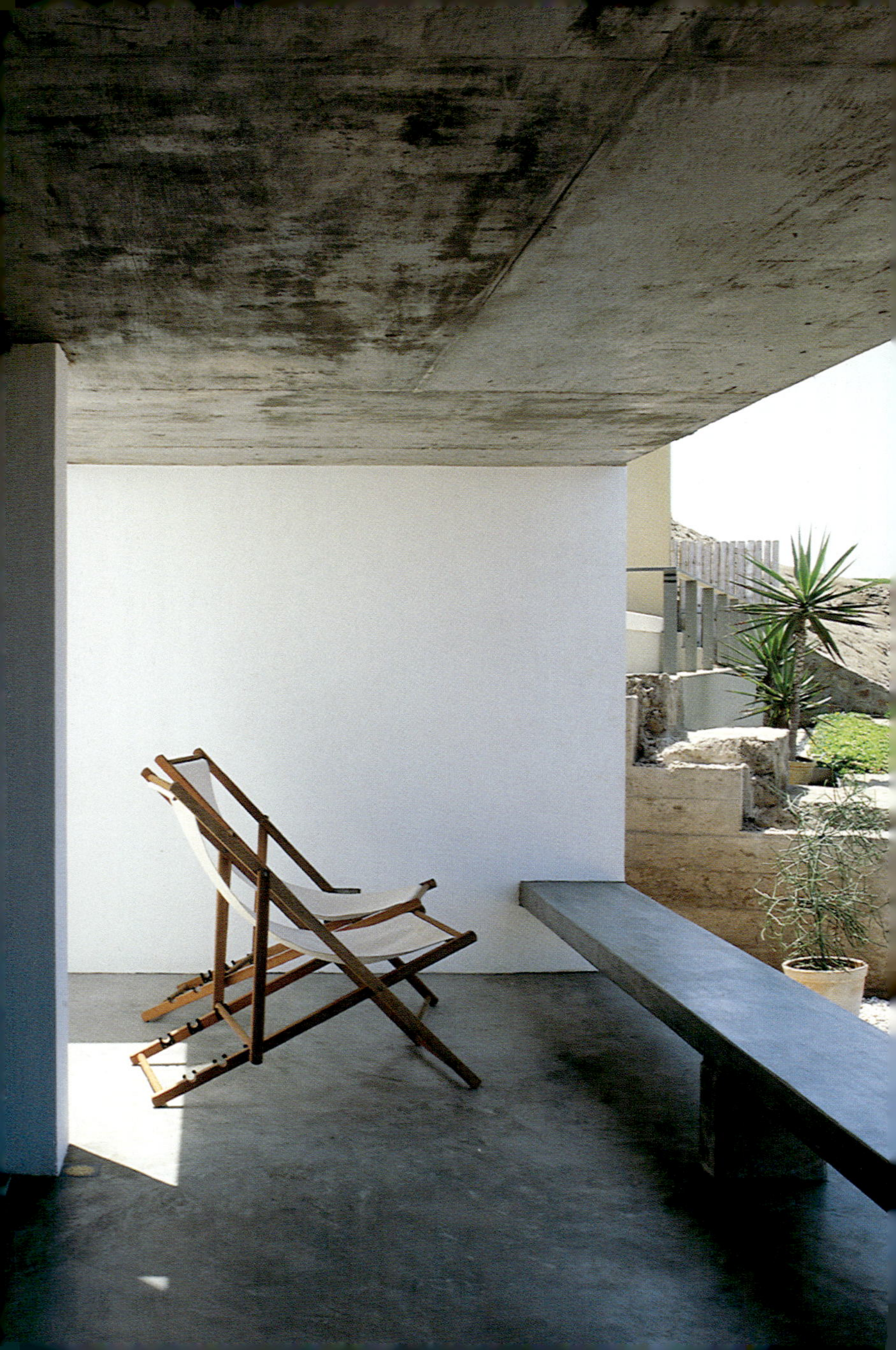

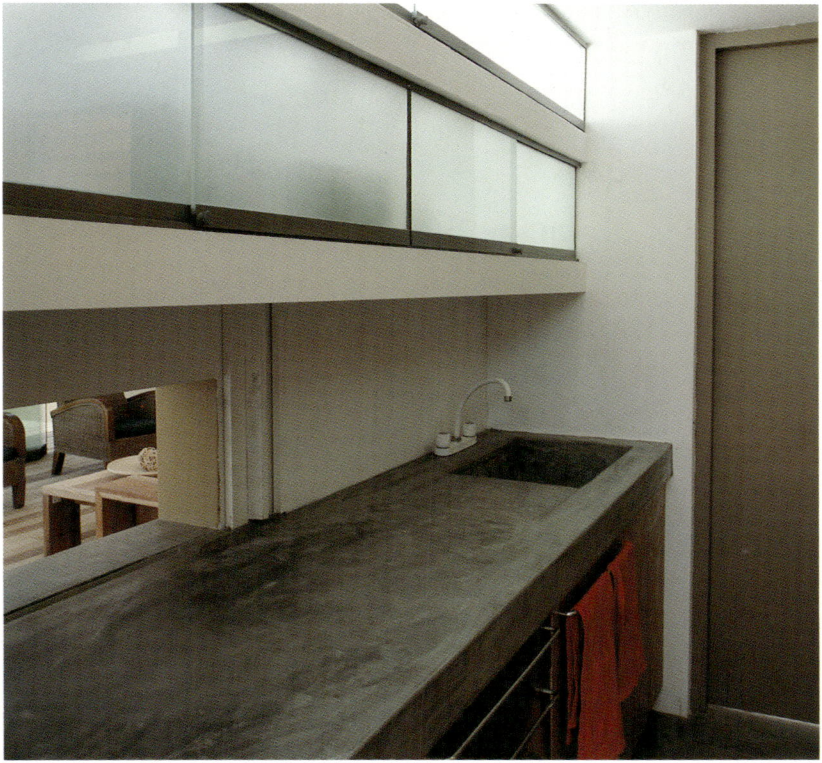

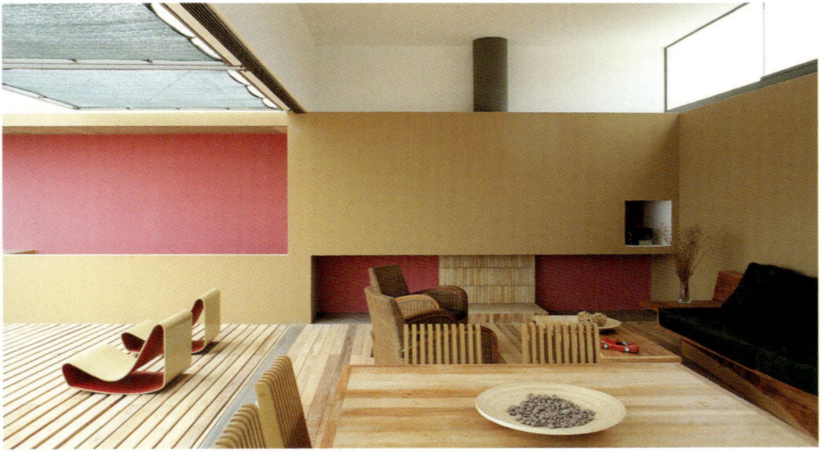

The most outstanding feature of this beachfront house is the contrasts between the inside and outside. Behind an angular façade lies a world ruled by the sinuousness of the structure, featuring rounded shapes and the furniture decorating it. The inside boasts tiny, cosy spaces alongside spacious areas, like the three-floor high living room.

L'elemento che contraddistingue questa casa, costruita sulla spiaggia a pochi passi dalla riva del mare, è il gioco di contrasti tra interni ed esterni. Dietro a una facciata di forme angolari si apre un universo dominato dalla sinuosità delle forme arrotondate e dai mobili che lo decorano. All'interno, convivono spazi piccoli e accoglienti e stanze ampie e voluminose, come il soggiorno disposto su tre livelli.

CAPISTRANO BEACH HOUSE
Rob Wellington Quigley

California, USA

Lo que mejor distingue esta residencia a pie de playa es el juego de contrastes entre el interior y el exterior. Tras una fachada de formas angulares se abre un mundo dominado por la sinuosidad de la estructura de formas redondeadas y del mobiliario que lo decora. En su interior conviven espacios pequeños y acogedores con estancias voluminosas, como el salón de tres alturas.

A característica mais marcante desta casa junto à praia é o contraste entre o interior e o exterior. Por trás de uma fachada angular, situa-se um mundo regulado pela sinuosidade da estrutura, realçando as formas arredondadas e o mobiliário que a decora. O interior ostenta espaços pequenos e acolhedores, bem como áreas amplas, como a sala de estar com uma altura equivalente a três andares.

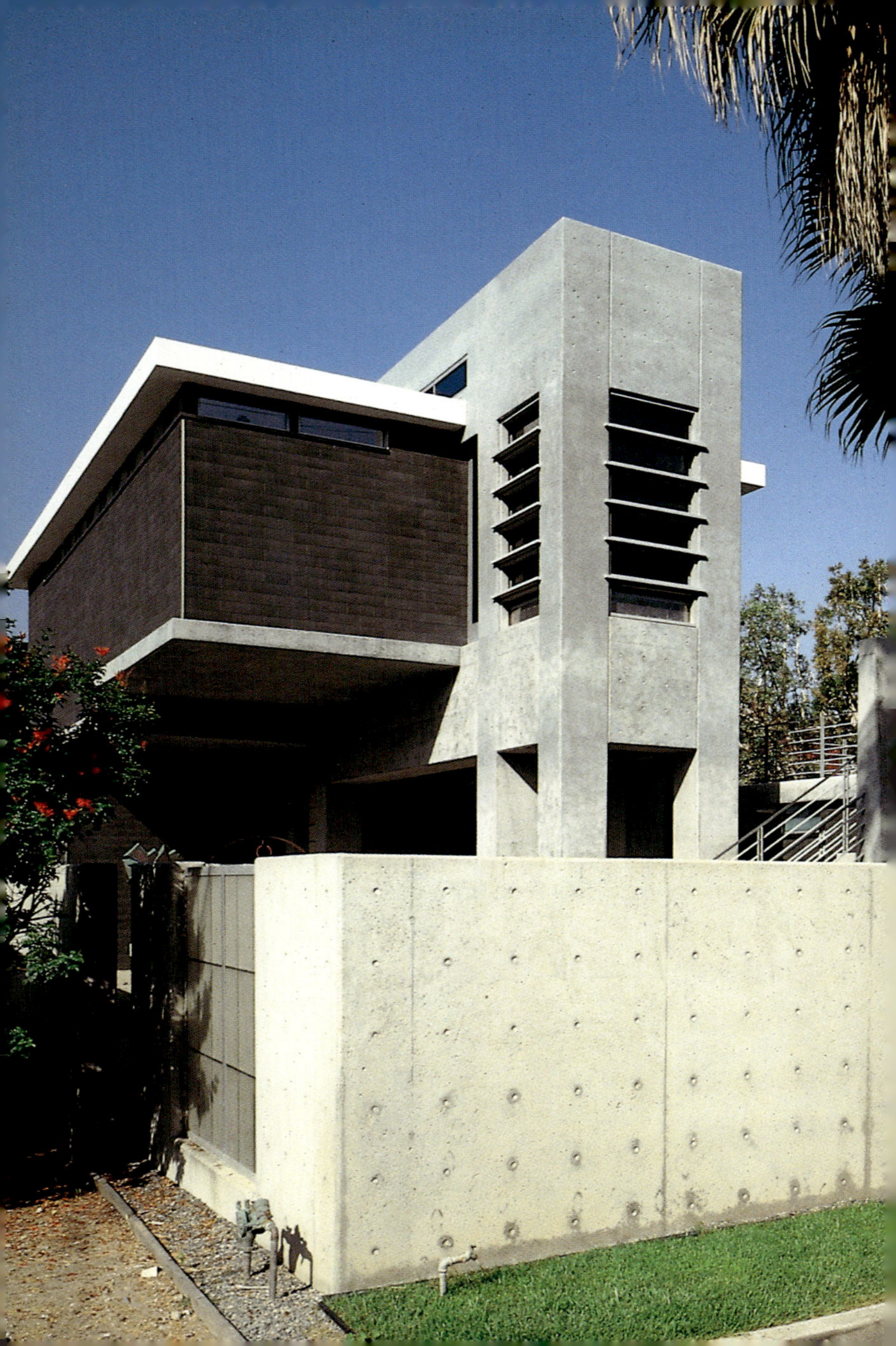

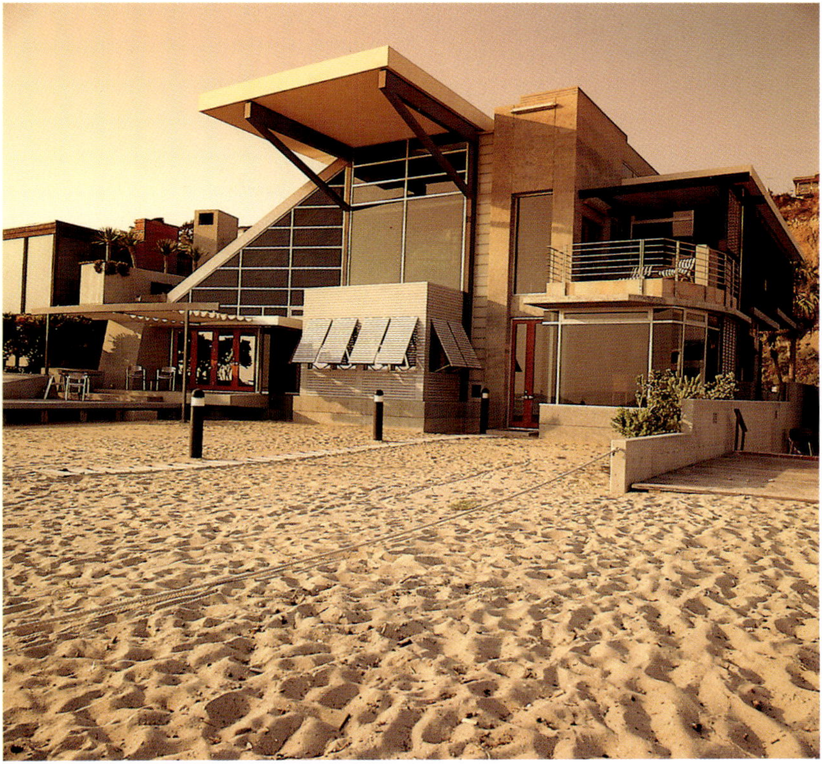

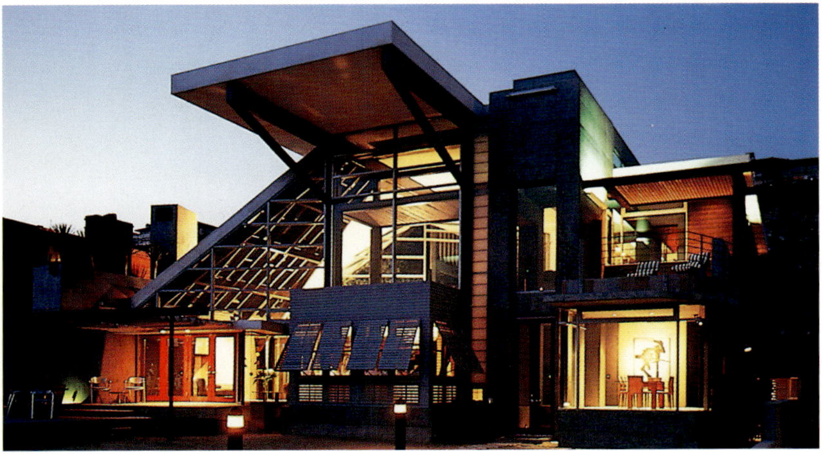

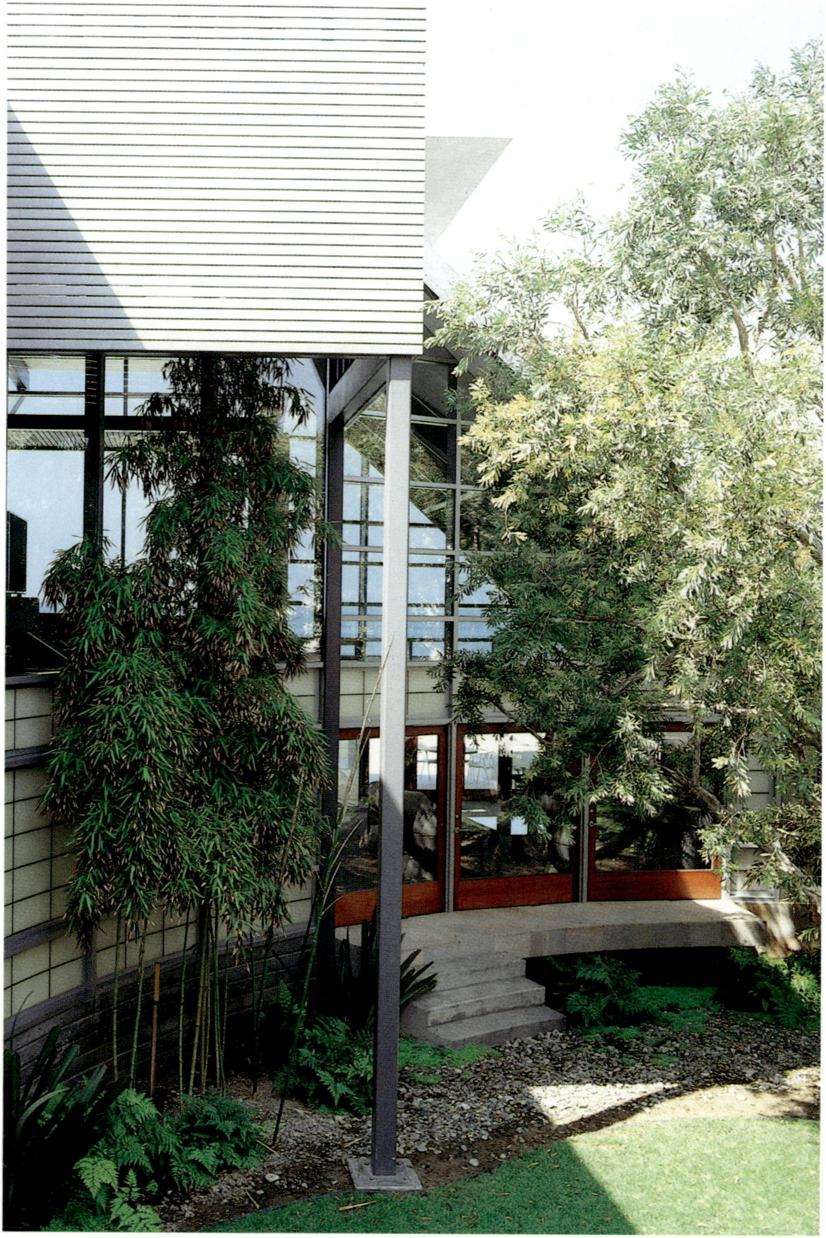

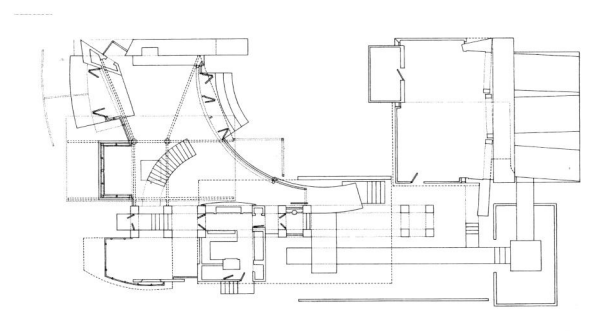

Floor Plan

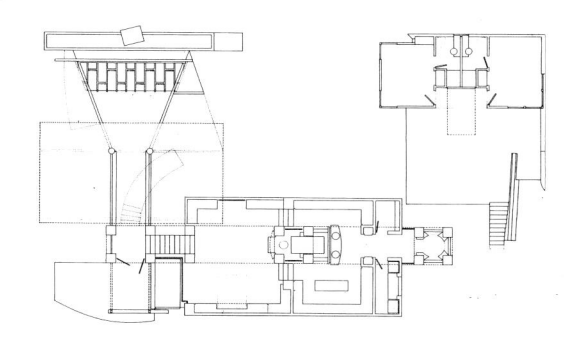

First Floor

An inner courtyard bounded by curved glass walls houses a small, well-tended garden and creates a space that is not just charming but also cool, where the residents can take refuge during the hottest time of day.

Un patio interior acotado por muros curvos acristalados acoge un pequeño y cuidado jardín y crea un espacio no sólo encantador sino también fresco donde protegerse las horas más calurosas del día.

Un cortile interno, circondato da pareti ricurve di vetro, racchiude un piccolo giardino molto curato e crea uno spazio incantevole e fresco dove trascorrere le ore più calde della giornata.

Um pátio interior limitado por paredes de vidro curvo aloja um pequeno e bem cuidado jardim e cria um espaço encantador mas também fresco, onde os residentes se podem refugiar nos períodos de maior calor durante o dia.

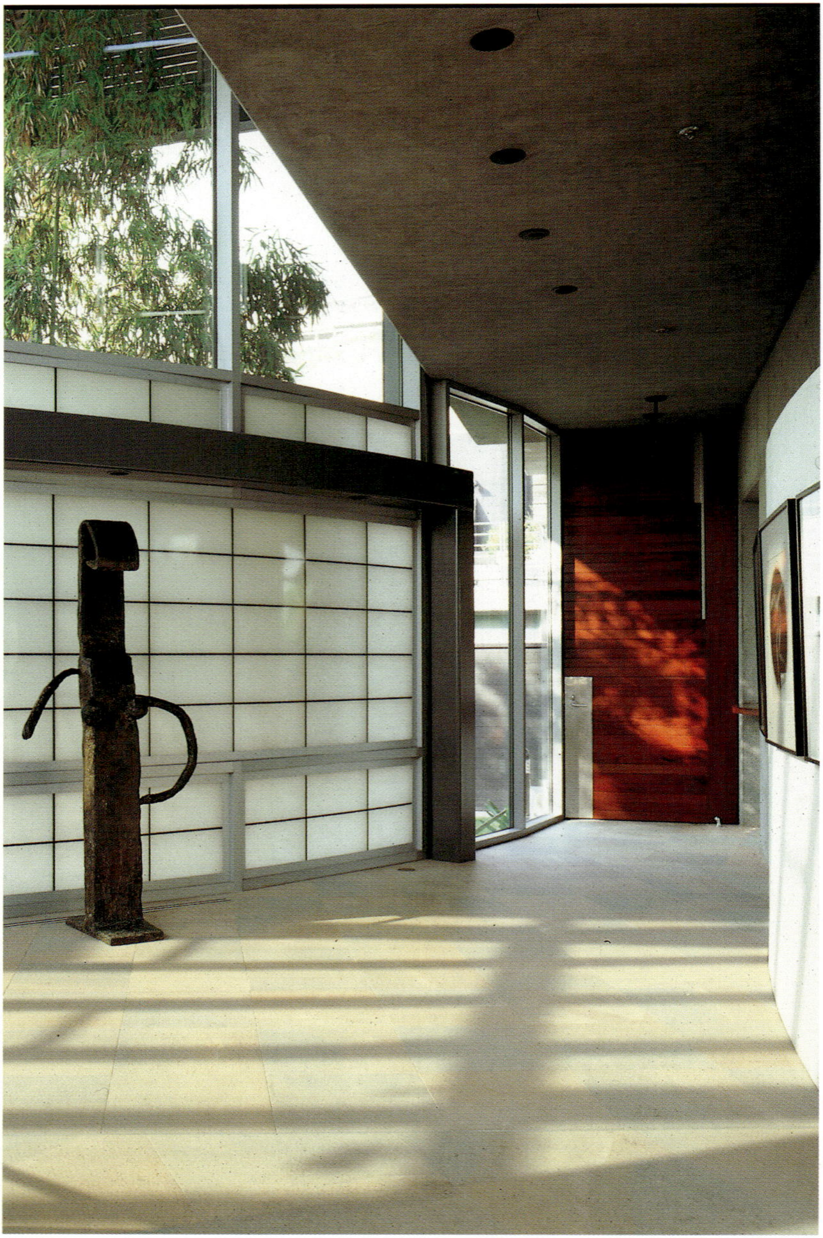

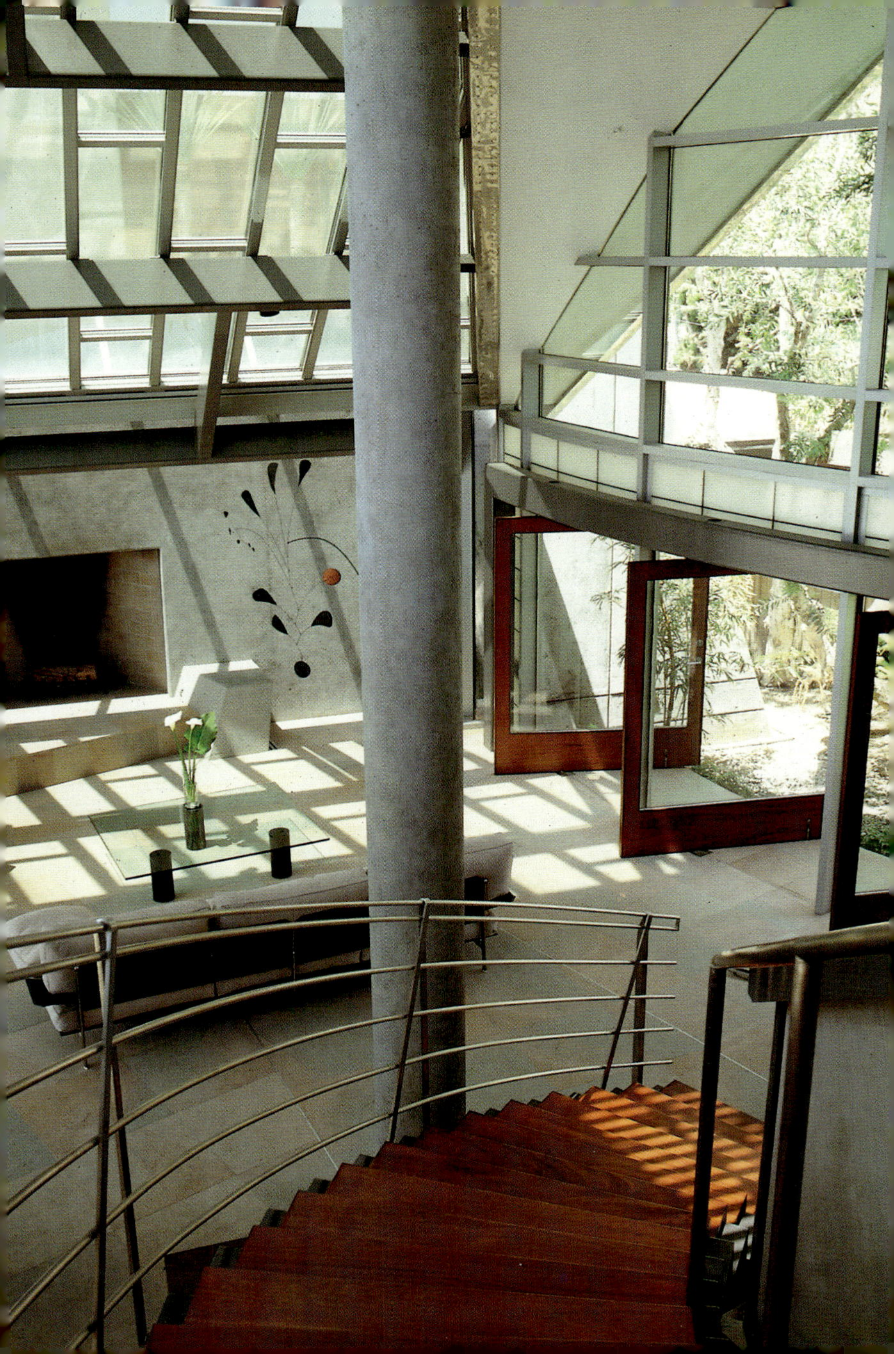

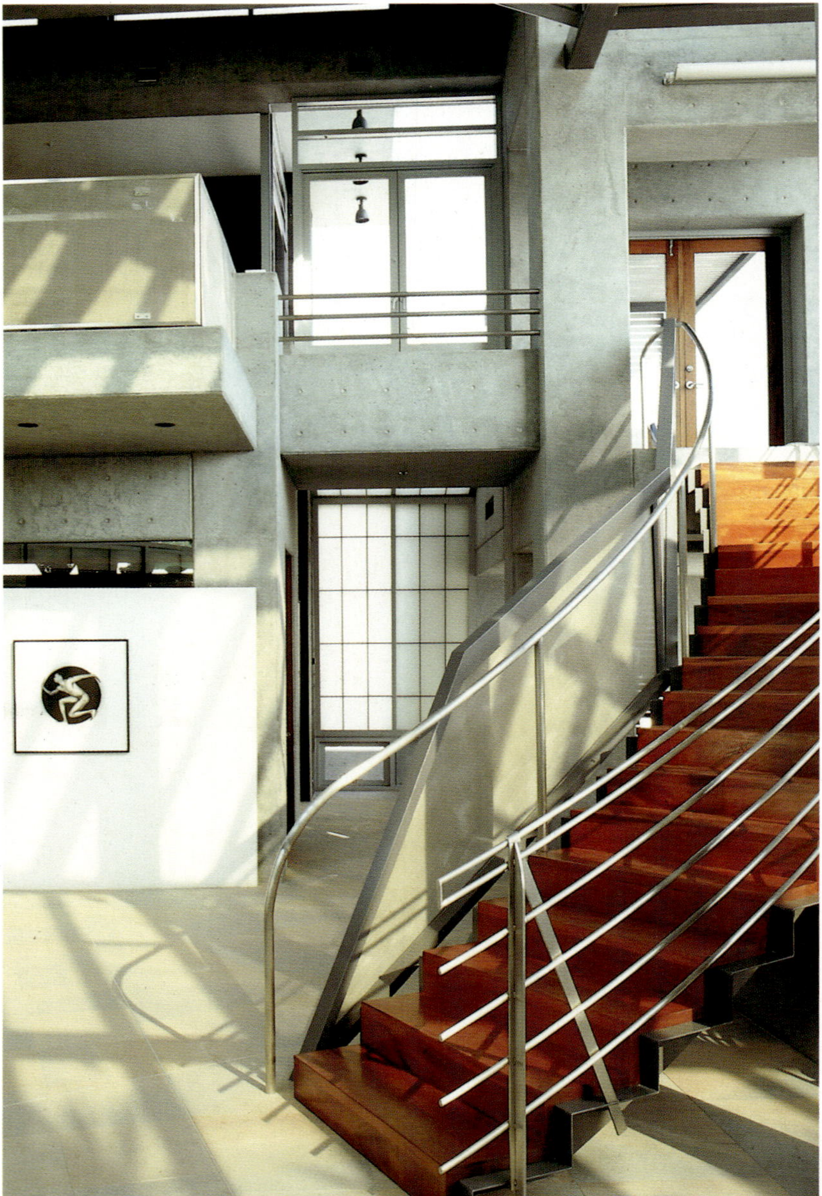

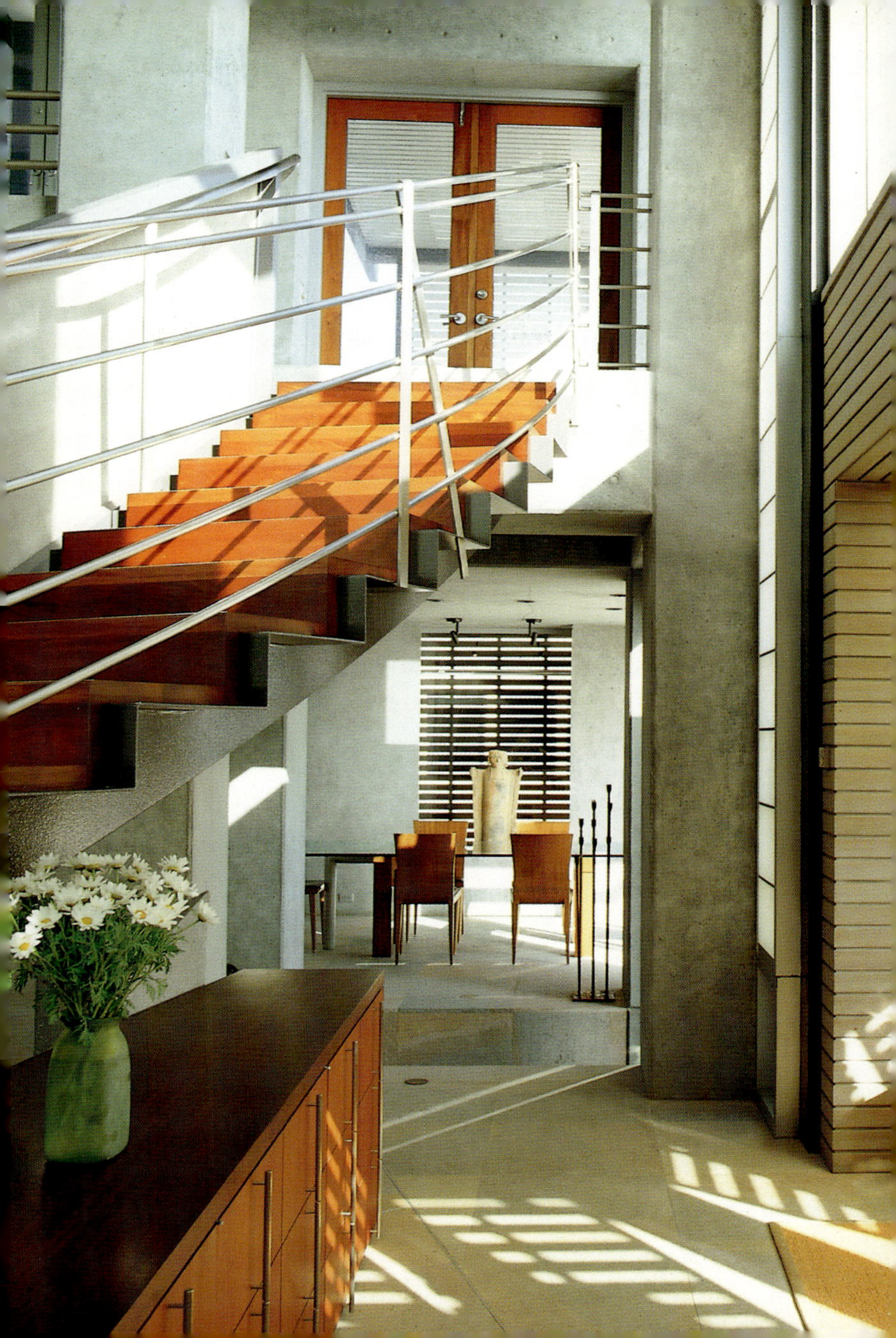

This majestic residence is reached after walking along a path lined by palm trees. Upon entering, an enormous hall with glass walls allows you to glimpse the bar, swimming pool and waterfall in the garden. On the upper floor, a bridge links the bedroom with a terrace, which can also be reached via a stairway in the garden.

Per arrivare a questa maestosa residenza si percorre un sentiero fiancheggiato da palme. All'ingresso, un enorme vestibolo con pareti di vetro consente la vista sulla zona bar, la piscina e la cascata del giardino. Al piano superiore, un ponte unisce la camera da letto alla terrazza, accessibile anche dal giardino mediante una scalinata.

LEBOSS RESIDENCE
Barry Sugerman

Miami, Florida, USA

Tras atravesar un camino flanqueado por palmeras, se llega a esta majestuosa residencia. Al entrar, un enorme vestíbulo con muros de cristal permiten divisar el bar, la piscina y la cascada que se encuentran en el jardín. En la planta superior, un puente une el dormitorio con una terraza, a la que se puede acceder también por unas escaleras desde el jardín.

Para chegar a esta grandiosa residência há que percorrer um caminho entre palmeiras. À entrada, um salão enorme com paredes de vidro que permitem entrever o bar, a piscina e a cascata no jardim. No andar superior, uma ponte estabelece ligação entre o quarto e um terraço, que também pode ser acedido a partir do jardim através de uma escadaria.

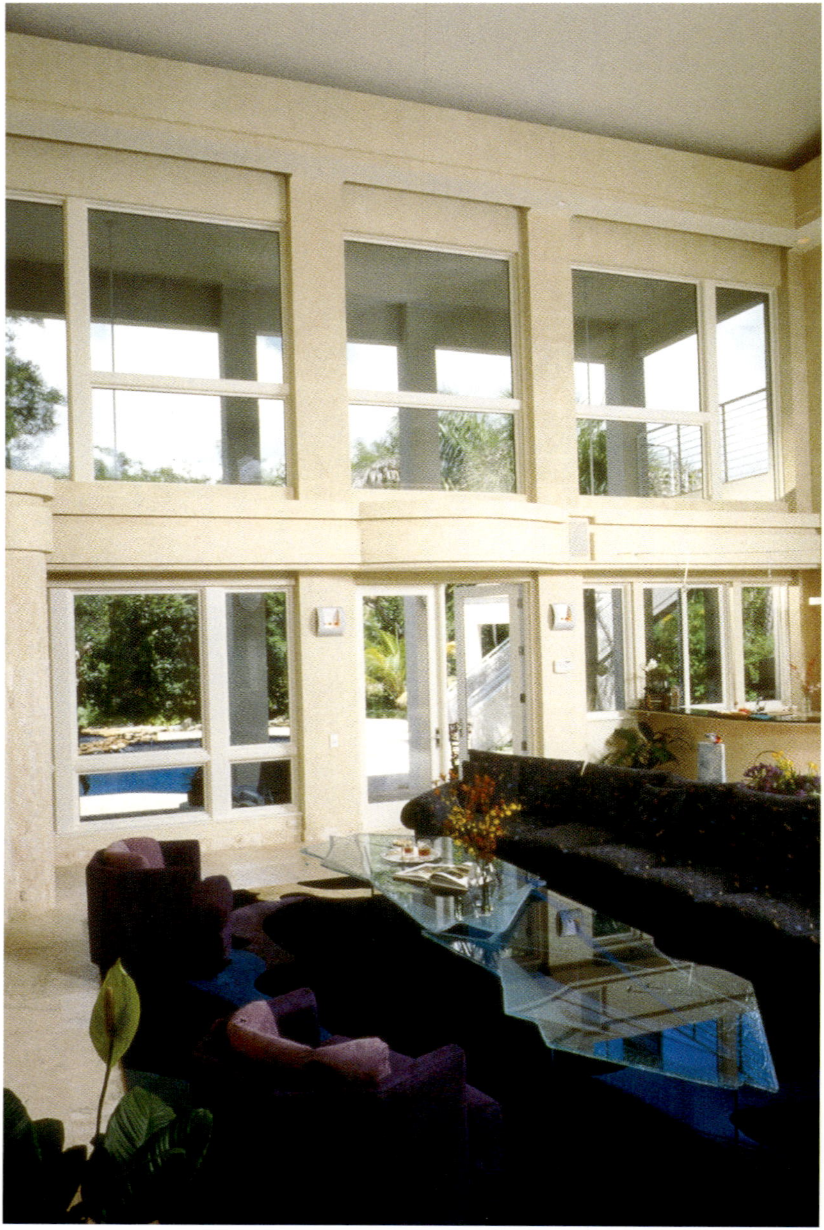

The inside of the residence was decorated in a refined style featuring precious materials like marble and glass and cool colours like violet, blue and green.

L'interno della residenza è stato decorato con uno stile raffinato, in cui predominano materiali nobili quali il marmo e il vetro, e i colori freddi come il viola, il blu e il verde.

El interior de la residencia ha sido decorado con un refinado estilo, en el que predominan los materiales nobles como el mármol y el cristal, y los colores fríos como el violeta, el azul y el verde.

O interior da residência foi decorado com um estilo refinado, destacando-se pela utilização de materiais preciosos, como o mármore e o vidro, e de cores frescas, como o violeta, o azul e o verde.

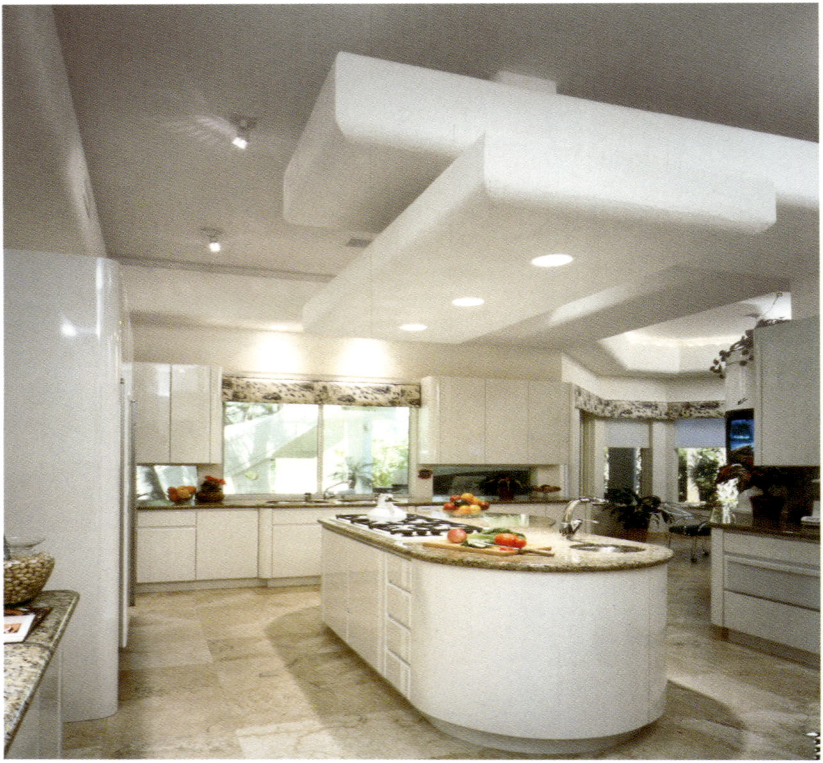

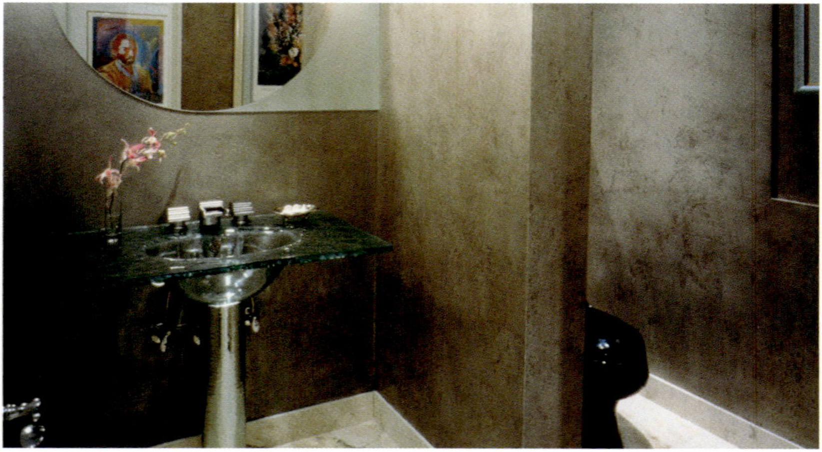

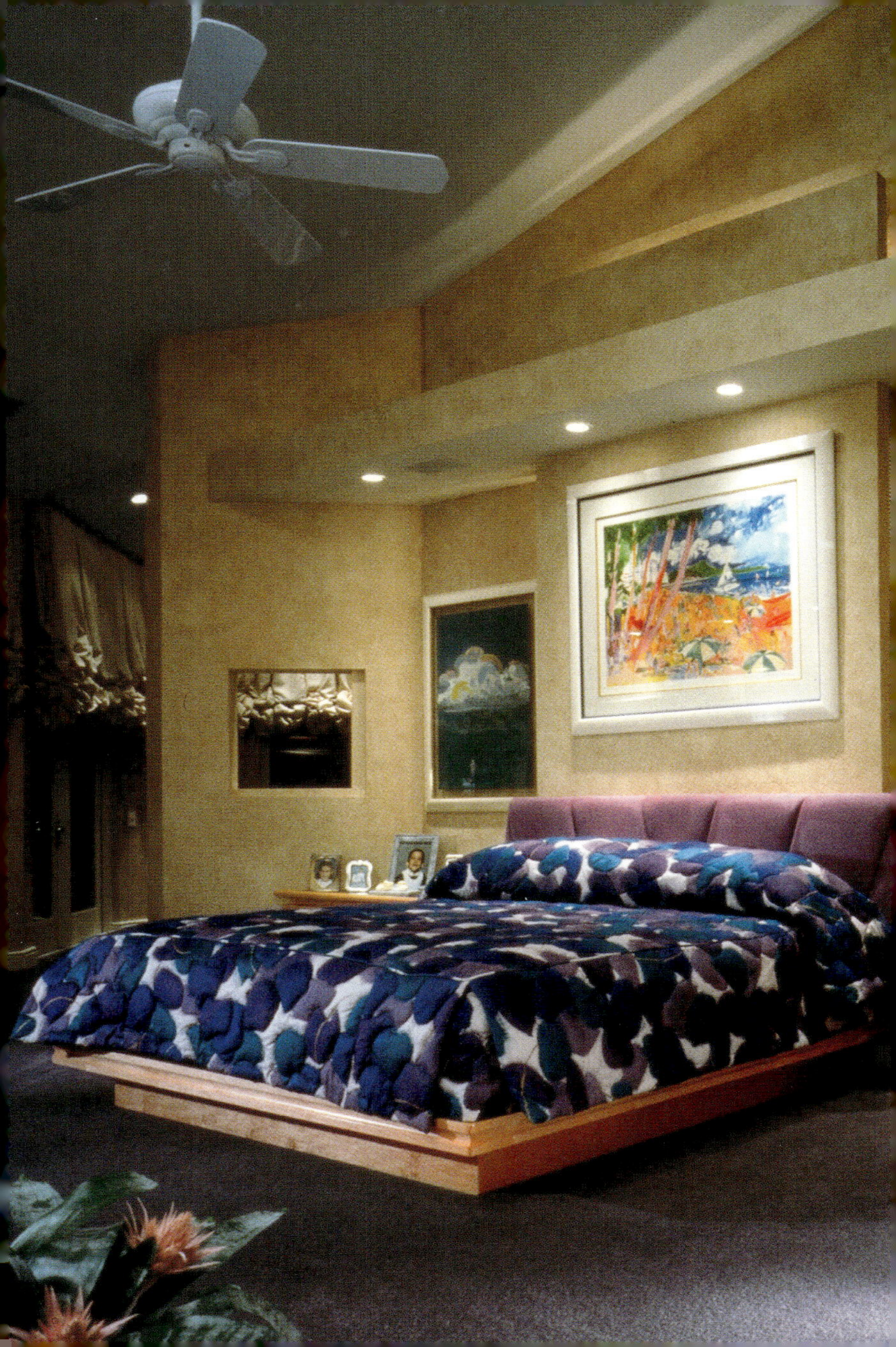

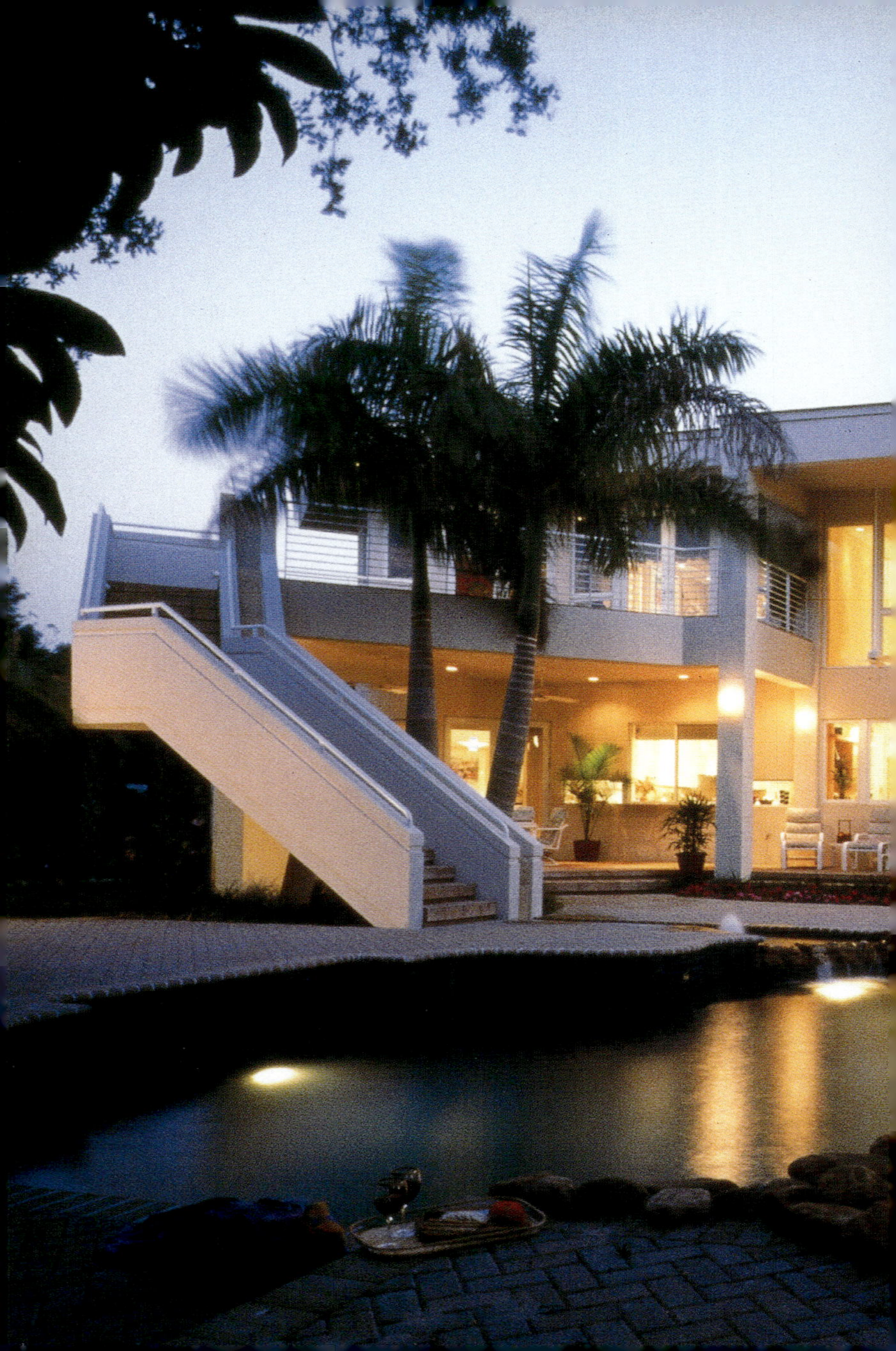

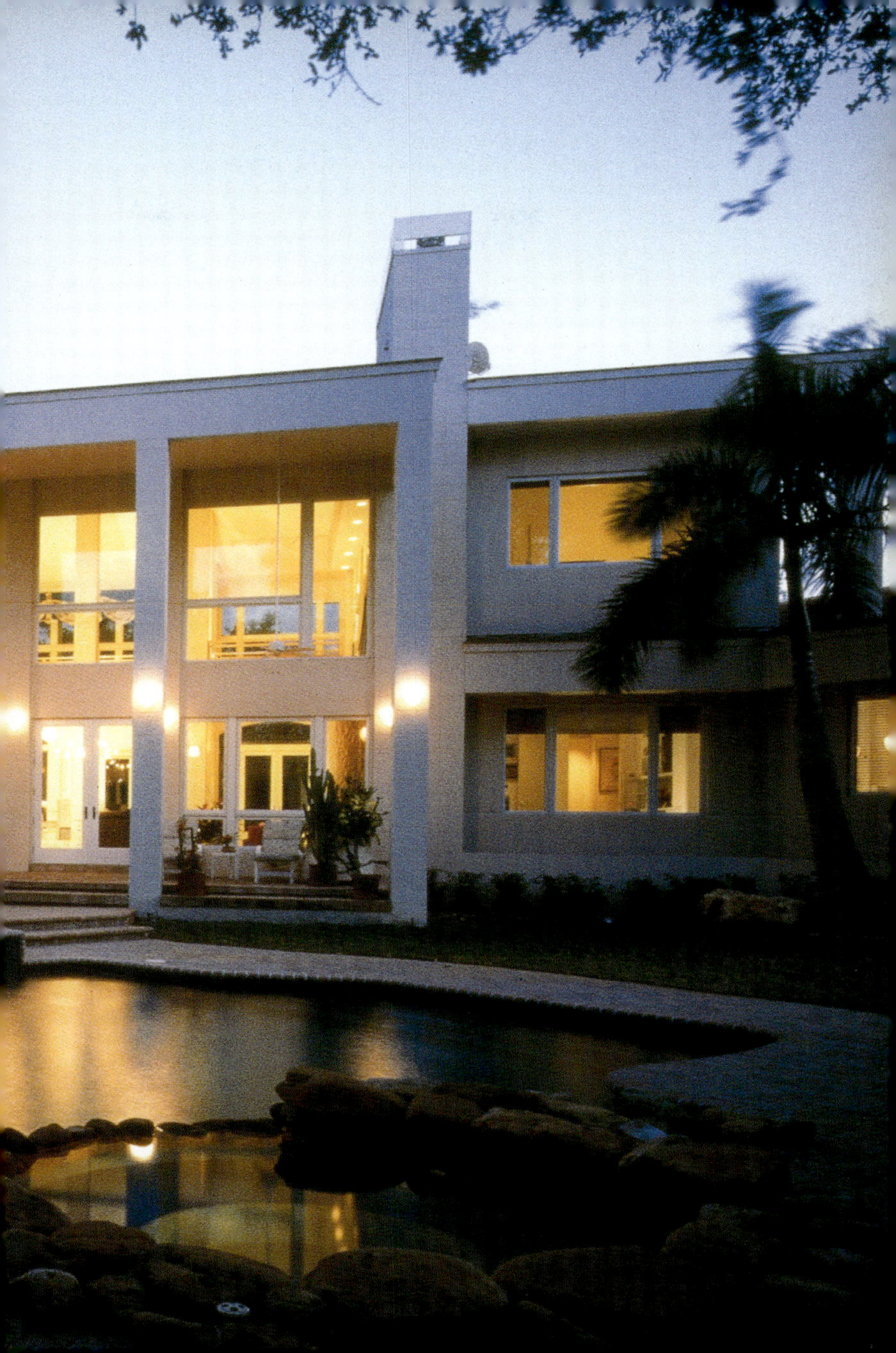

The owners entrusted Venezuelan architect and designer Luís Lozada with the remodelling of this 1,280 m²/13,778 square feet home. The architect's efforts mainly focused on highlighting the inside of the house, creating a cosy, warm place for enjoying the spectacular views of the jetty located just across from the façade.

I proprietari hanno affidato all'architetto e designer venezuelano Luis Lozada la ristrutturazione di questa residenza di 1.280 m². L'architetto si è dedicato in particolare alla valorizzazione degli interni, creando un luogo caldo e accogliente da cui è possibile godere la vista dello splendido imbarcadero, situato di fronte alla casa.

PENZON RESIDENCE

Luís Lozada

Miami, Florida, USA

Los propietarios de esta casa confiaron al arquitecto y diseñador venezolano Luís Lozada la remodelación de esta vivienda de 1.280 m². El trabajo del arquitecto se centró especialmente en potenciar el interior de la casa, creando un acogedor y cálido lugar desde el cual poder disfrutar de la espectacular vista del embarcadero, situado frente a la fachada.

Os proprietários incumbiram o arquitecto e designer venezuelano Luís Lozada da remodelação desta casa de 1.280 m². Os esforços do arquitecto centraram-se, principalmente, em realçar o interior da casa, criando um lugar acolhedor e caloroso, para desfrutar as vistas extraordinárias do pontão, situado mesmo em frente à fachada.

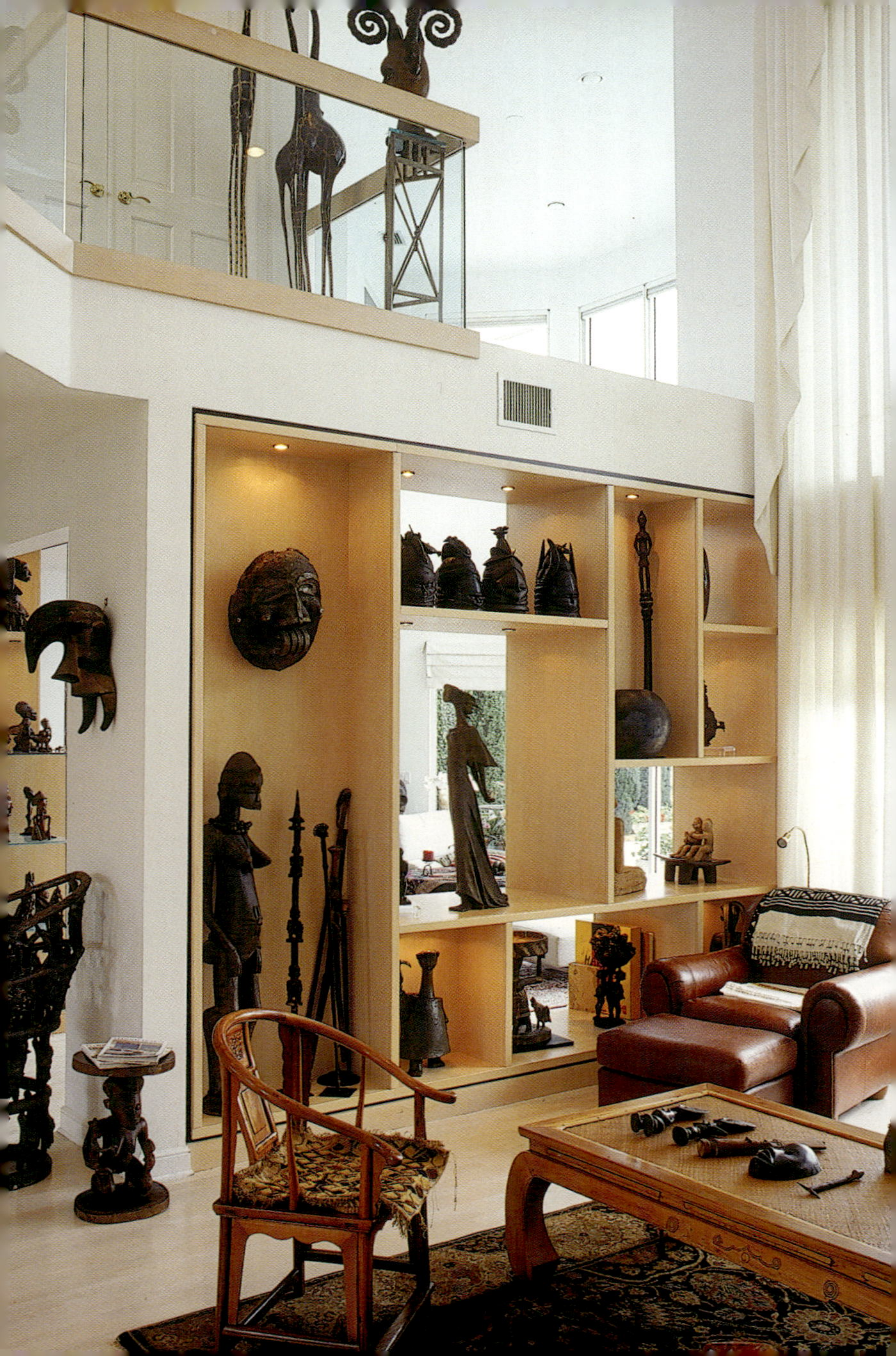

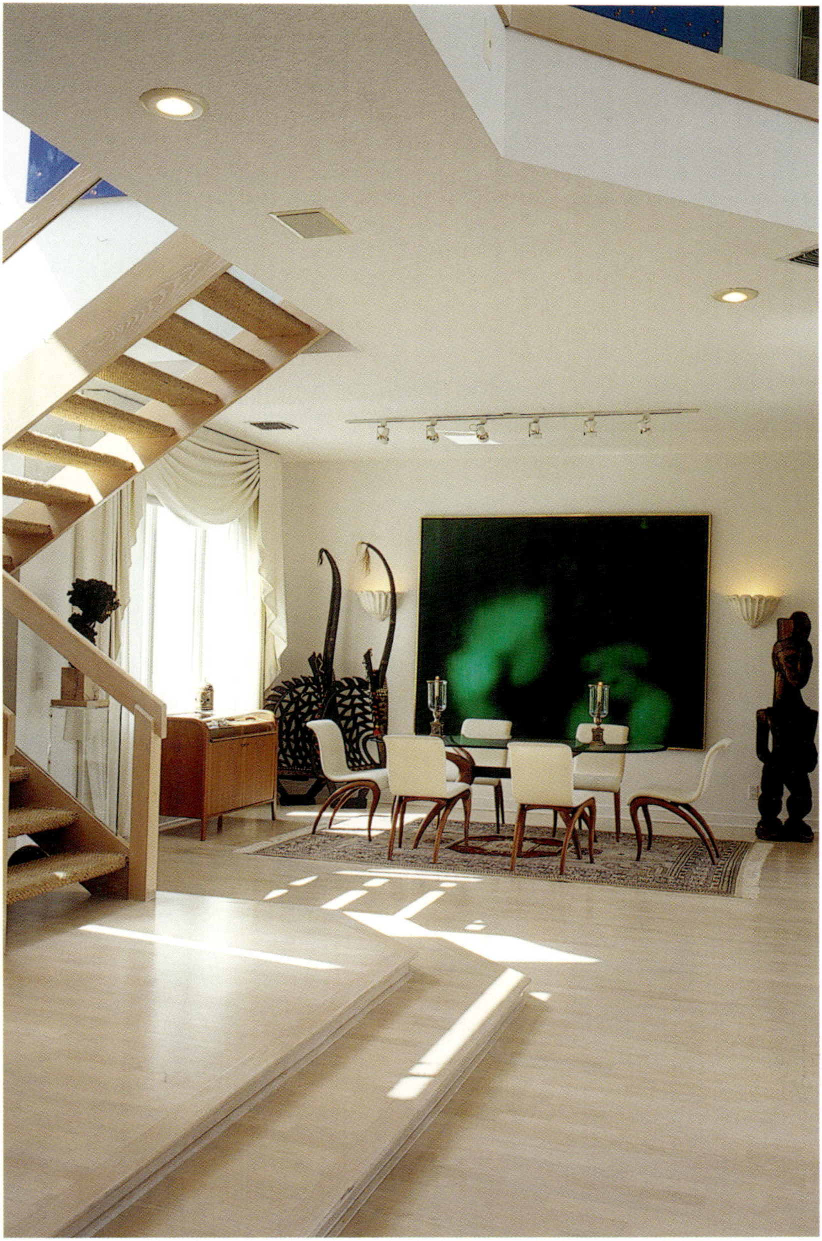

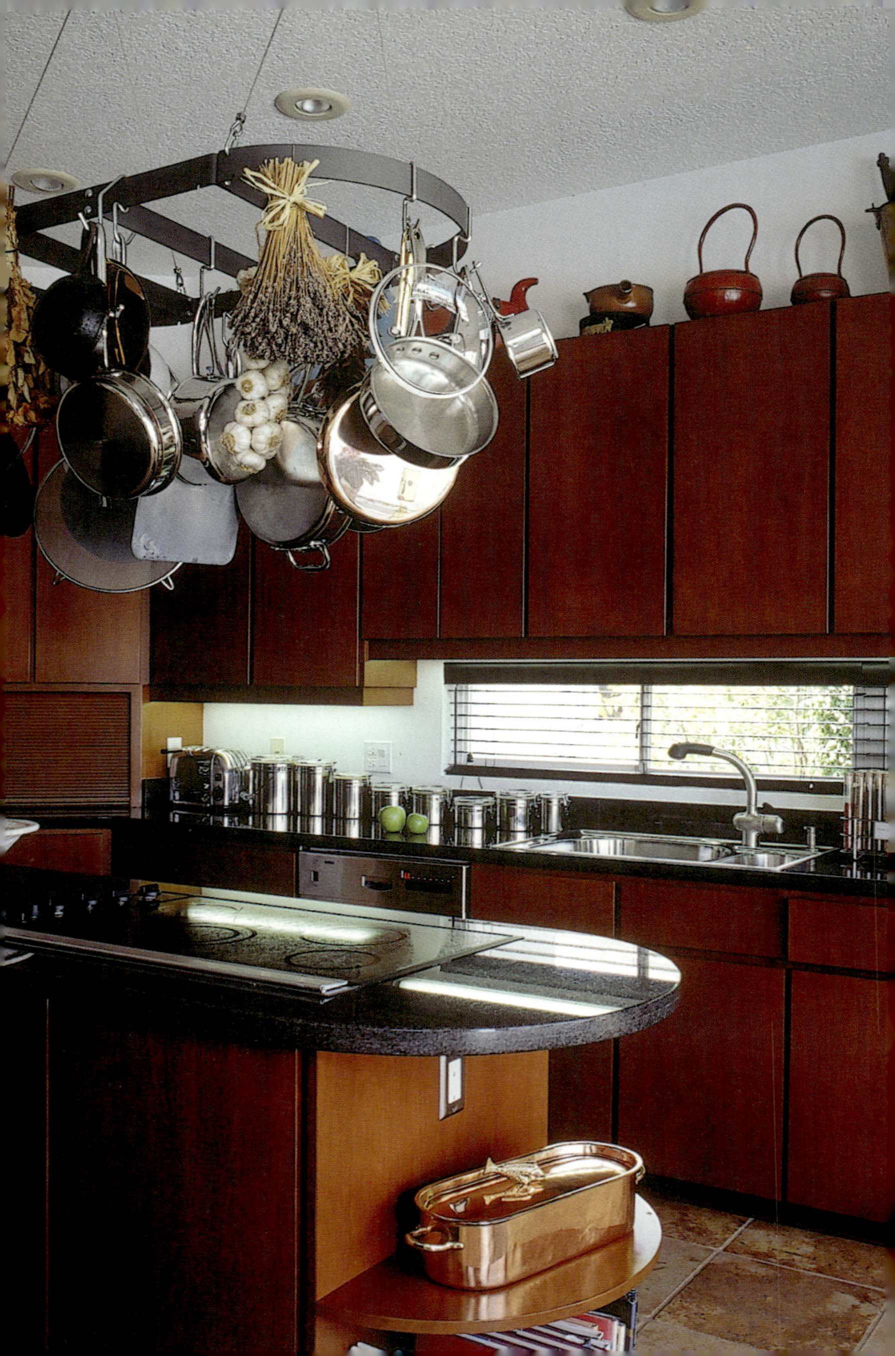

Sculptures, furniture and fabrics, mainly featuring African influences, are scattered all around the inside of the house and seamlessly harmonise with the building's earth tones.

In ogni spazio della casa sono presenti sculture, mobili e tessuti, quasi interamente d'ispirazione africana, in perfetta armonia con le tonalità color terra dell'edificio.

Esculturas, muebles y tejidos, de influencia africana en su mayoría, quedan dispuestos por todo el interior de la casa y armonizan perfectamente con los tonos terrosos del edificio.

Dispersos por todo o interior da casa, as esculturas, o mobiliário e os tecidos, principalmente com influências africanas, combinam harmoniosamente com os tons terra do edifício.

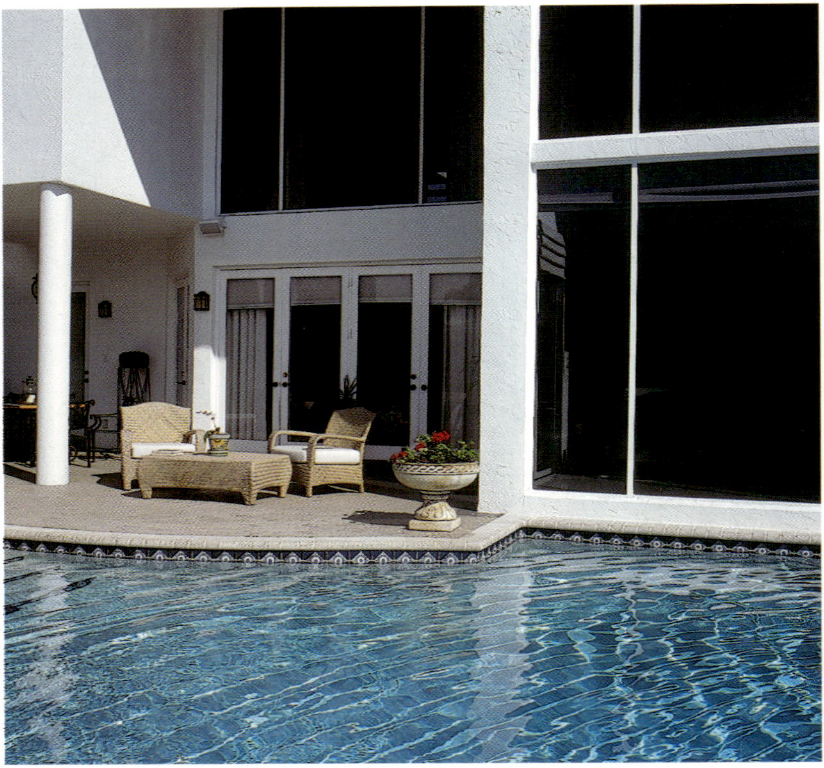

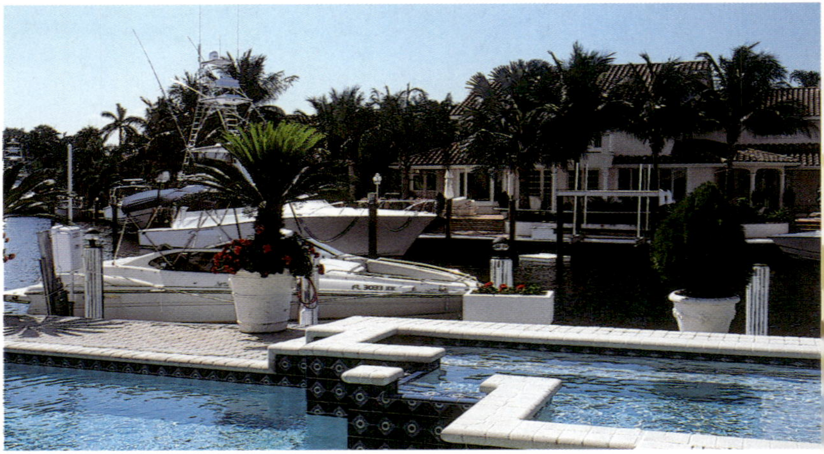

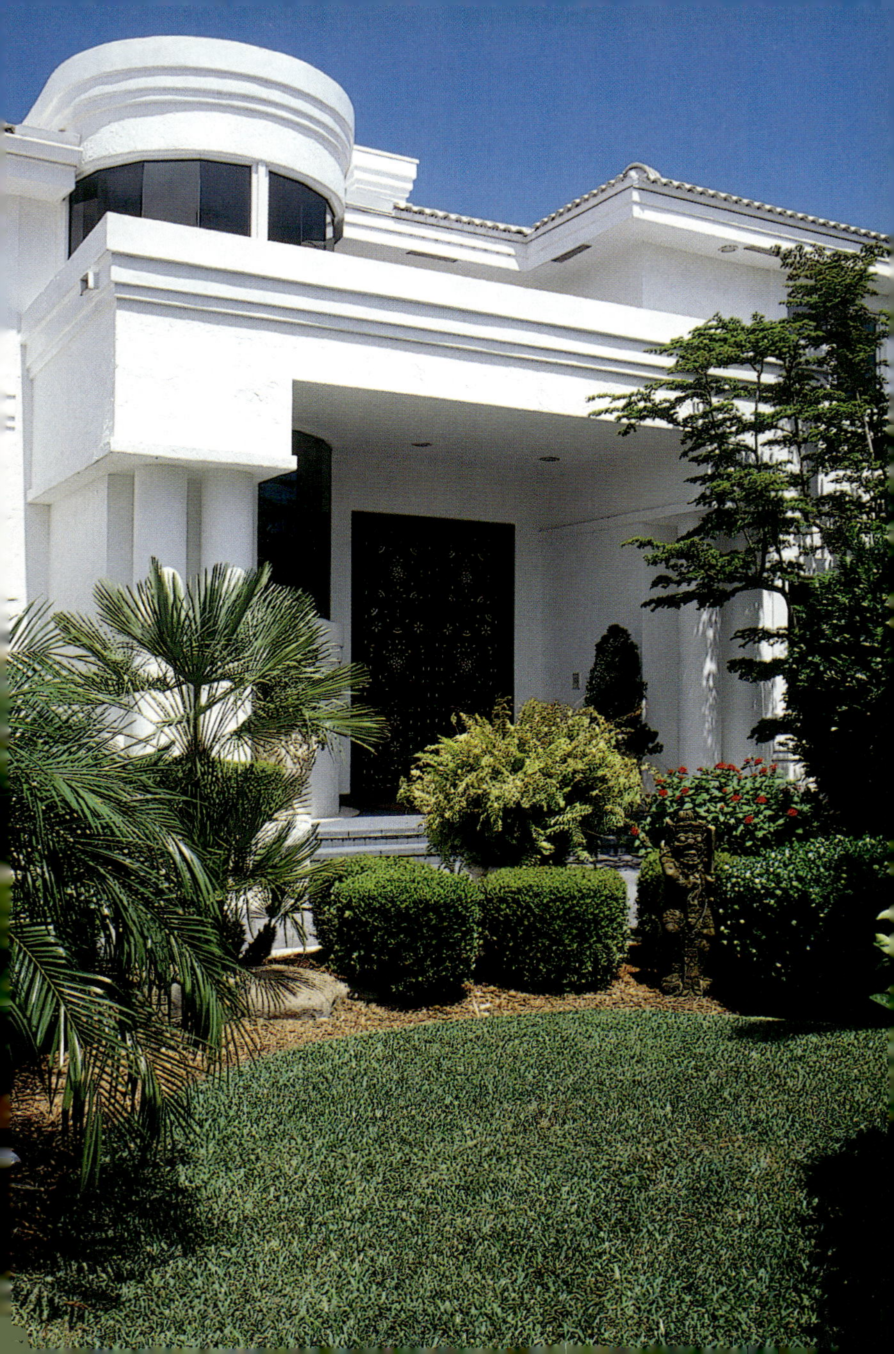

The Jennings Residence is located just a few feet from the edge of a cliff facing the Indian Ocean on the southern coast of Australia. The landscape, the incredible views and the harshness of the climate in this region were the elements that determined the house's design. The solution consisted of creating a home that would be like a small volume integrated into the landscape.

La residenza Jennings si trova a qualche metro dal bordo di una scogliera orientata verso l'Oceano Indiano, sulla costa meridionale dell'Australia. Il paesaggio, le viste fantastiche e la rigidità del clima della zona sono stati gli elementi che hanno condizionato il design di questa casa. La soluzione è stata quella di creare un'abitazione che fosse un piccolo volume integrato nel paesaggio.

JENNINGS RESIDENCE
Workroom Design

Warrnambool, Australia

La residencia Jennings se encuentra a escasos metros del límite de un acantilado orientado hacia el océano Índico, en la costa sur de Australia. El paisaje, las increíbles vistas y la dureza del clima de la zona fueron los elementos que condicionaron el diseño de esta casa. La solución consistió en crear una vivienda que supusiera un pequeño volumen integrado en el paisaje.

A Residência Jennings situa-se a poucos metros da crista de um penhasco virado para o Oceano Índico, na costa sul da Austrália. A paisagem, as vistas incríveis e o rigor do clima nesta região foram os elementos que determinaram o design da casa. A solução consistiu em criar uma casa que se assemelhasse a um pequeno volume integrado na paisagem.

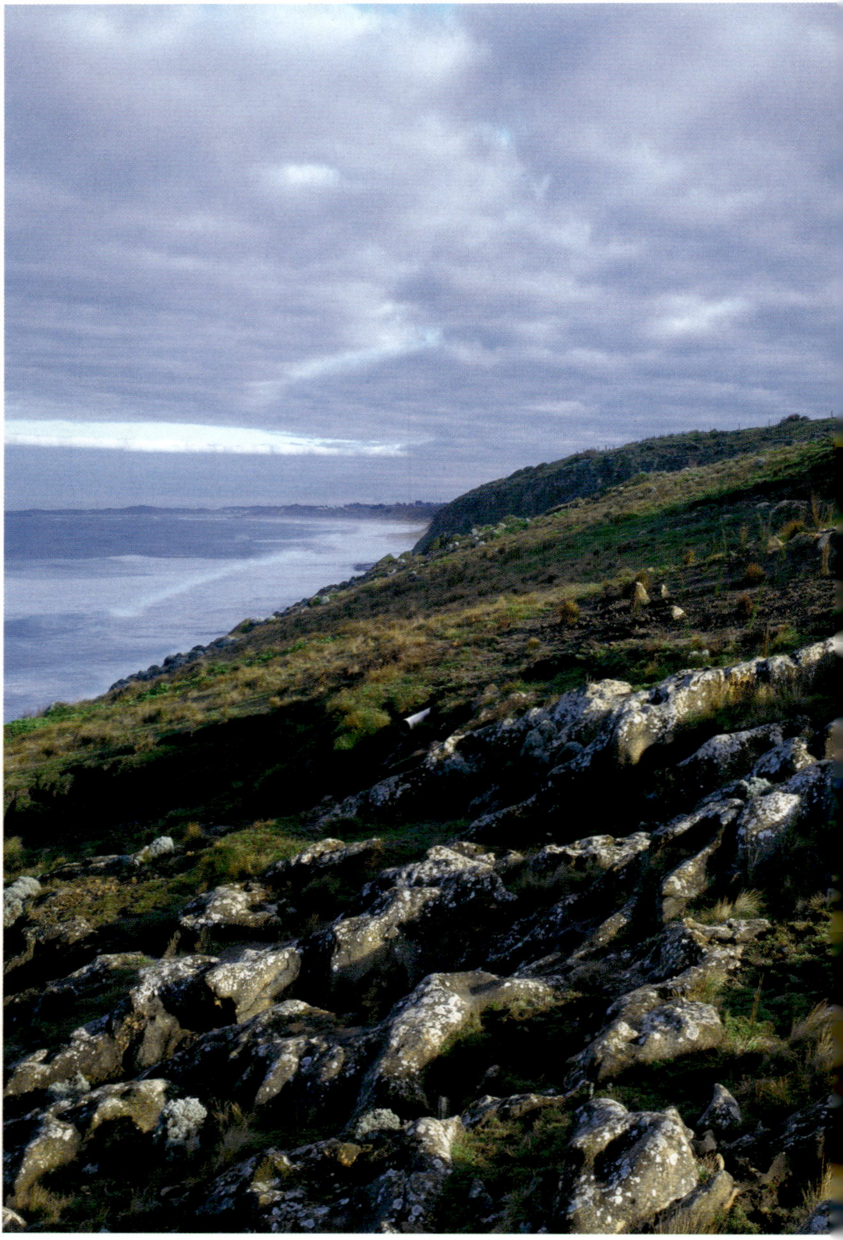

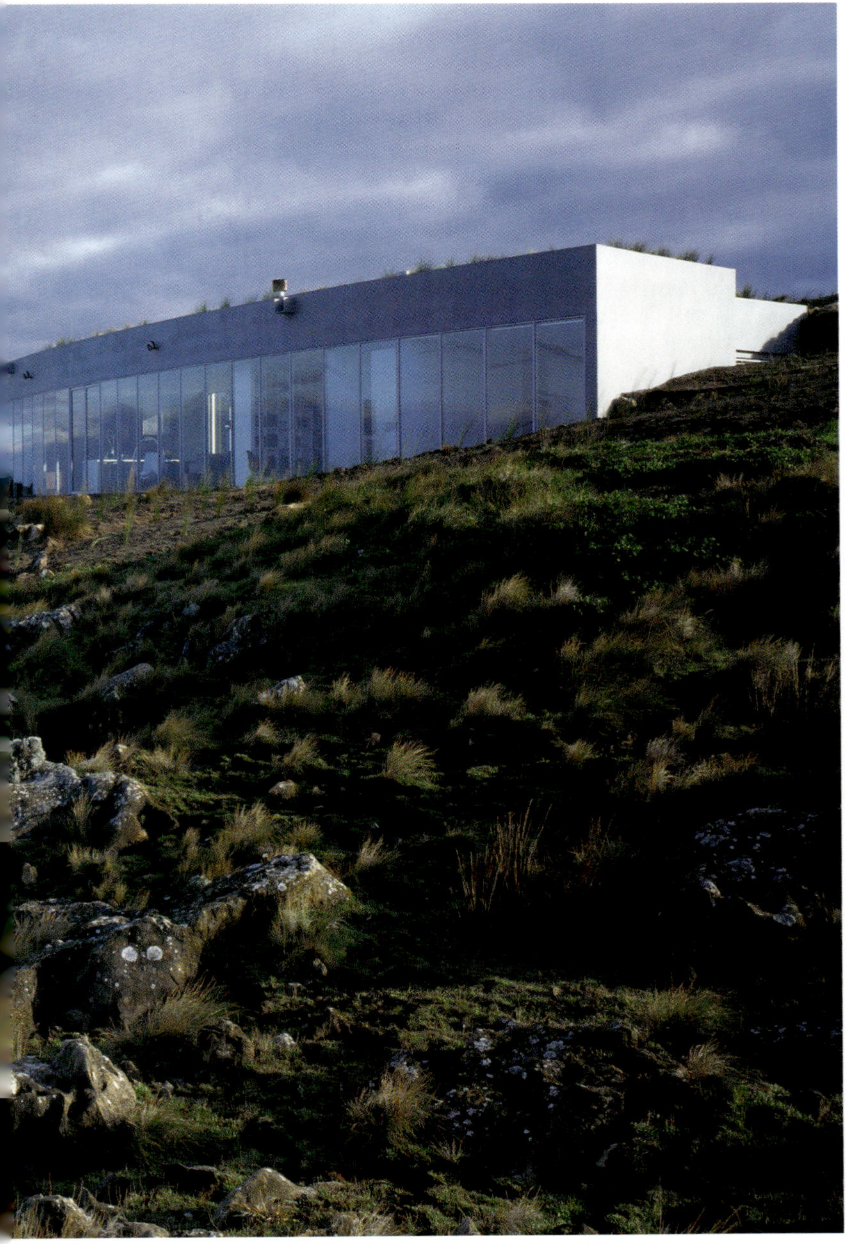

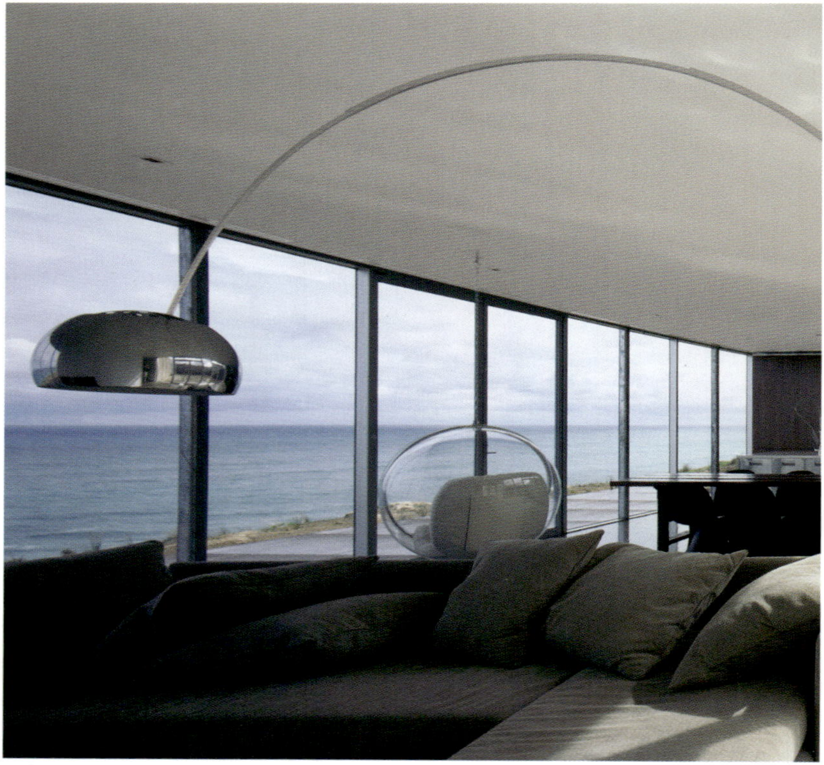

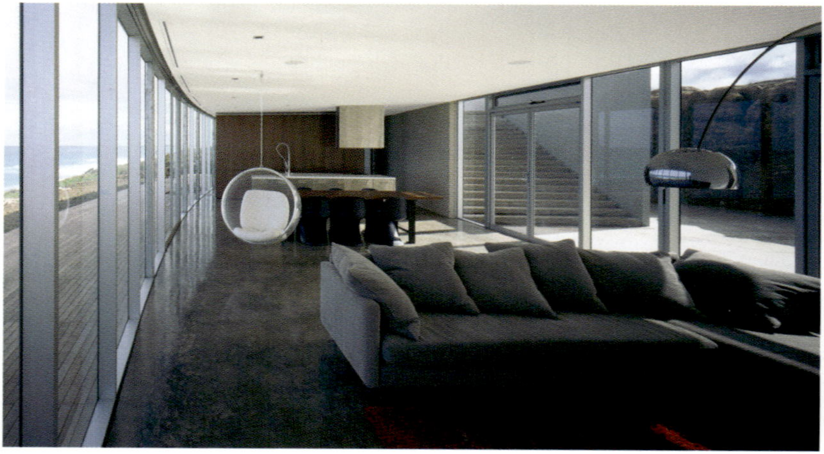

Penthouse's plan

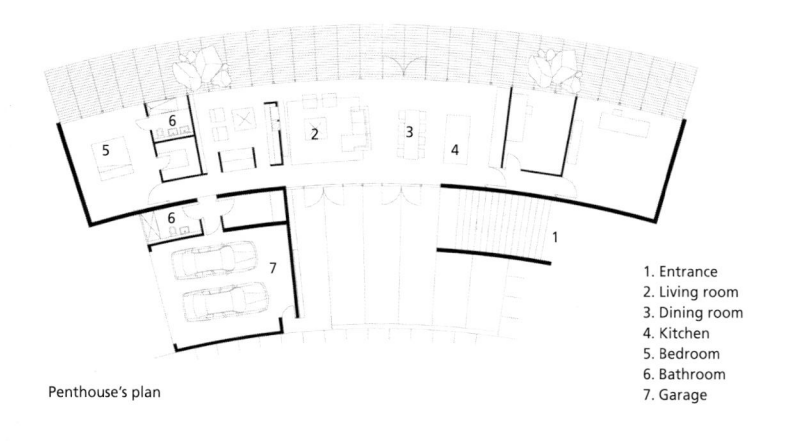

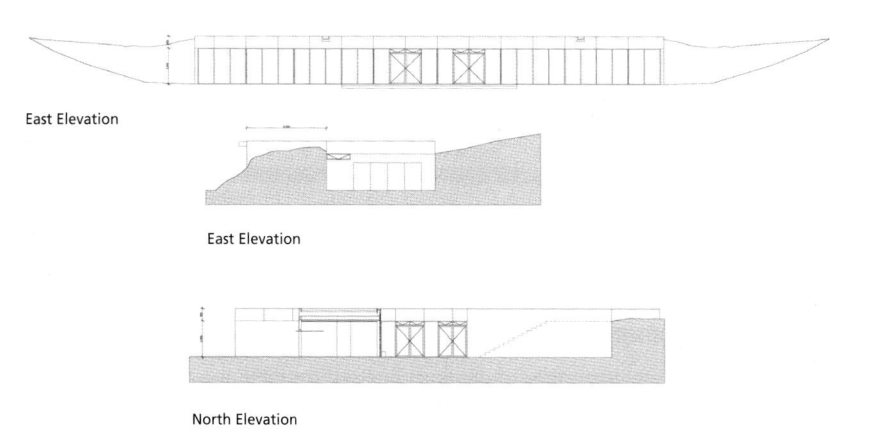

1. Entrance
2. Living room
3. Dining room
4. Kitchen
5. Bedroom
6. Bathroom
7. Garage

East Elevation

East Elevation

North Elevation

The floor plan is like one huge space with just a handful of partitions with a core that has been set aside for the kitchen, living room and dining room. The streamlined, elegant lines of the home are echoed also inside it.

Il piano terra è un grande spazio con scarse partizioni, la cui area centrale è stata riservata per la cucina, il soggiorno e la sala da pranzo. L'interno riecheggia le linee stilizzate ed eleganti della casa.

La planta es un gran espacio con escasas particiones cuya área central se ha reservado para la cocina, el salón y el comedor. Las líneas estilizadas y elegantes de la casa se mantienen también en su interior.

A planta da casa parece um espaço enorme com apenas algumas partições com um núcleo reservado para a cozinha, sala de estar e sala de jantar. As linhas aerodinâmicas e elegantes da casa repercutem-se também no seu interior.

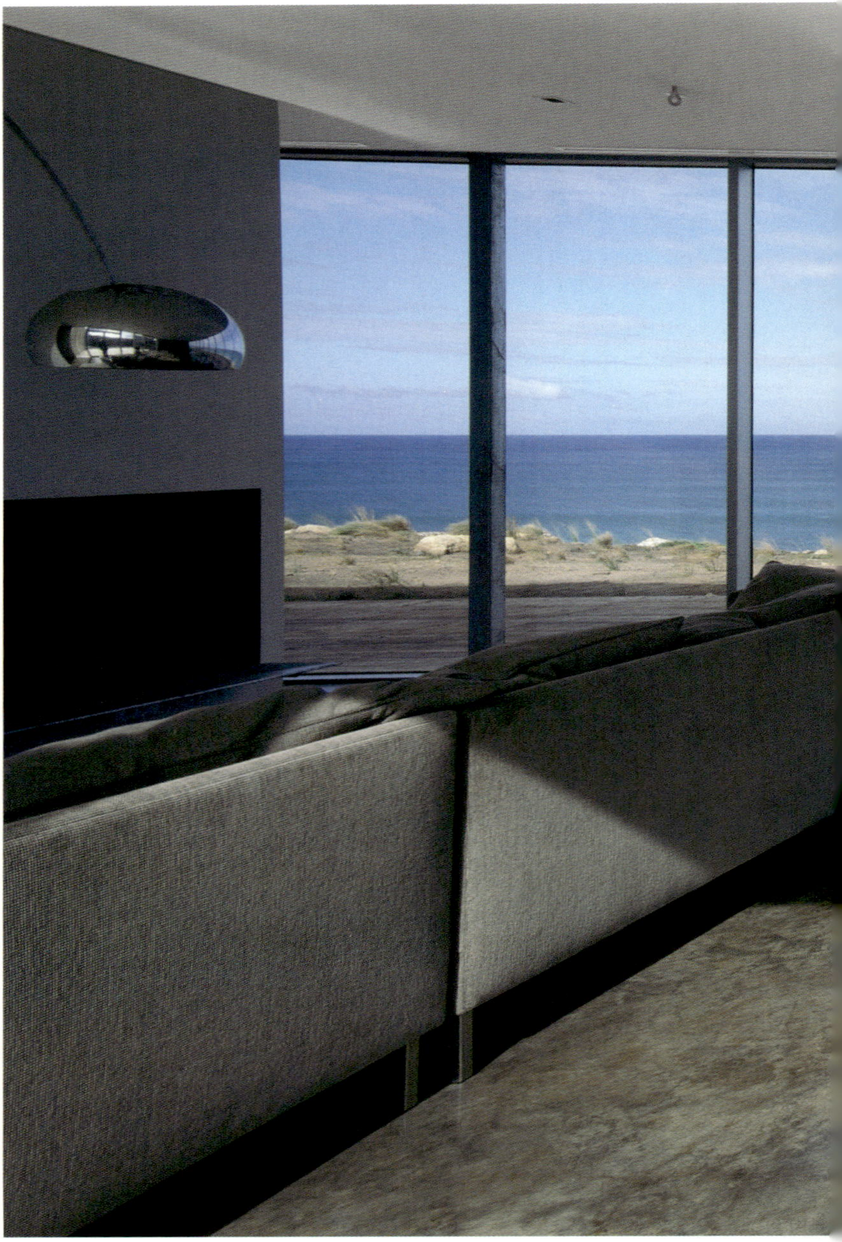

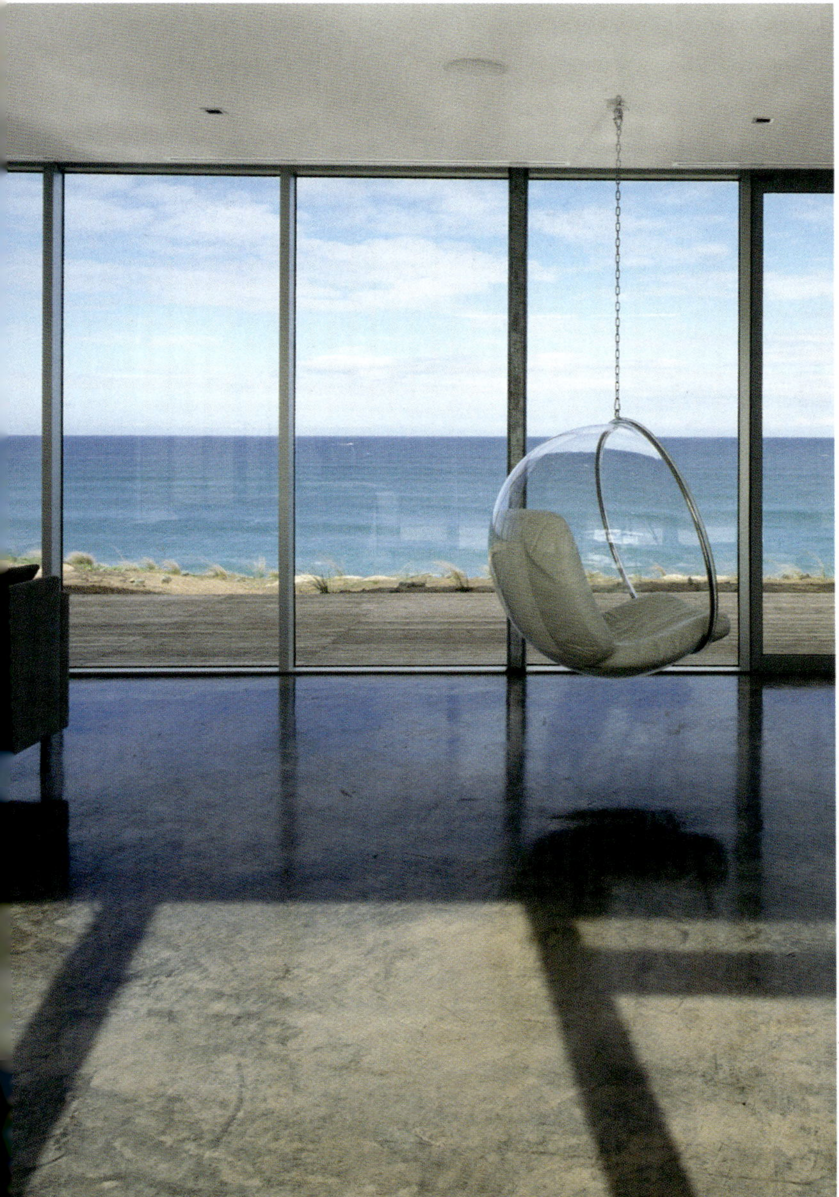

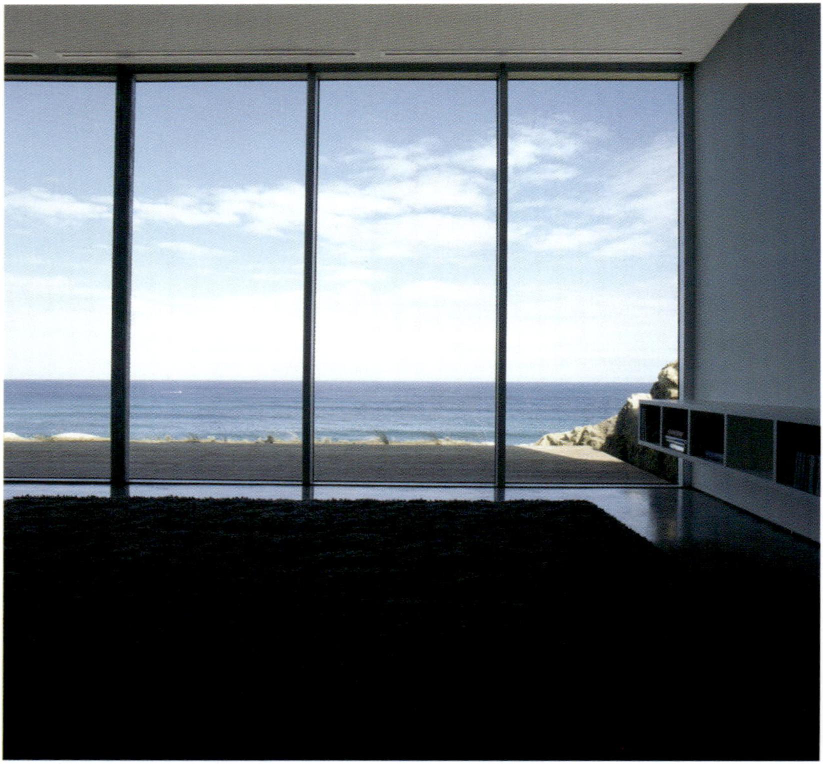

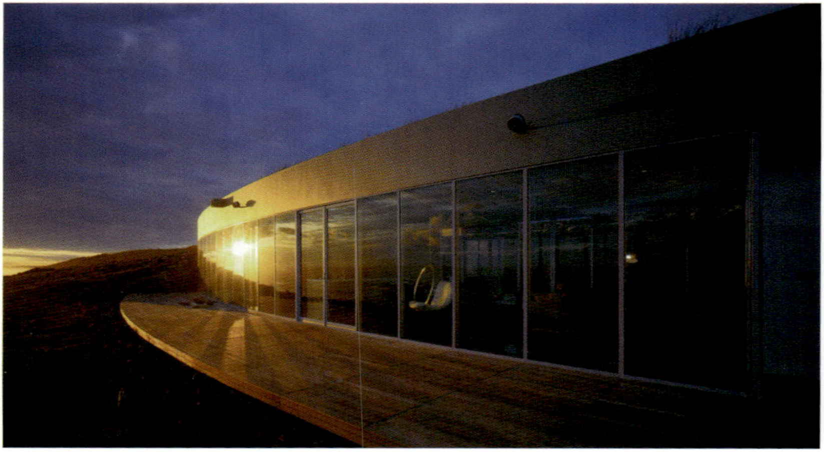

Construction details

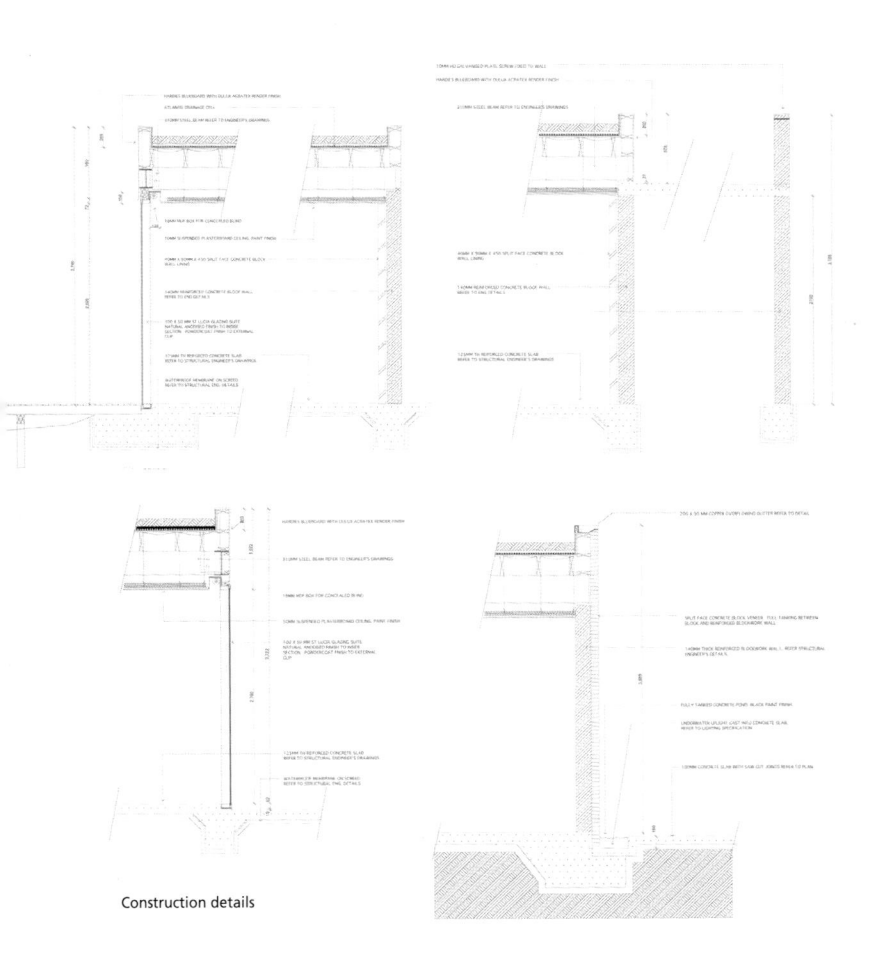

All the areas except the garage lead out onto the large terrace facing the horizon, where residents can enjoy views of the ocean and the spectacular sunsets.

Tutte le stanze, tranne il garage, hanno un'uscita su una grande terrazza orientata verso l'orizzonte, da cui è possibile godersi la vista dell'oceano e di spettacolari tramonti.

Todas las estancias, excepto el garaje, tienen salida a una gran terraza orientada al horizonte, desde donde se puede disfrutar de vistas al océano y de espectaculares puestas de sol.

Todas as áreas, excepto a garagem, conduzem ao amplo terraço virado em direcção ao horizonte, onde os residentes podem apreciar as vistas para o oceano e os impressionantes pores-do-sol.

The entrance to this residence is a wonderfully manicured front lawn teeming with colourful plants and tropical trees. The inside, designed in a classical style, maintains this meticulous, elegant appearance brimming with fine taste. Behind the house is the garden and swimming pool which, separated only by a small area used as a quay, seems to merge with the sea.

L'ingresso di questa residenza è un meraviglioso e curato giardinetto di piante e alberi tropicali dai colori vivaci. L'interno, d'impronta classica, mantiene questo stile preciso ed elegante, ricco di buon gusto. Nel retro si trovano il giardino e la piscina che, separata solo da una piccola area utilizzata come molo, sembra fondersi con il mare.

SUNSET ISLAND MIAMI
Wallace Tutt/Tutt Renovation & Development

Miami, Florida, USA

La entrada de esta residencia es un maravilloso y cuidado antejardín de coloridas plantas y árboles tropicales. El interior, de estilo clásico, mantiene ese cuidadoso y elegante aspecto, lleno de buen gusto. En la parte trasera se encuentra el jardín y la piscina que , separada del mar tan sólo por una pequeña área utilizada como muelle, parece fundirse con él.

A entrada para esta residência é um relvado frontal admiravelmente tratado, repleto de plantas coloridas e árvores tropicais. O interior, desenhado em estilo clássico, mantém esta aparência meticulosa e elegante, plena de bom gosto. Por trás da casa, situam-se o jardim e a piscina que, separada apenas por uma pequena área usada como desembarcadouro, parece fundir-se com o mar.

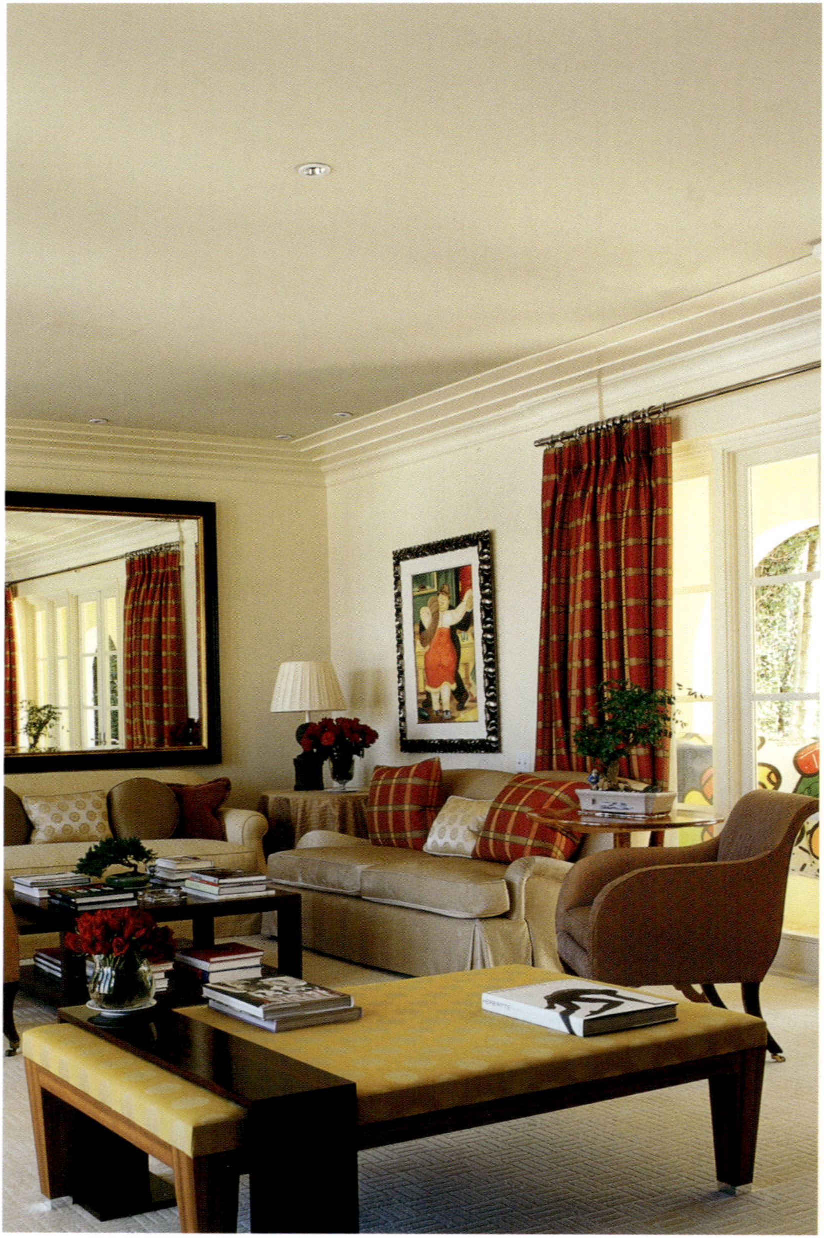

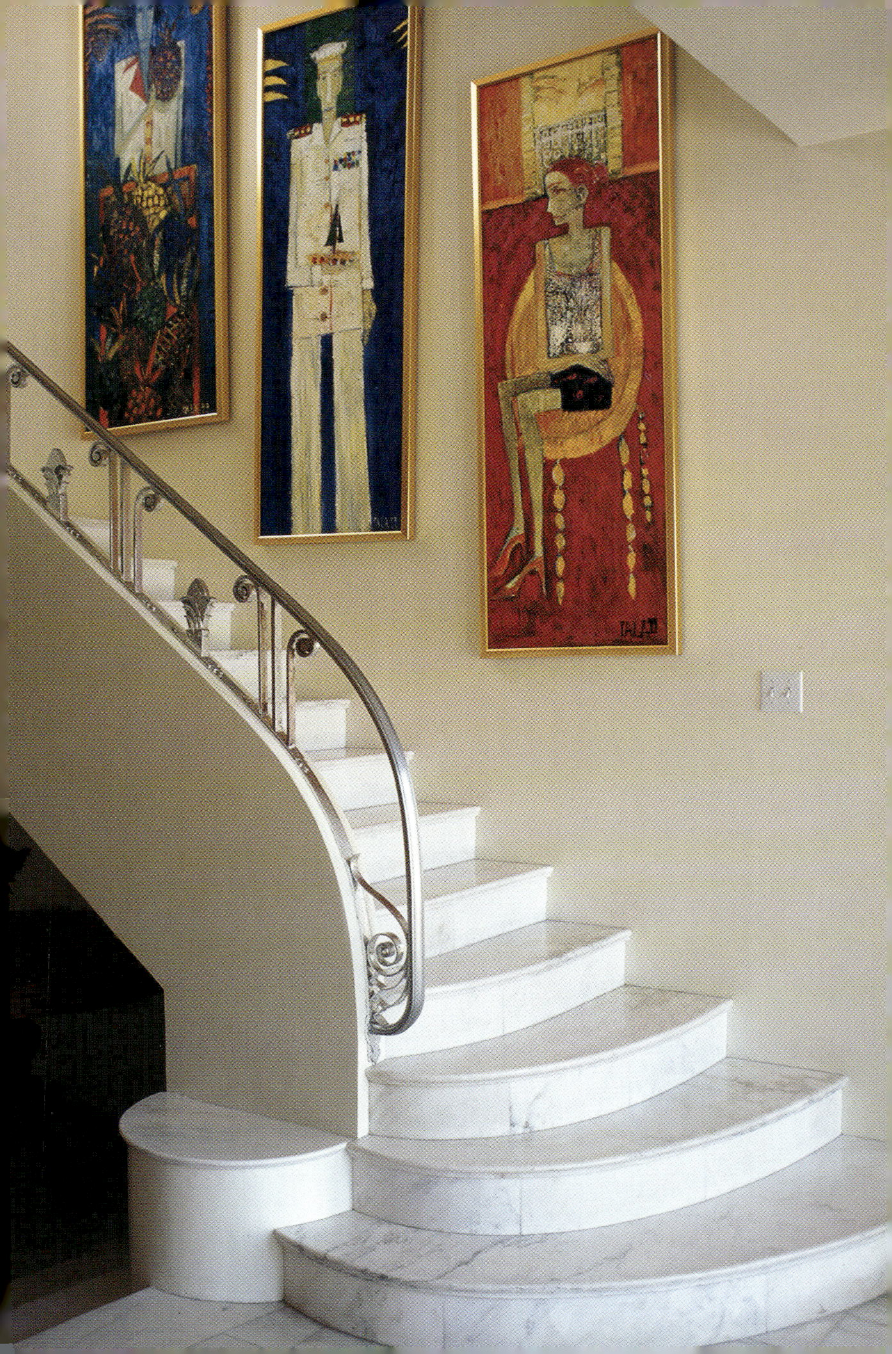

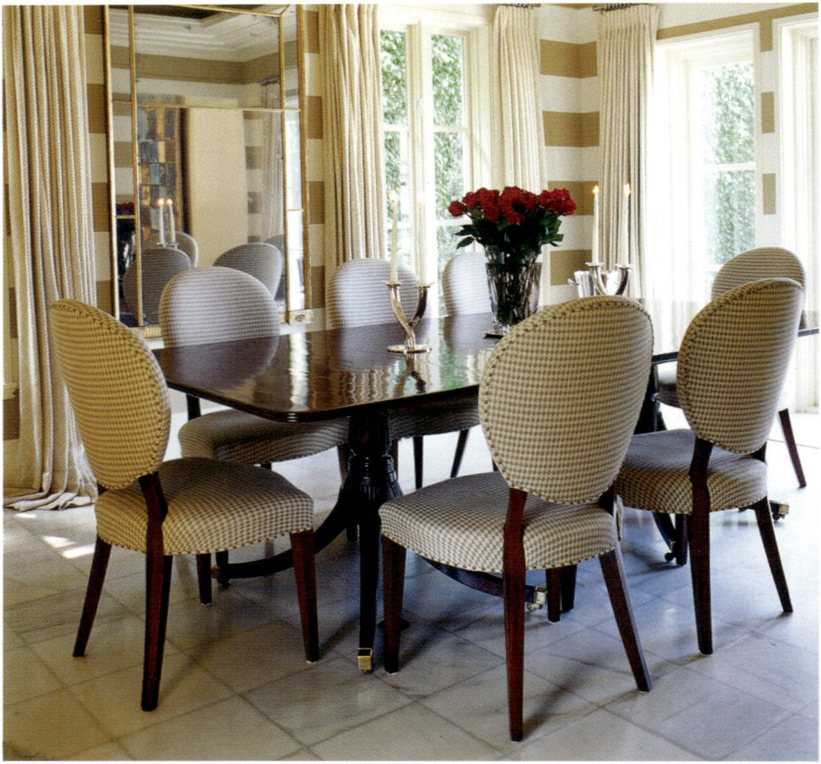

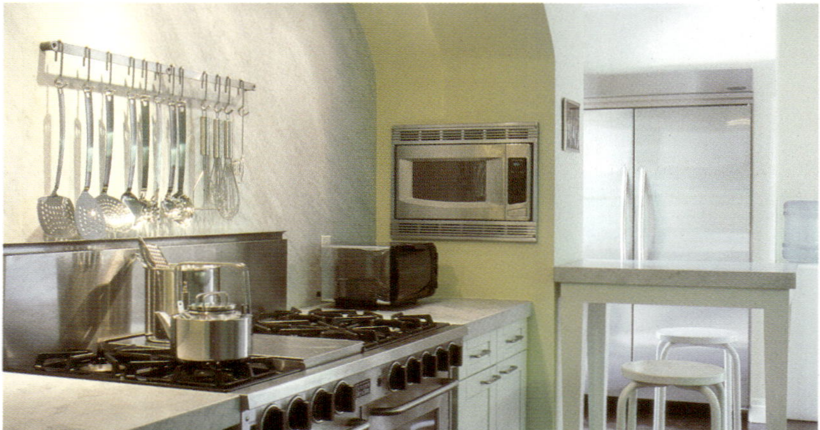

This house is divided into two floors. The lower floor houses the living room, dining room and kitchen, which boasts extraordinary semicircular arches, while the upper floor houses the more private quarters.

La casa è divisa in due piani. Al piano inferiore si trovano il soggiorno, la sala da pranzo e la cucina, con straordinari archi semicircolari, mentre al piano superiore si svolge la vita privata.

Las estancias se distribuyen en dos plantas. En la inferior se encuentra el salón, el comedor y la cocina, con extraordinarios arcos de medio punto, y en la planta superior transcurre la vida privada.

A casa divide-se em dois andares. O andar inferior que inclui a sala de estar, a sala de jantar e a cozinha, com os seus extraordinários arcos semicirculares, e o andar superior que abriga os aposentos mais privados.

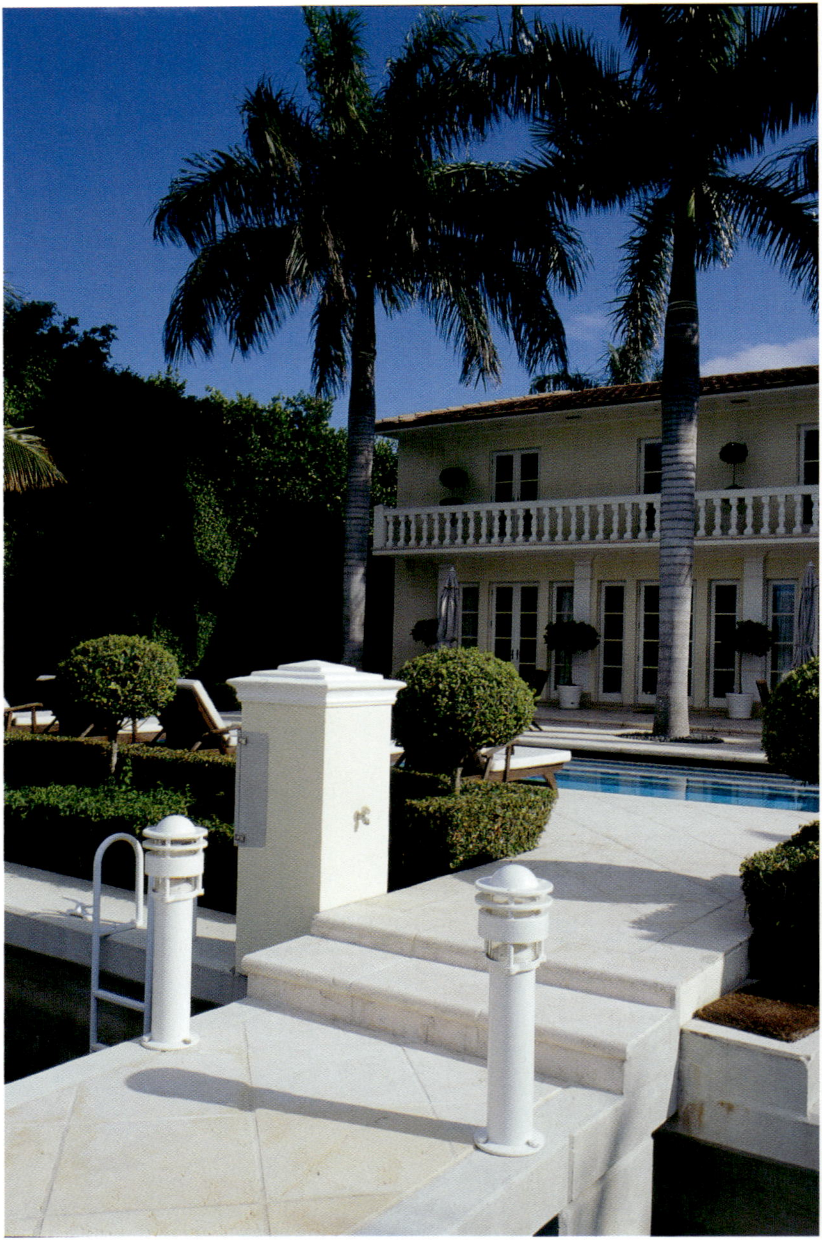

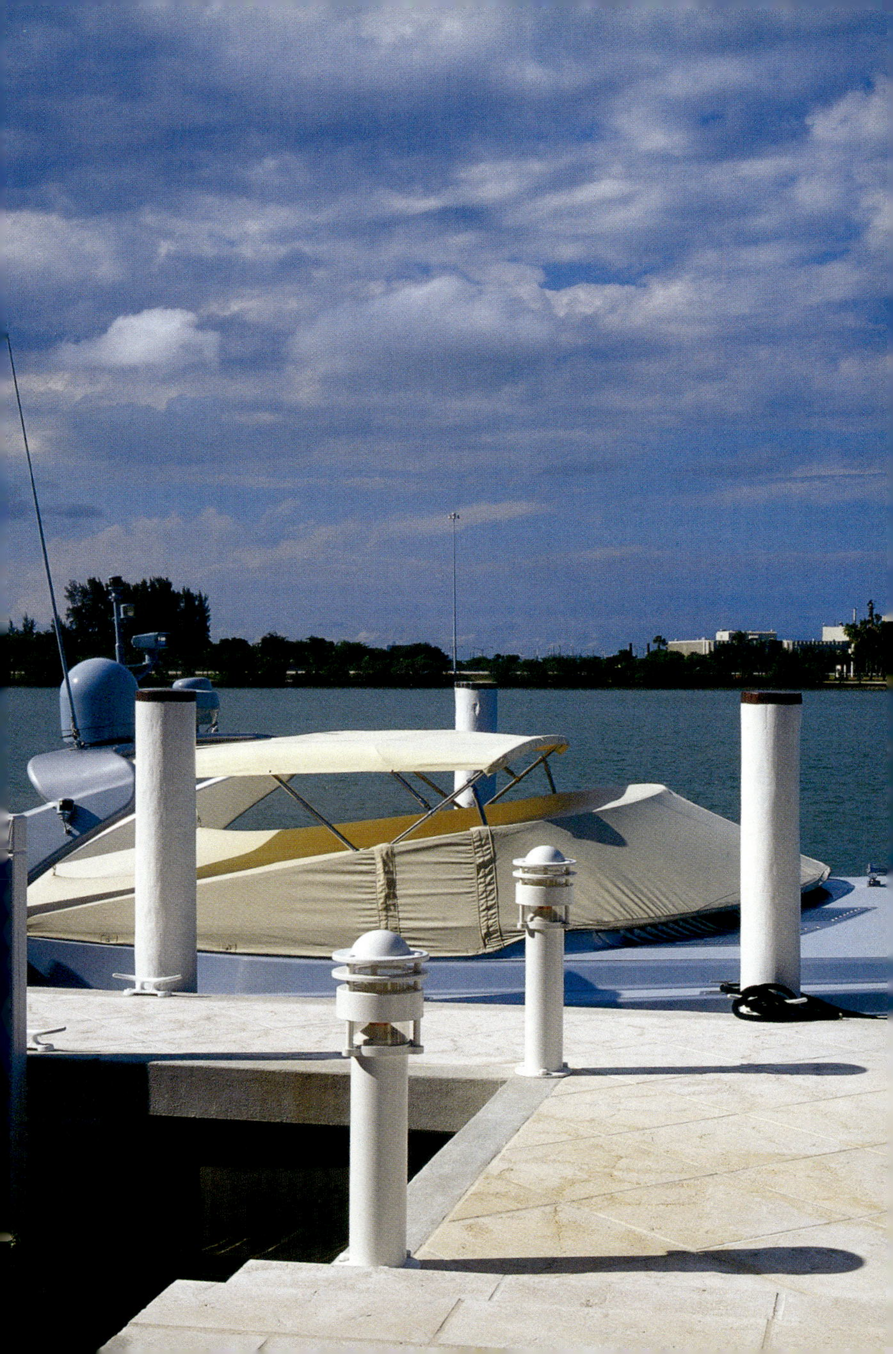

Built over lava formations on the western coast of Maui, this house is a spectacular vision of civilisation versus nature. The reefs protecting this stretch of the shore allowed the architects to place the house very close to the breaking waves. This factor, along with a concern for privacy and safety, were key factors in the outcome.

Eretta sulle formazioni di lava della costa occidentale di Maui, questa casa è una visione straordinaria dell'incontro tra civilizzazione e natura. Le barriere che proteggono questa parte della riva hanno permesso agli architetti di ubicare la casa molto vicino alle onde. Questo fattore, unito all'attenzione per l'intimità e la sicurezza, è stato determinante per ottenere il risultato.

DUNBAR RESIDENCE
Nick Milkovich, Arthur Erickson

Hawaii, USA

Asentada sobre las formaciones de lava de la costa oeste de Maui, esta casa es una espectacular visión de la civilización contra la naturaleza. Los arrecifes que protegen esta porción de la orilla permitieron a los arquitectos situar la casa muy cerca de los rompientes. Este factor, junto a la preocupación por la intimidad y la seguridad, fueron determinantes en el resultado.

Construída sobre formações de lava, na costa ocidental do Maui, esta casa é uma visão impressionante de civilização versus natureza. Os recifes que protegem esta extensão da costa permitiram aos arquitectos colocar a casa bastante perto do rebentar das ondas. Este factor, aliado a questões de privacidade e segurança, desempenhou um papel fundamental para o resultado.

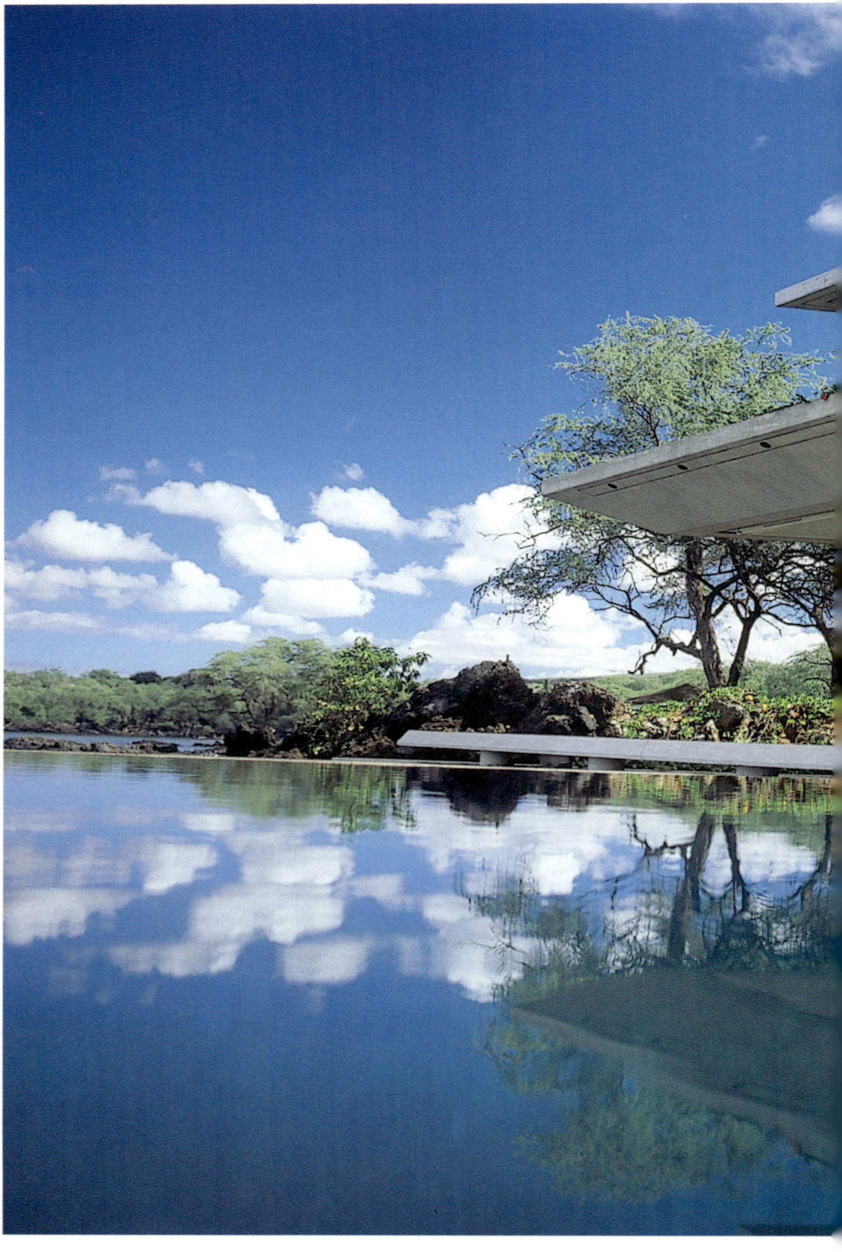

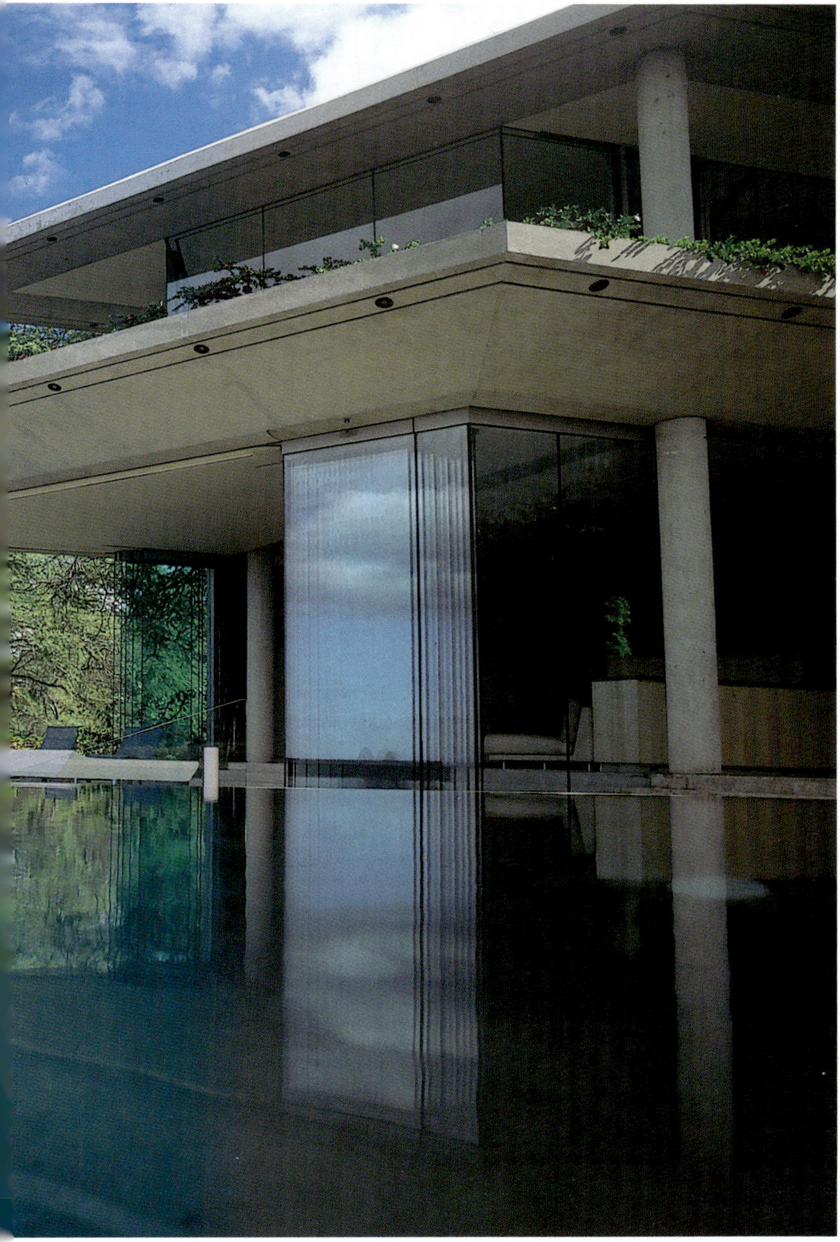

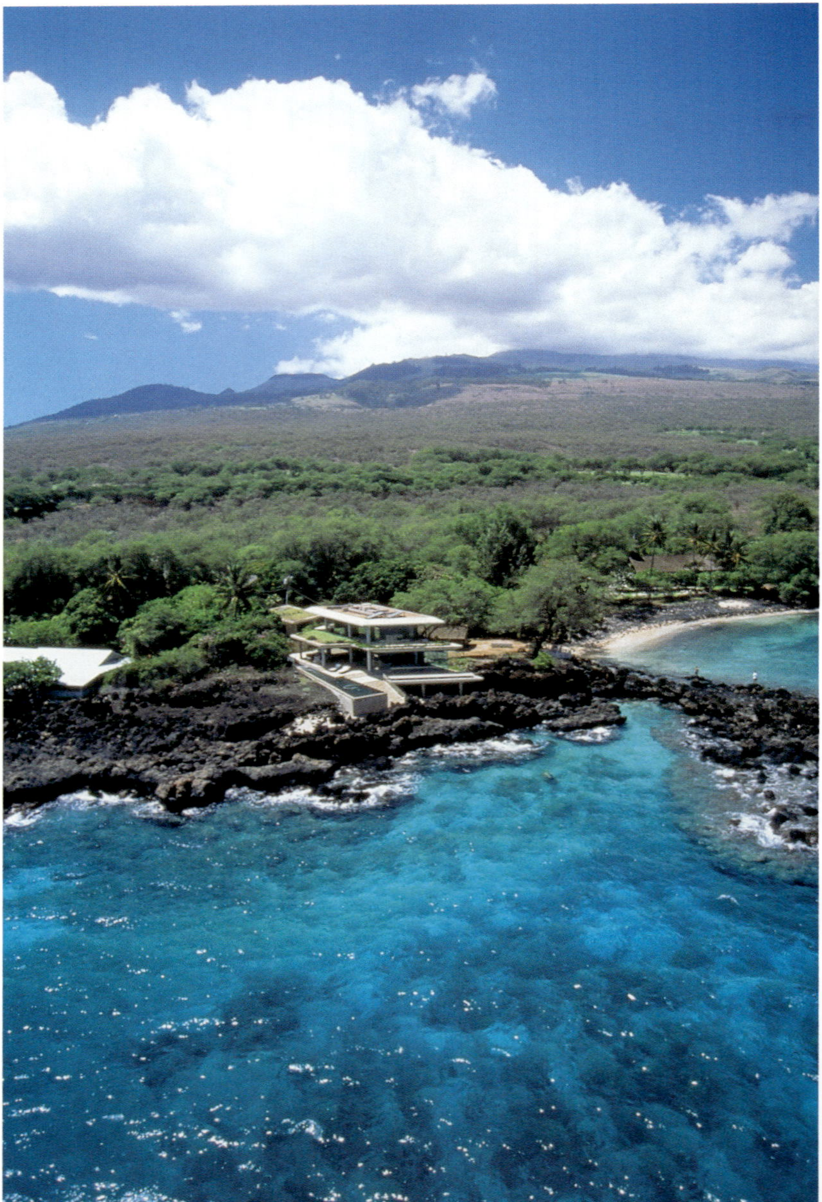

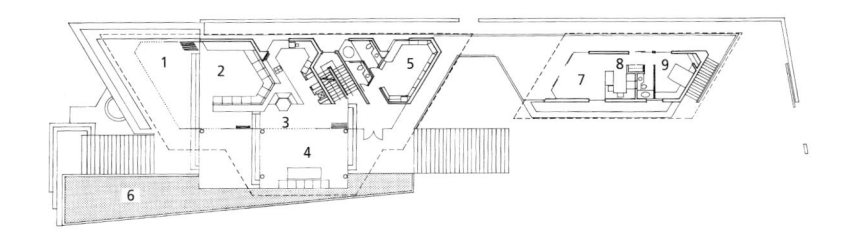

Ground Floor

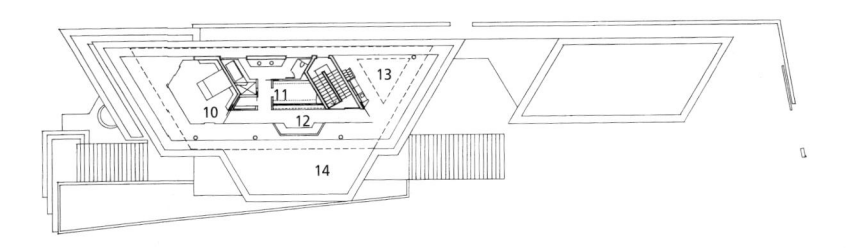

Upper Floor

1. Lower living room
2. Upper living room
3. Dining room
4. Lanai
5. Library
6. Pool
7. Guest living/ Dinning room
8. Kitchen
9. Guest Bedroom
10. Master Bedroom
11. Master Bathroom
12. Study
13. Aviary
14. Landscaped Terrace

The angular structure of this house, surrounded by a lush layer of vegetation and practically submerged in the roiling waters of the Pacific, suggests the shape of a boat plying the ocean.

La estructura angulosa de esta casa, rodeada por una extensa capa de vegetación y prácticamente sumergida en las agitadas aguas del Pacífico, sugiere la forma de un barco que avanza sobre el océano.

La struttura a forme angolari di questa casa, circondata da uno strato di fitta vegetazione e praticamente sommersa dalle acque agitate dell'Oceano Pacifico, suggerisce la forma di una barca che avanza sull'oceano.

A estrutura angular desta casa, rodeada de uma camada luxuriante de vegetação e praticamente submergida nas águas turvadas do Pacífico, sugere a forma de um barco bordejando o oceano.

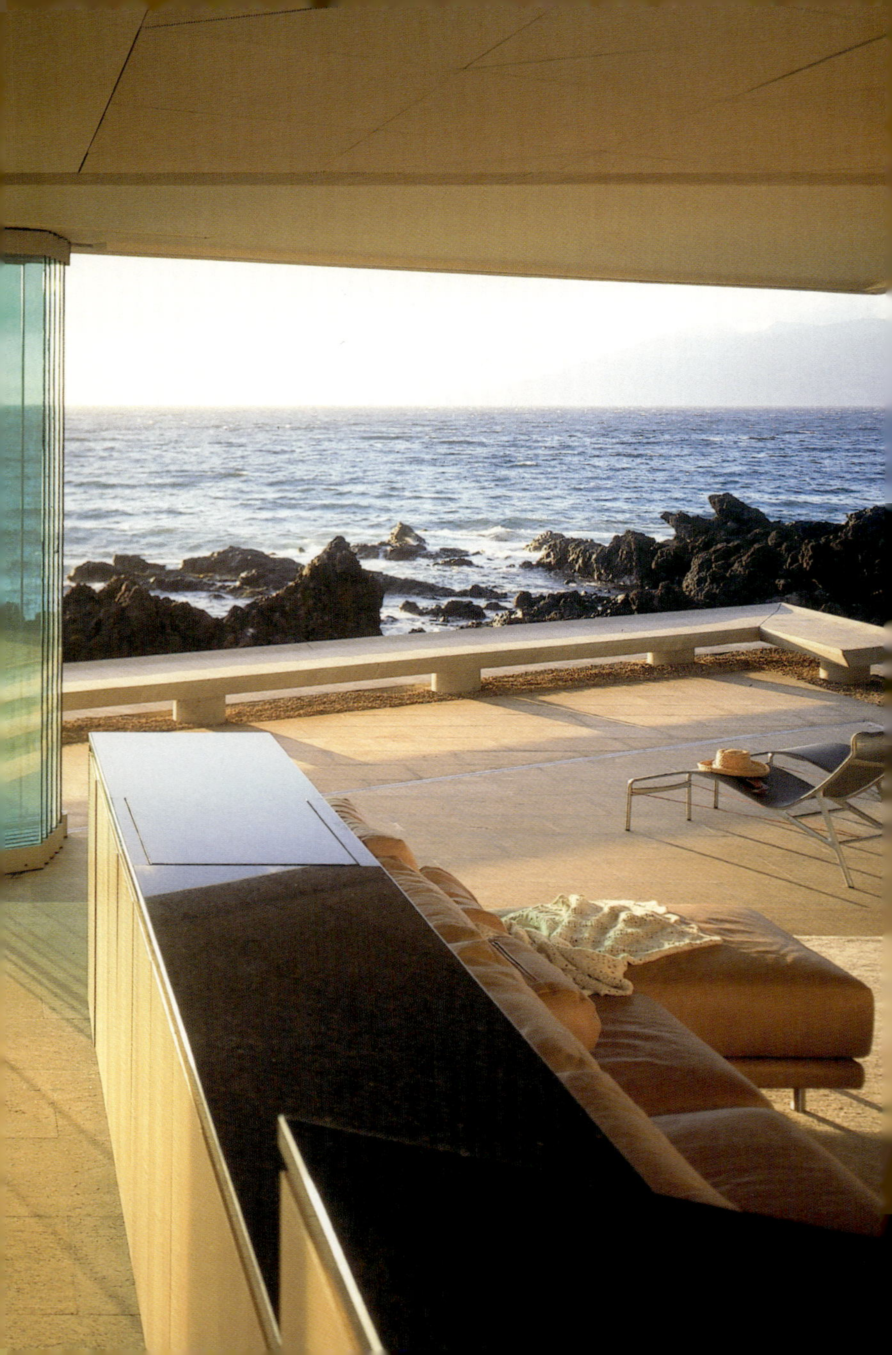

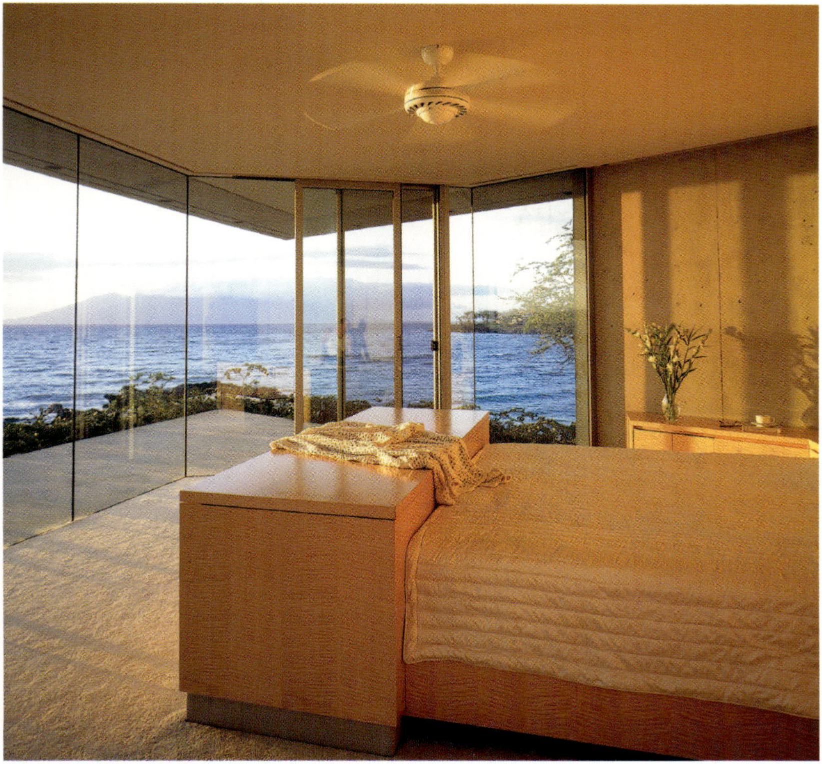

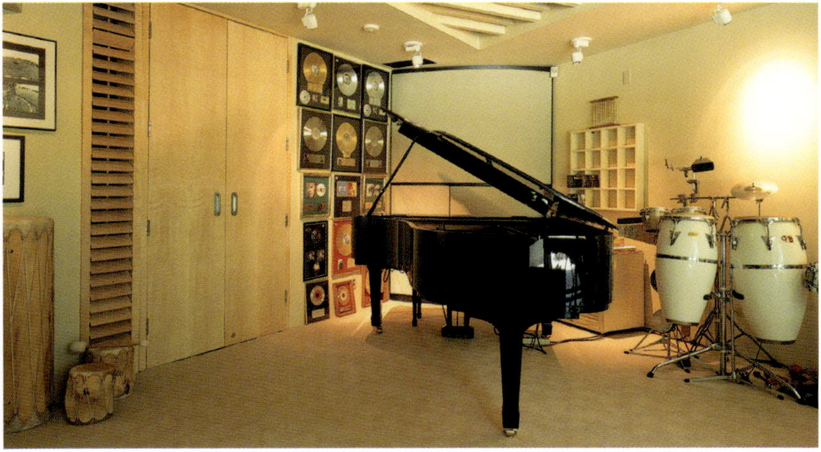

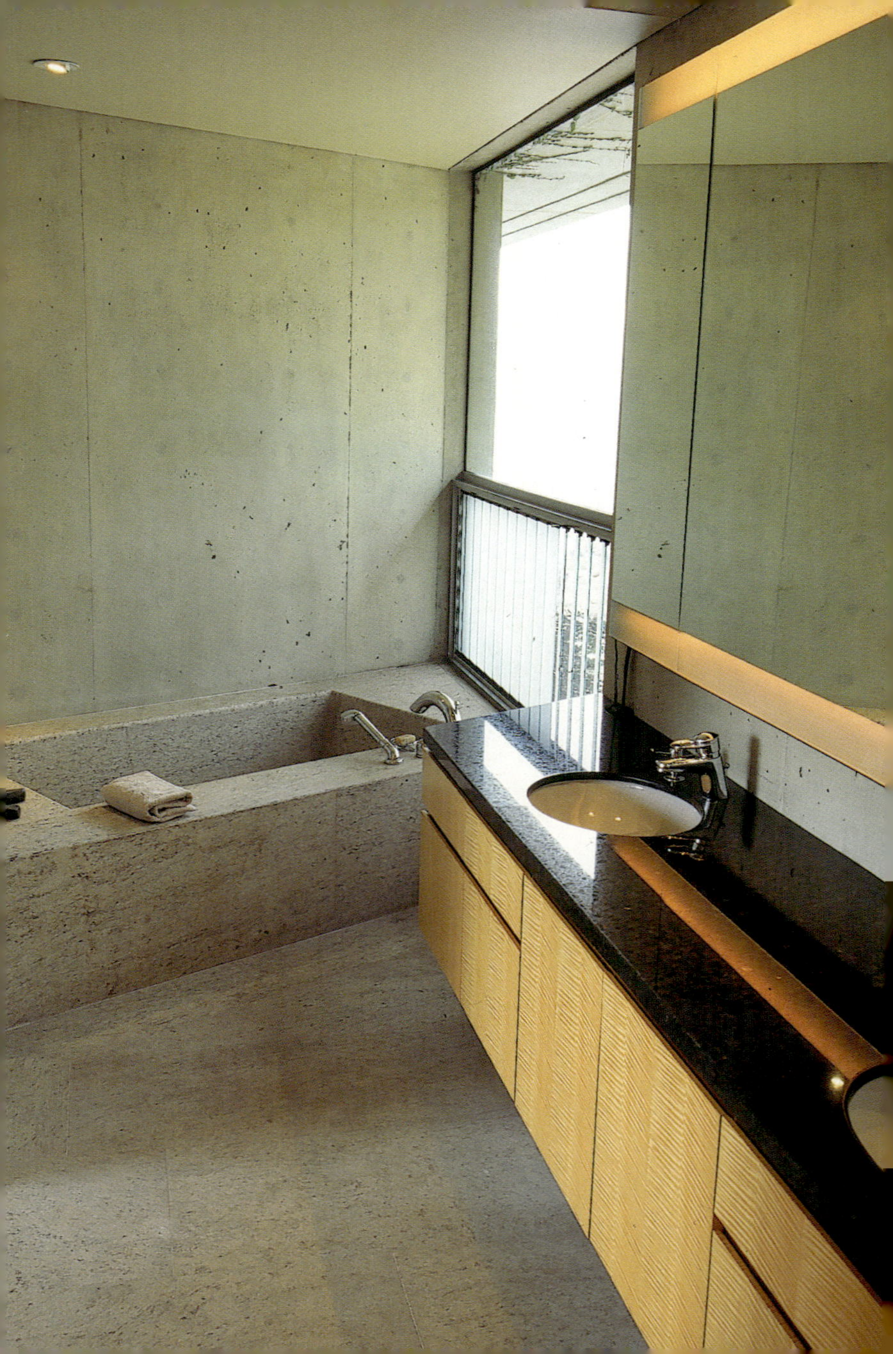

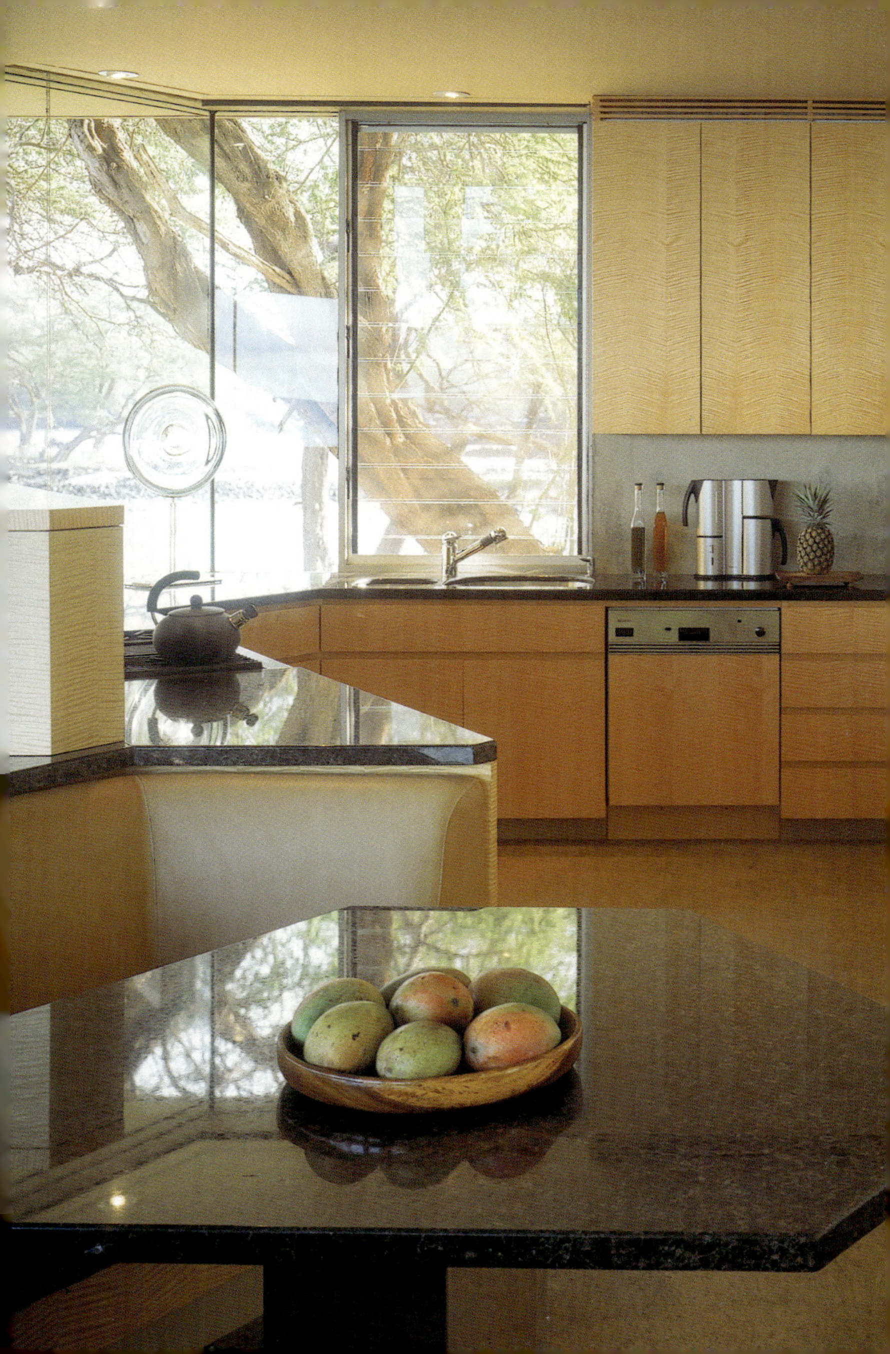

The biggest challenge for the architects who designed this house was to solve the problems posed by the location, as there were no good views of the sea. Divided into three floors, the house rears up from street level towards the top of a crag. The upper level, where the living room is located, features wonderful sweeping views of the cliff..

La sfida maggiore per gli architetti di questa casa è stata ovviare alle difficoltà rappresentate dal luogo di costruzione, che non consentiva delle belle vedute panoramiche del mare. Distribuita su tre piani, la villa si erge dalla strada salendo lungo un dirupo. Al piano superiore, dove si trova il soggiorno, si gode una magnifica vista della scogliera.

GONTOVNIK HOUSE
Guillermo Arias, Luis Cuartas

Barranquilla, Colombia

El mayor reto para los arquitectos de esta casa fue salvar los problemas que planteaba la situación del lugar, ya que el emplazamiento no ofrecía buenas vistas al mar. Distribuida en tres plantas, la vivienda se eleva desde la calle hacia lo alto de un peñasco. En el nivel superior, donde se alberga el salón, se puede disfrutar de una magnífica panorámica del acantilado.

O maior desafio para os arquitectos que desenharam esta casa foi resolver os problemas causados pela localização, uma vez que não existiam vistas de qualidade para o mar. Dividida em três andares, a casa ergue-se a partir do nível da rua em direcção ao topo de um penhasco. O nível superior, onde se encontra a sala de estar, destaca-se pelas arrebatadoras vistas da falésia.

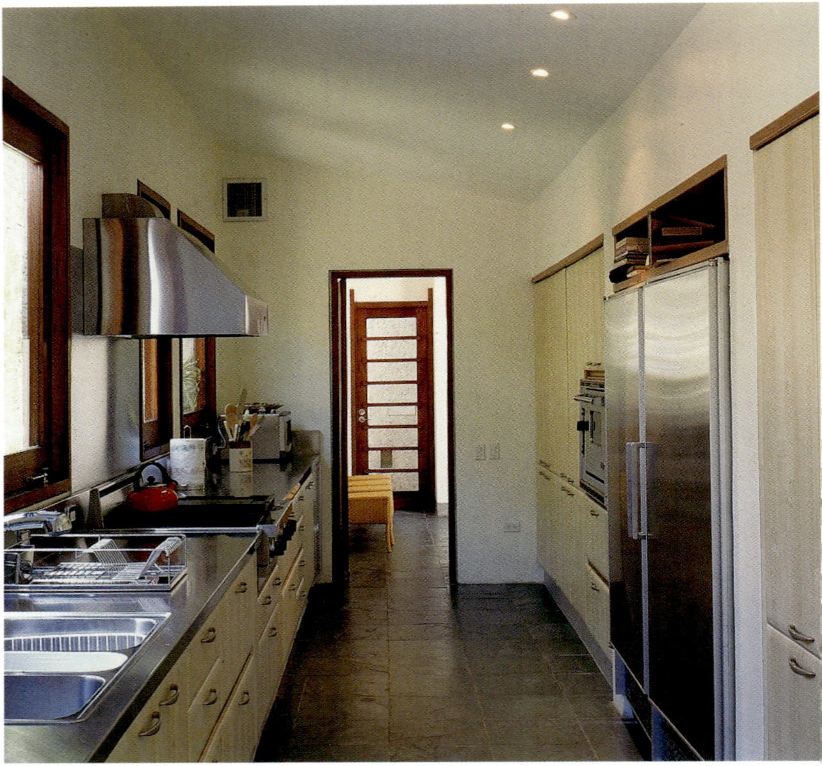

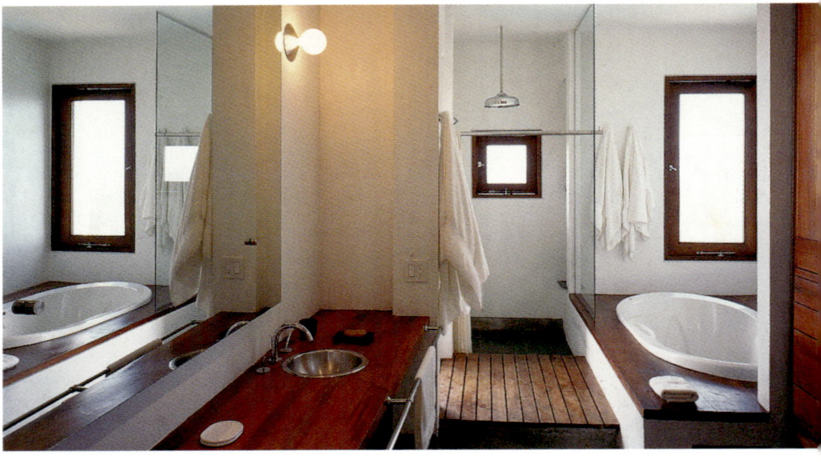

The kitchen and dining room are located on the middle storey, arranged around a central courtyard. Thanks to the brightness and warmth of the materials, these spaces are particularly welcoming.

En el nivel intermedio, y dispuestos en torno a un patio central, se encuentran la cocina y el comedor. Gracias a la luminosidad y a la calidez de los materiales, estos espacios son especialmente acogedores.

Al piano intermedio si trovano la cucina e la sala da pranzo, disposte intorno a un giardino centrale. Grazie all'impiego di materiali caldi e luminosi, questi spazi risultano particolarmente accoglienti.

A cozinha e a sala de jantar situam-se no andar médio, dispostas em torno de um pátio central. Graças à luminosidade e calor dos materiais, estes espaços são particularmente acolhedores.

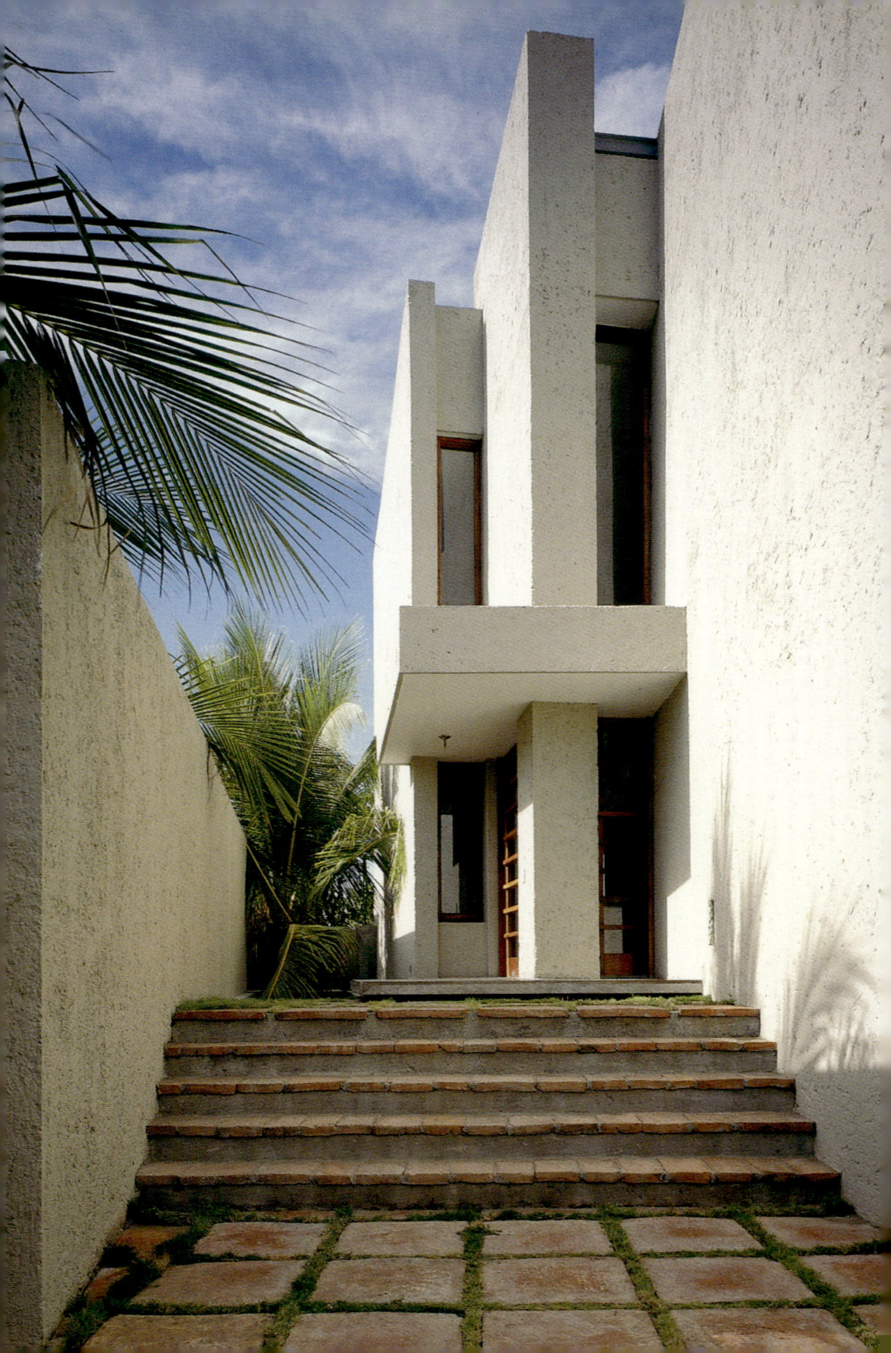

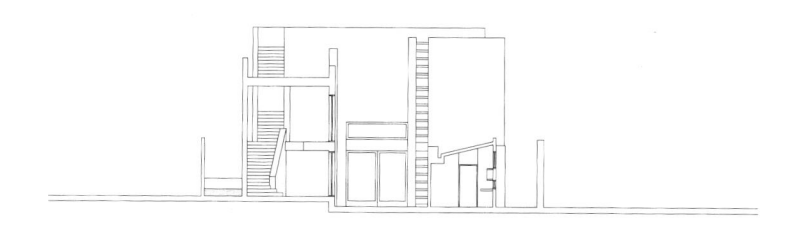

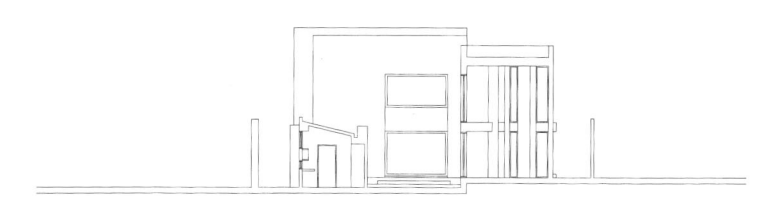

Elevations

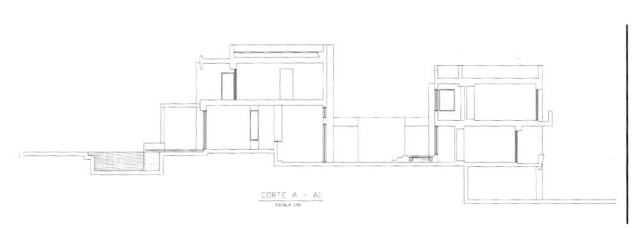

Section A-A'

The architects overcame the difficulties of the location with a complex, attractive design. The different levels of the house give the feeling of climbing up to a strategic vantage point.

Gli architetti hanno superato le difficoltà del luogo sviluppando un progetto complesso e affascinante. I diversi livelli della casa danno la sensazione di ascendere verso un punto strategico.

Los arquitectos superaron las dificultades del lugar proyectando un diseño complejo y atractivo. Los distintos niveles de la casa desprenden la sensación de estar ascendiendo hacia un punto estratégico.

Os arquitectos ultrapassaram as dificuldades da localização com um design complexo e atractivo. Os diferentes níveis da casa transmitem uma sensação de escalada até uma posição estrategicamente vantajosa.

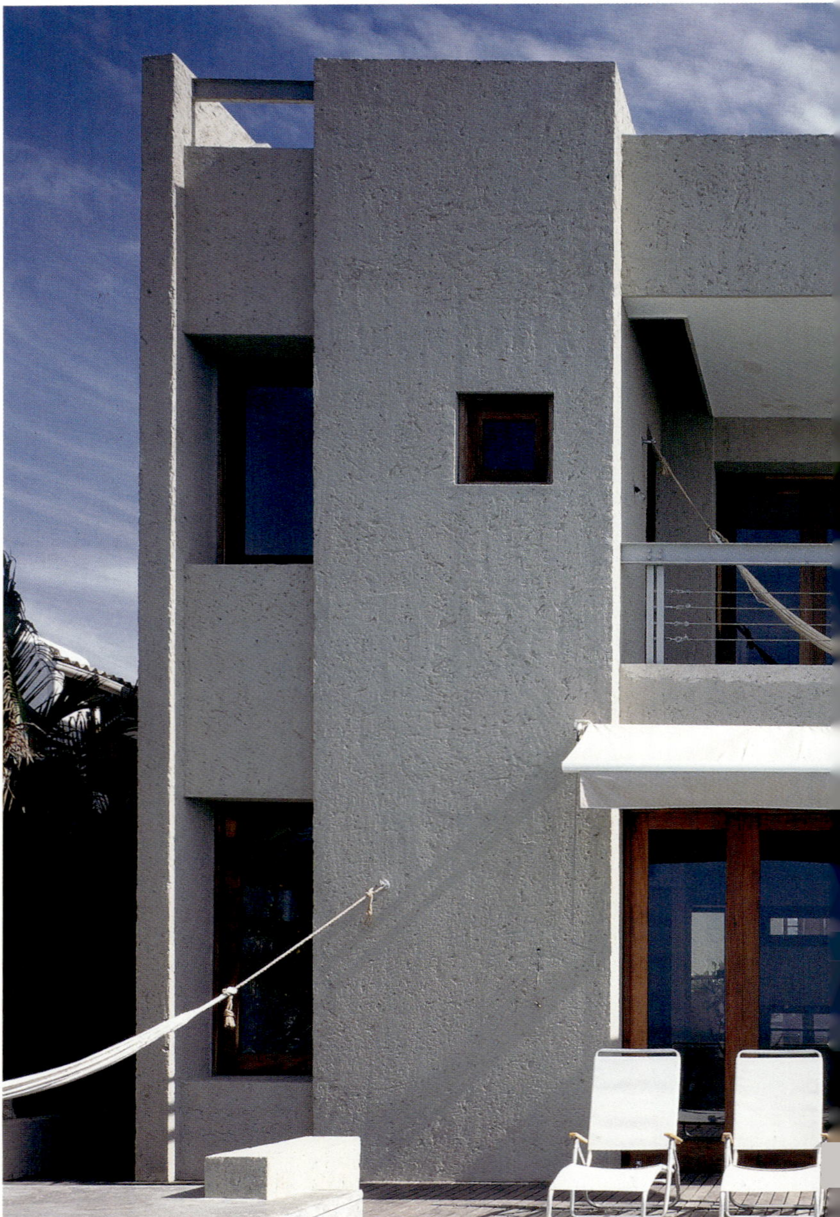

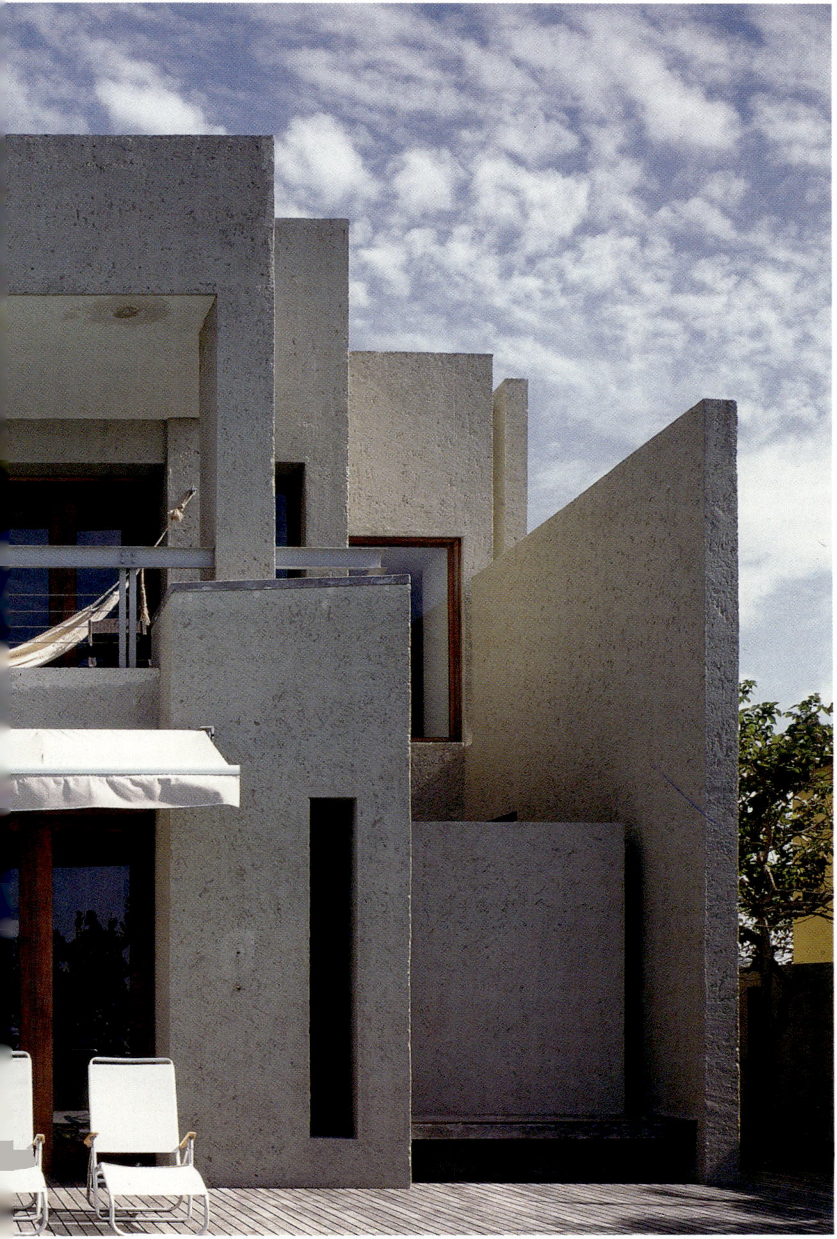

Located in Playa Hermosa in the city of Los Angeles, the design of this residence is organised along a vertical three-level sequence. The clients wanted a house that would combine spaces for guests and social gatherings with private, restricted quarters. All three floors open up to the outside with terraces facing the sea which allow residents and guests alike to enjoy the landscape.

Il design di questa residenza situata a Playa Hermosa, nella città di Los Angeles, è stato progettato in base a una sequenza verticale a tre livelli. I clienti desideravano una casa che riunisse spazi destinati agli invitati e alle riunioni sociali, nonché zone private e riservate. I tre piani sono rivolti all'esterno con terrazze che si affacciano sul mare e permettono di godersi il paesaggio.

REYNA RESIDENCE
Dean Nota

Los Angeles, USA

Situada en Playa Hermosa, en la ciudad de los Ángeles, el diseño de esta residencia se organizó en una secuencia vertical de tres niveles. Los clientes deseaban una casa que combinase espacios habilitados para invitados y reuniones sociales con zonas privadas y reservadas. Las tres plantas se abren al exterior con terrazas que dan al mar y permiten gozar del paisaje.

O design desta residência, em Playa Hermosa, Los Angeles, organiza-se segundo uma sequência vertical em três pisos. Os clientes pretendiam combinar espaços para convidados e convívio com aposentos privativos e restritos. Os três pisos abrem com terraços virados para o mar, que permitem aos residentes e aos convidados desfrutar da paisagem.

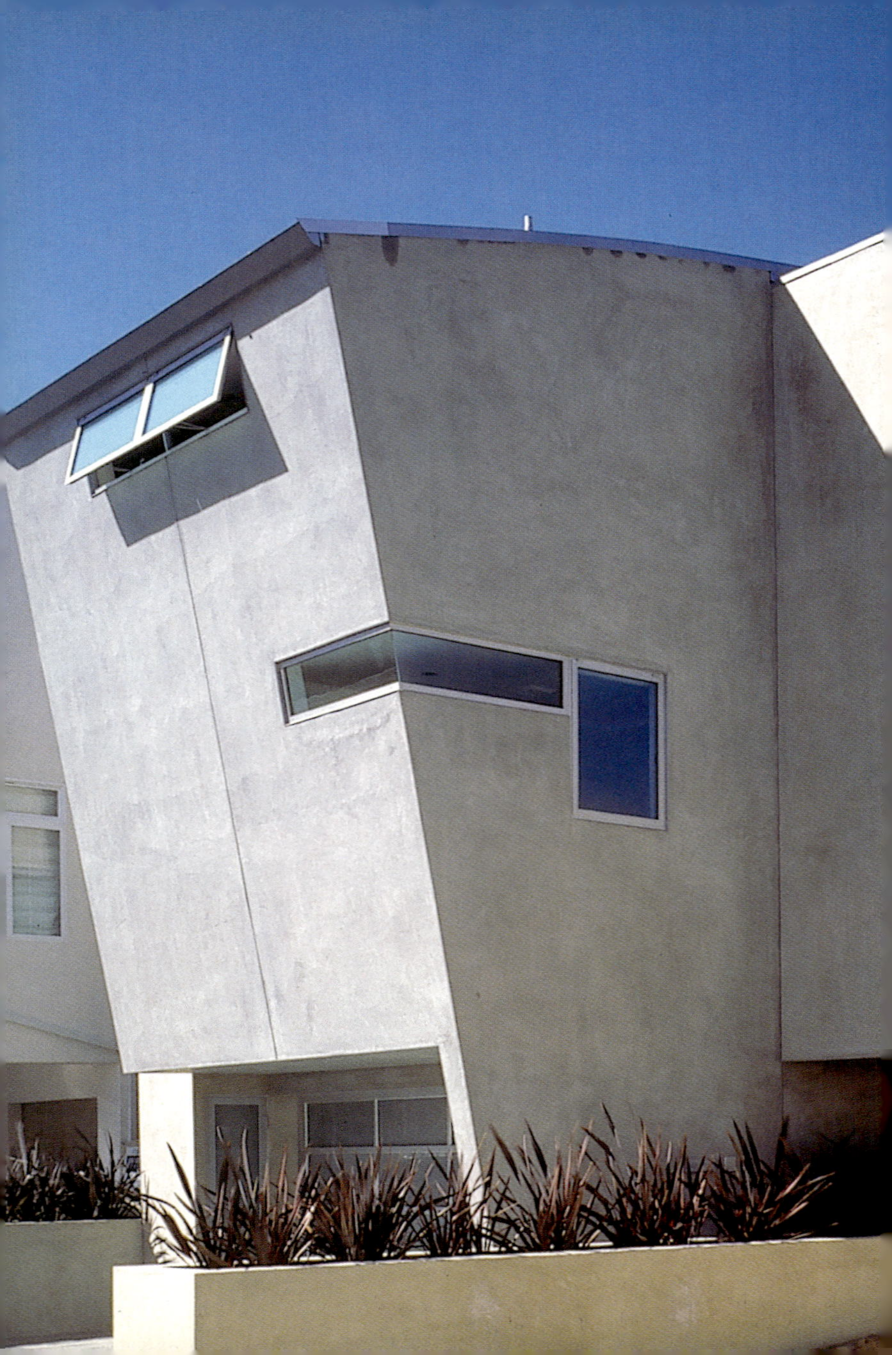

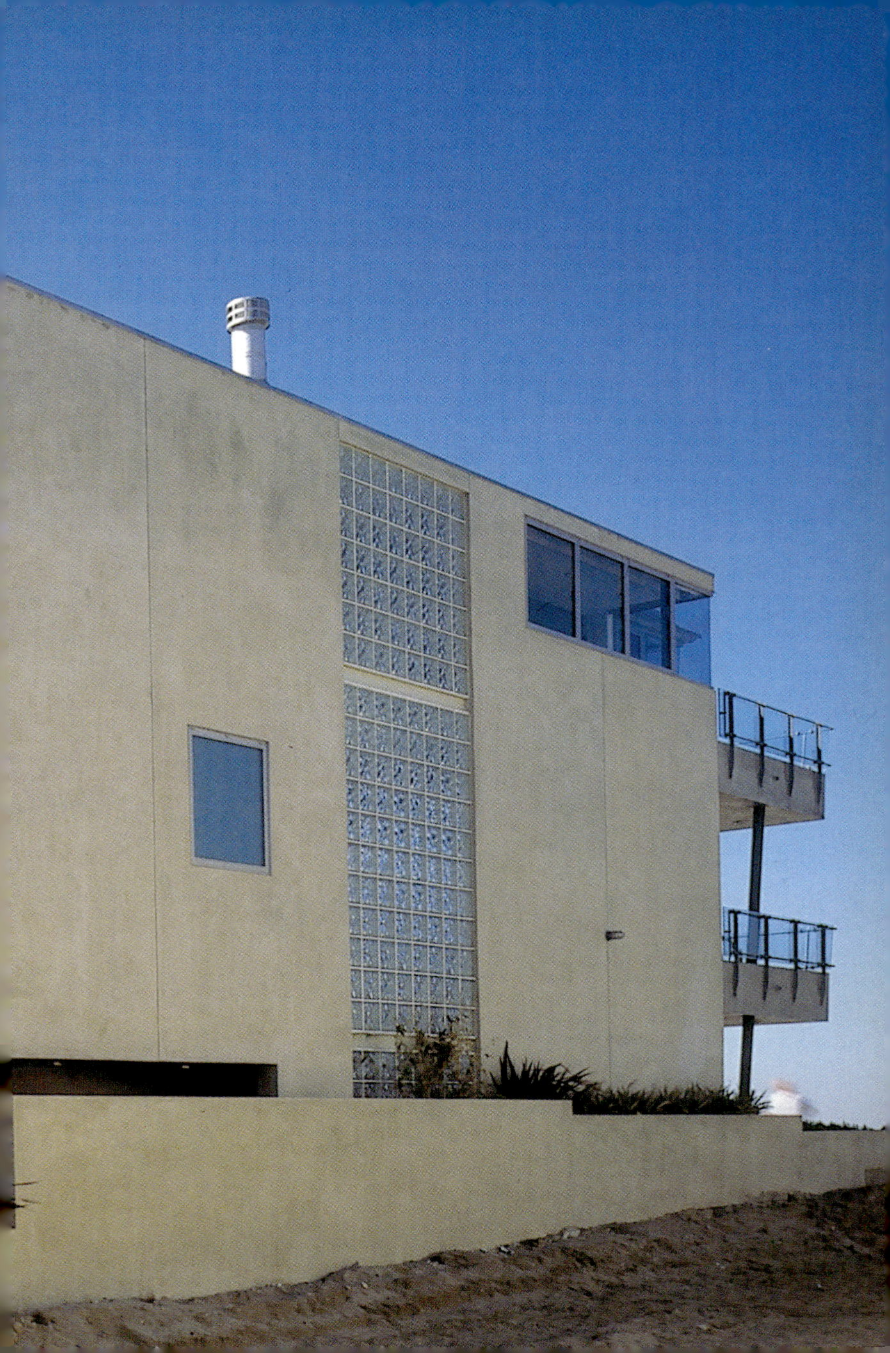

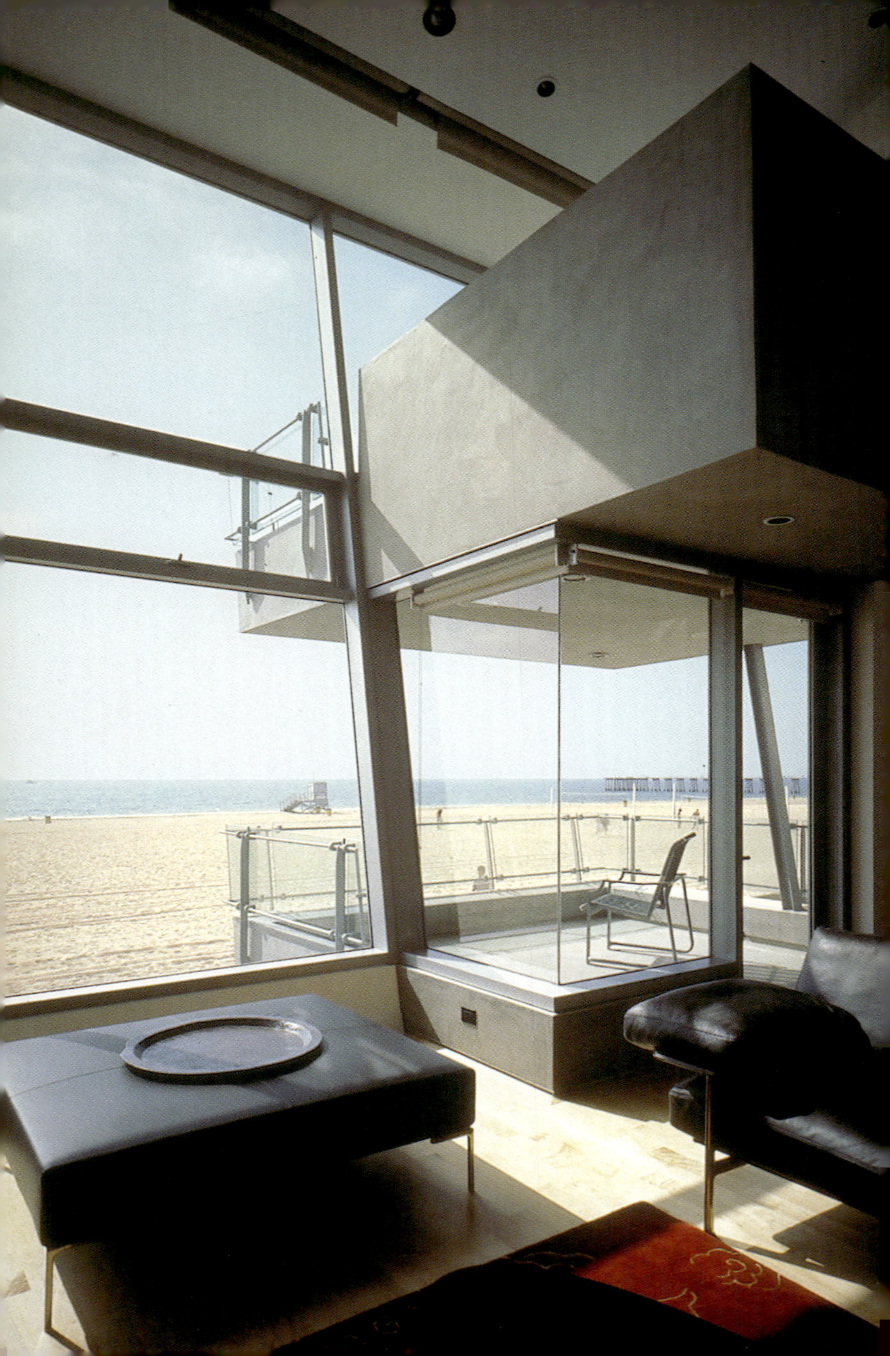

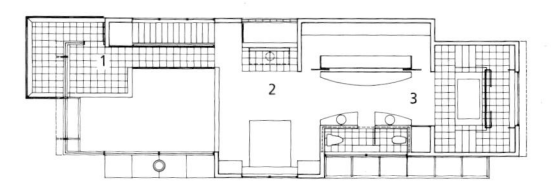

Second floor plan

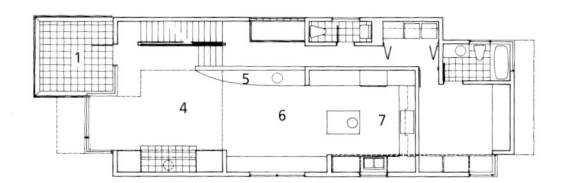

First floor plan

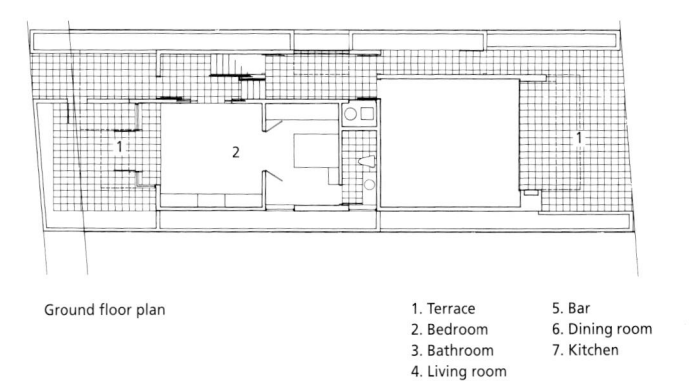

Ground floor plan

1. Terrace
2. Bedroom
3. Bathroom
4. Living room
5. Bar
6. Dining room
7. Kitchen

The guest bedroom and living room are on the ground floor. The latter has magnificent sweeping views framed by the Palos Verdes peninsula and Santa Catalina island.

En la planta baja está situada la habitación de invitados y la sala, desde la cual se puede disfrutar de una magnífica panorámica enmarcada por la península de Palos Verdes y la isla de Santa Catalina.

Al piano inferiore si trovano la stanza degli ospiti e il soggiorno, da cui si gode un vista panoramica magnifica, caratterizzata dai contorni della penisola di Palos Verdes e dell'isola di Santa Catalina.

O quarto de hóspedes e a sala de estar situam-se no rés-do-chão. A sala de estar goza de umas vistas arrebatadoras enquadradas pela península Palos Verdes e pela ilha de Santa Catalina.

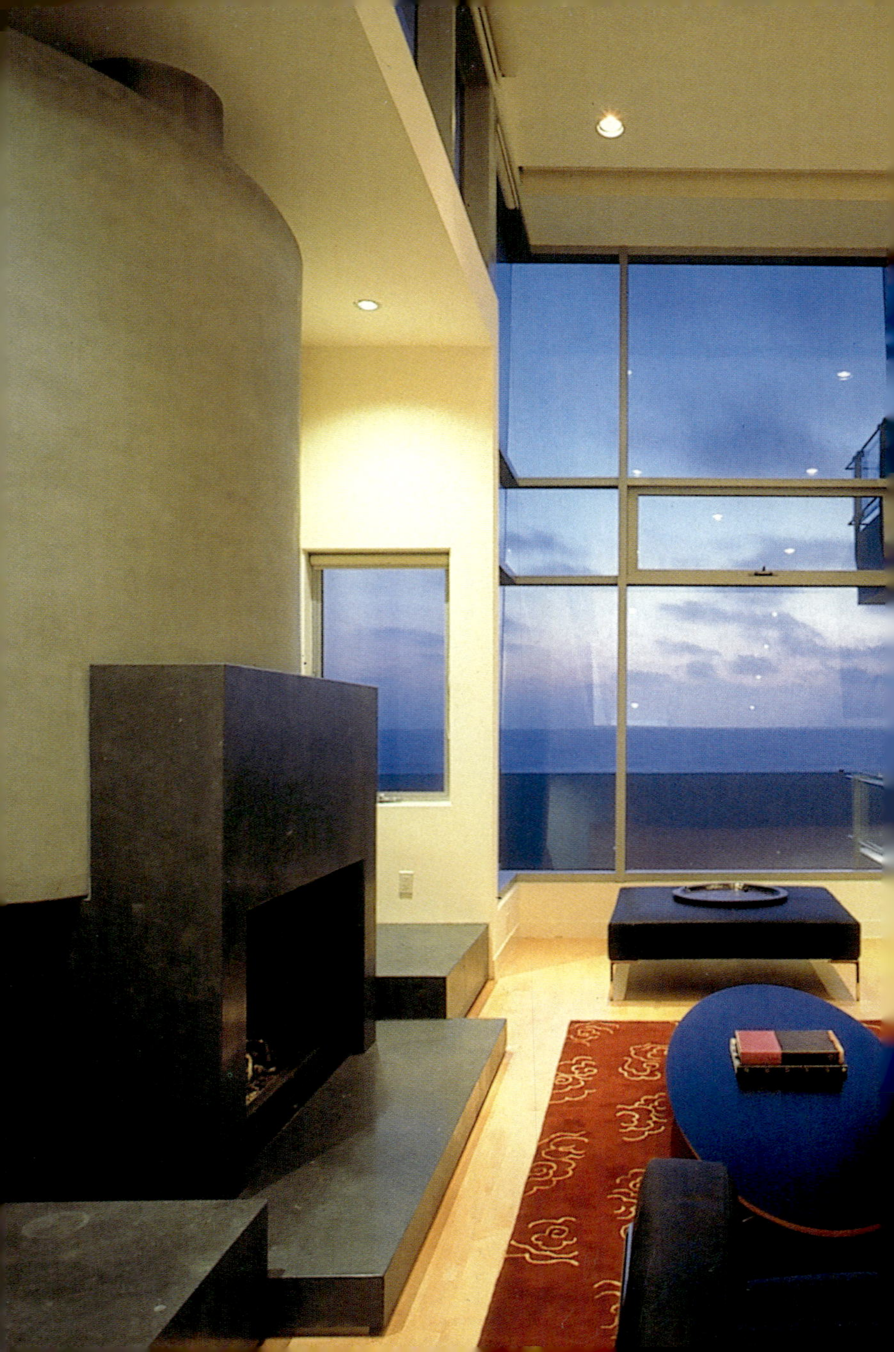

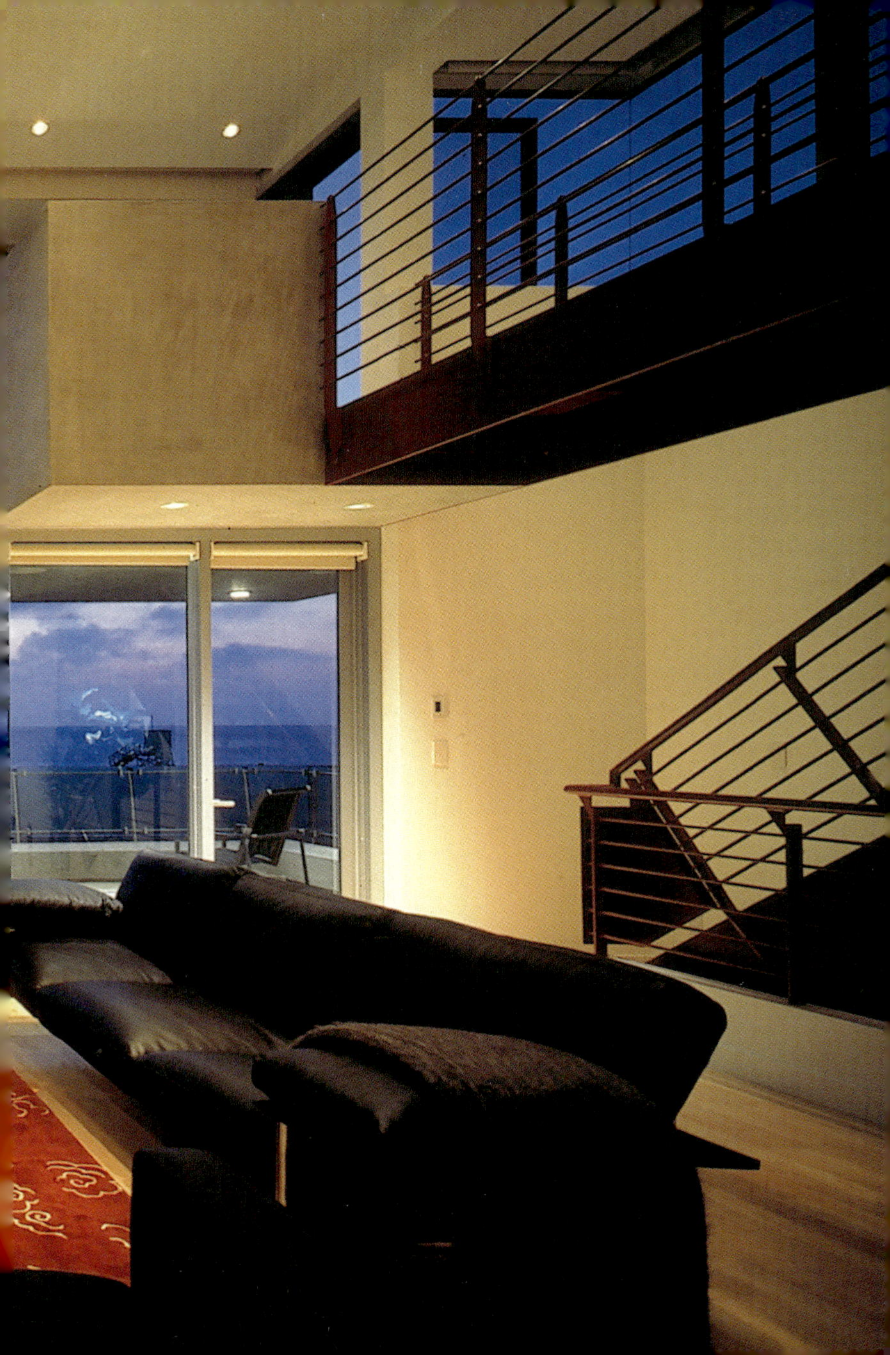

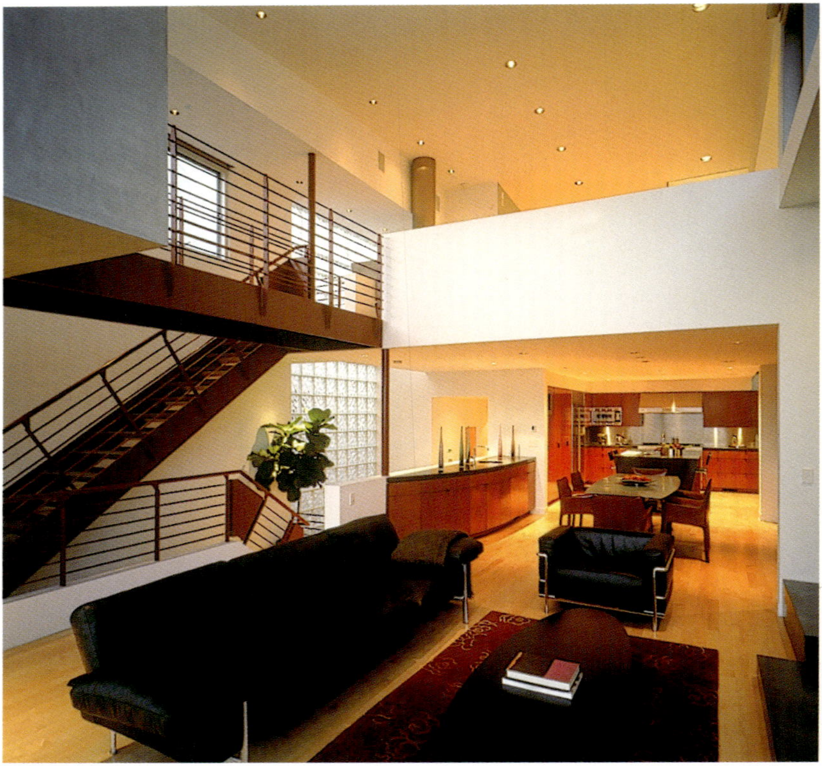

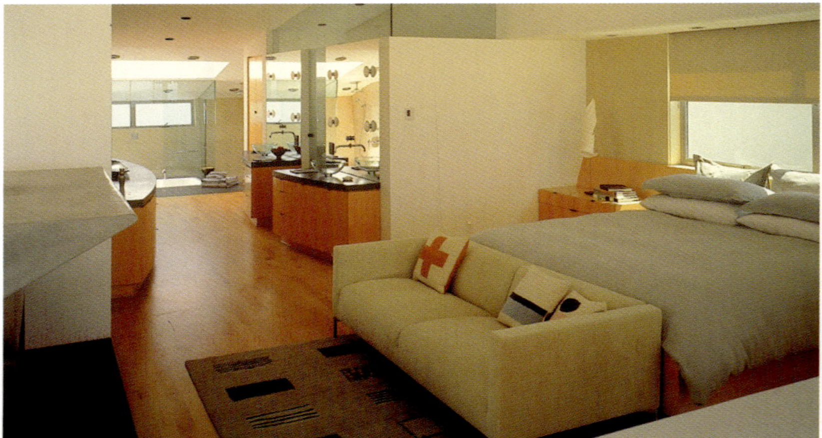

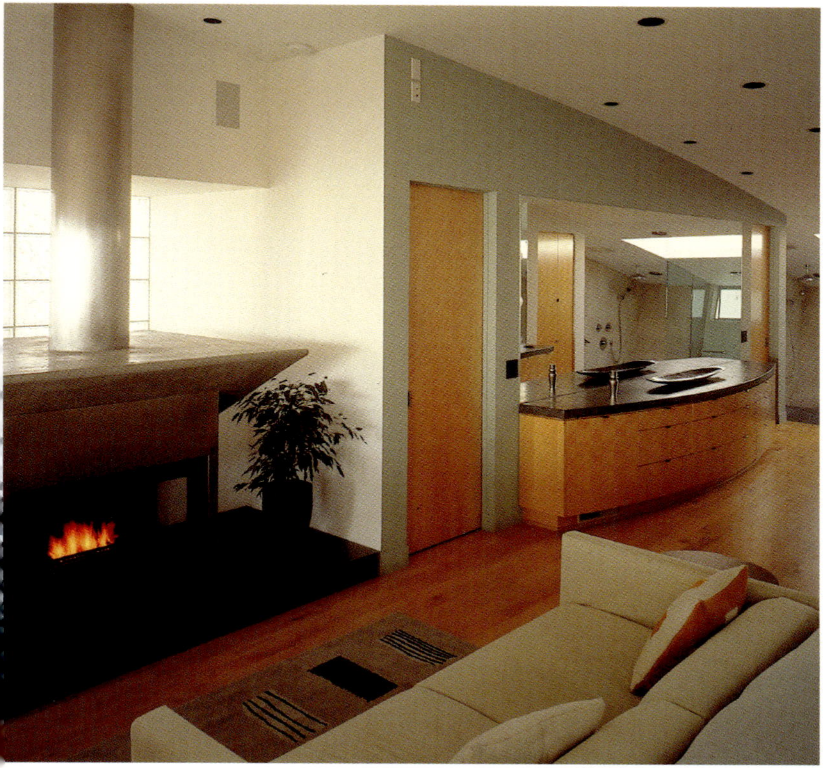

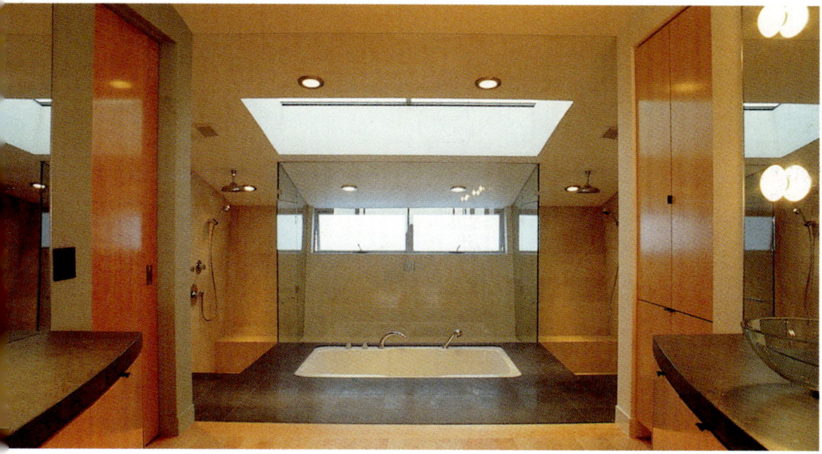

One of the key elements in this spacious home is the vegetation. An exotic garden featuring orchids and palm trees surrounds the home and forms part of it thanks to the numerous large windows scattered about the entire house, integrating the indoor and outdoor spaces. The terrace and swimming pool complete this perfect spot for resting on hot Palm Island days.

Uno degli elementi chiave di questa spaziosa casa è la vegetazione. Un giardino esotico di palme e orchidee circonda la residenza e si fonde con essa grazie alle numerose ed ampie finestre sparse per tutta la casa, integrando lo spazio interno con quello esterno. La terrazza e la piscina completano questo ambiente perfetto per il riposo durante le calde giornate di Palm Island.

PALM ISLAND HOUSE
Alfred Browning Parker

Miami, Florida, USA

Uno de los elementos claves de esta amplia casa es la vegetación. Un exótico jardín de orquídeas y palmeras rodean la vivienda y se cuelan en ella gracias a las numerosas y amplias ventanas distribuidas por toda la casa, integrando el espacio exterior con el interior. La terraza y la piscina completan este lugar perfecto para reposar en los días calurosos de Palm Island.

Um dos elementos chave desta espaçosa casa é a vegetação. Um jardim exótico, em que se destacam as orquídeas e as palmeiras, rodeia toda a casa formando parte dela, graças às numerosas janelas amplas dispersas pela casa, integrando os espaços interiores e exteriores. O terraço e a piscina completam este lugar perfeito para descansar nos dias quentes de Palm Island.

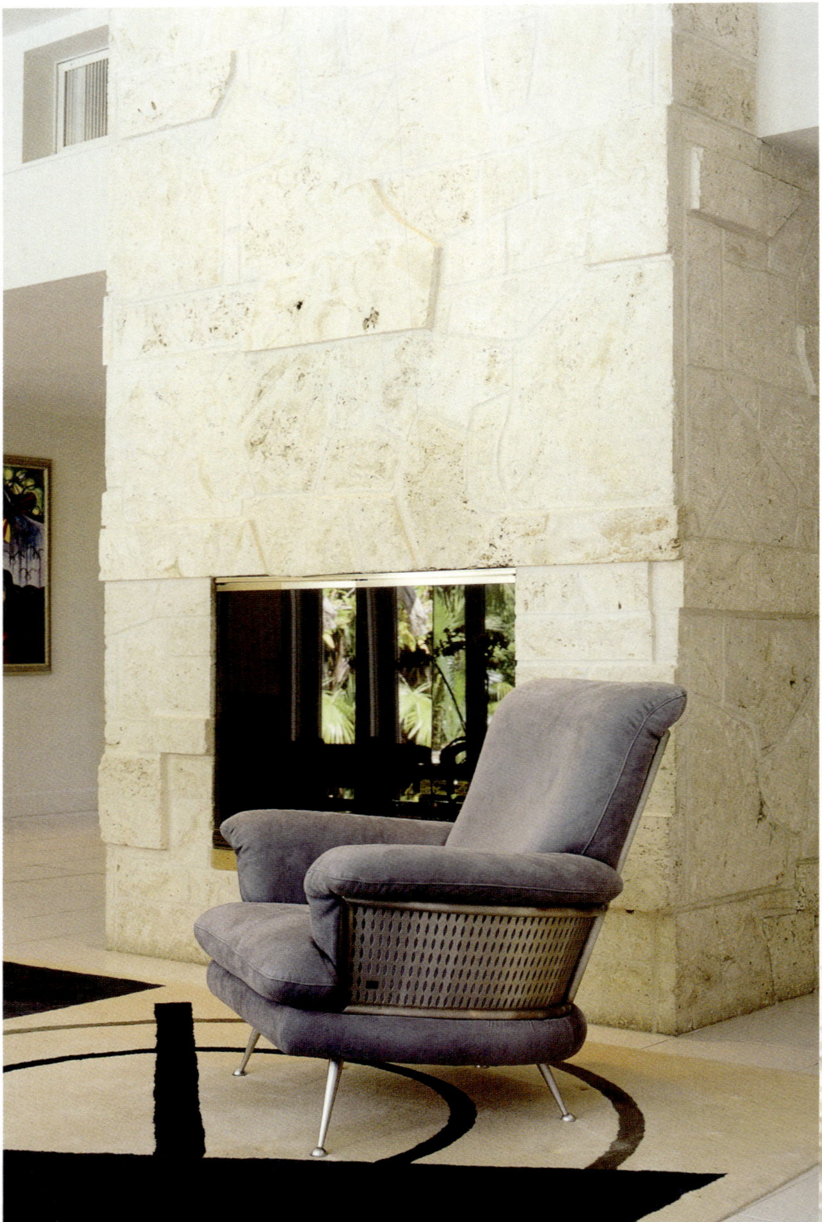

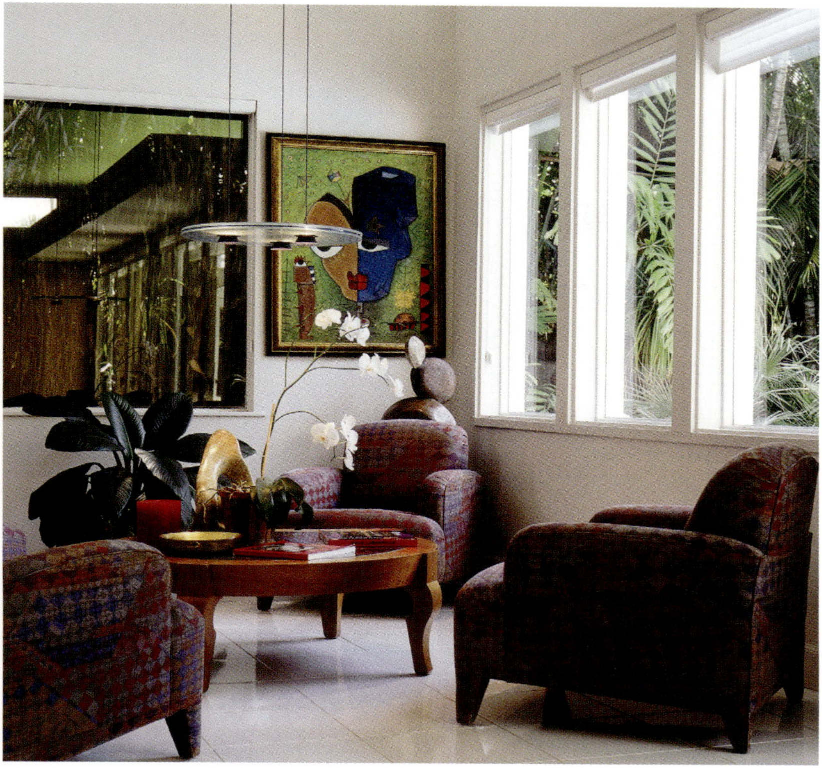

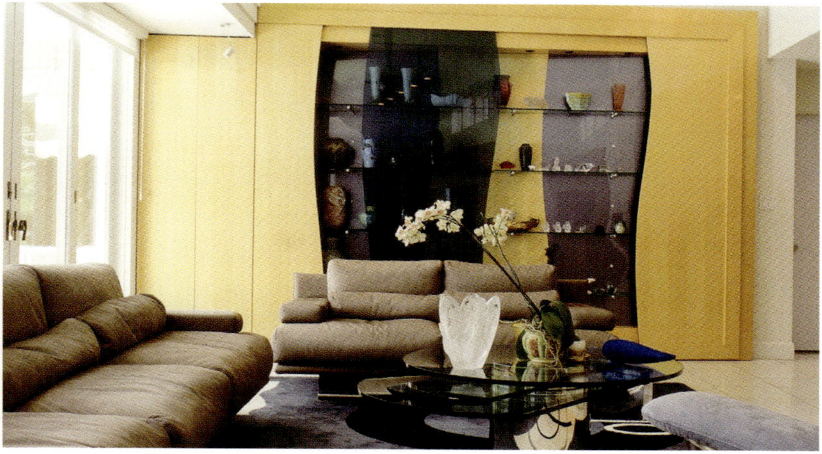

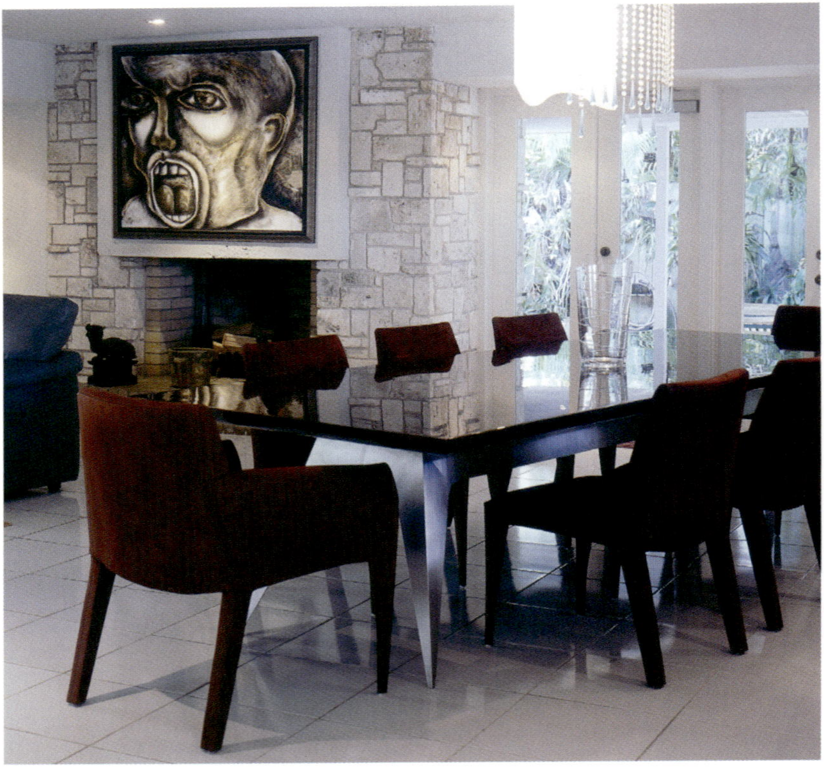

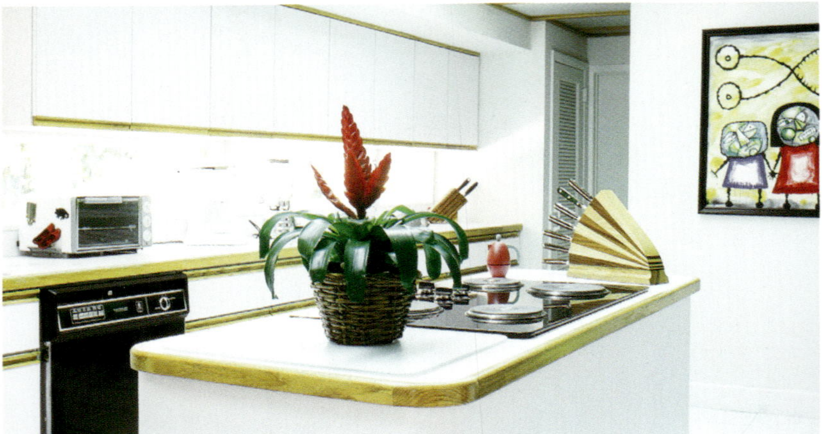

Art plays a prominent role inside this house. Sculptures and paintings decorate the walls and corners of the rooms, even in the kitchen and bathrooms.

L'arte riveste un ruolo importante per gli interni di questa casa. Le pareti e gli angoli dei diversi spazi sono impreziositi da sculture e pitture, anche nella cucina e nei bagni.

El arte juega un papel muy importante en el interior de esta casa. Esculturas y pinturas decoran paredes y rincones de los diferentes espacios, incluso las zonas de la cocina y el baño.

A arte desempenha um papel de relevo no interior da casa. As paredes e os cantos de todas as divisões (incluindo a cozinha e as casas de banho) estão decorados com esculturas e quadros.

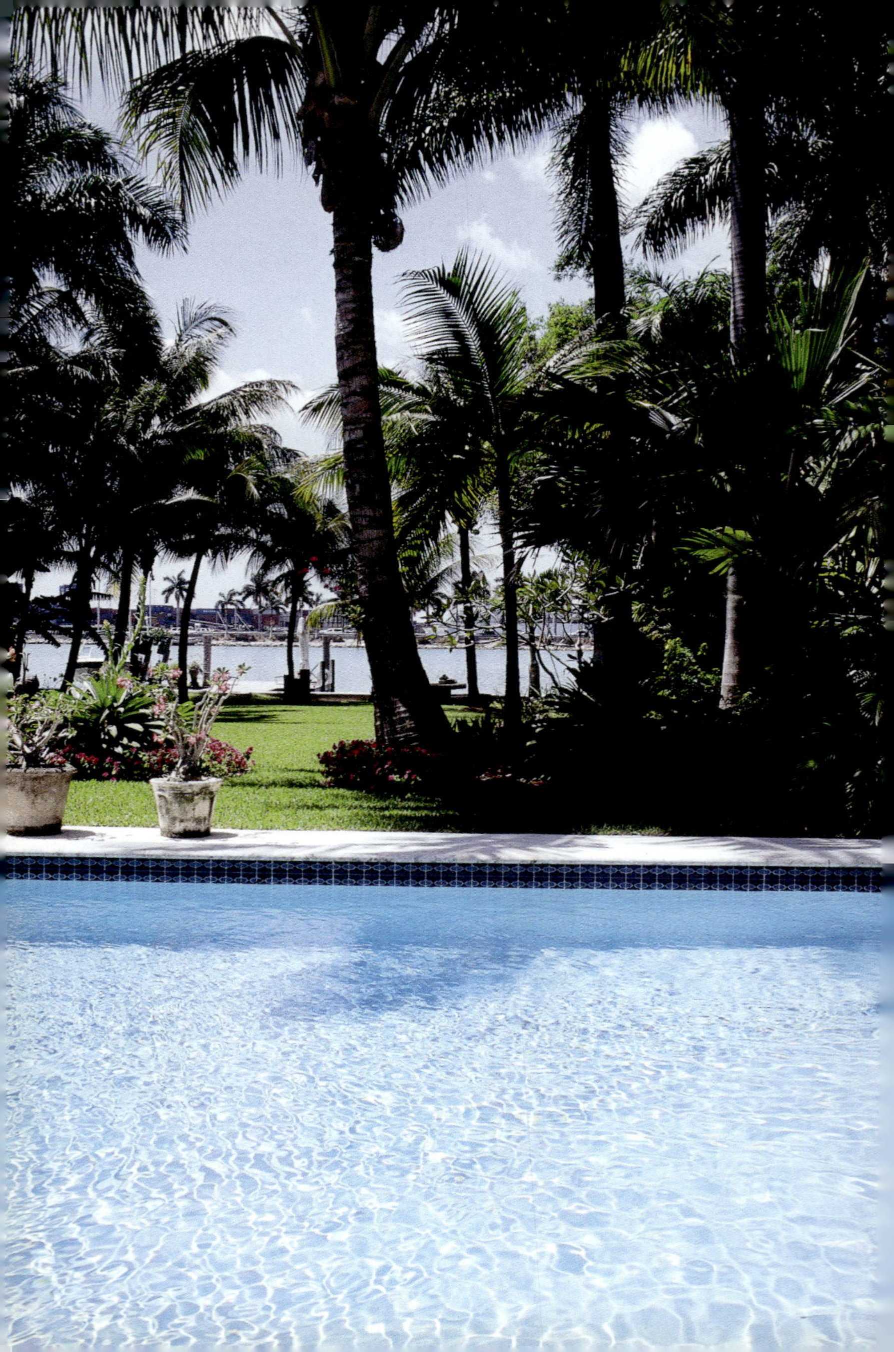

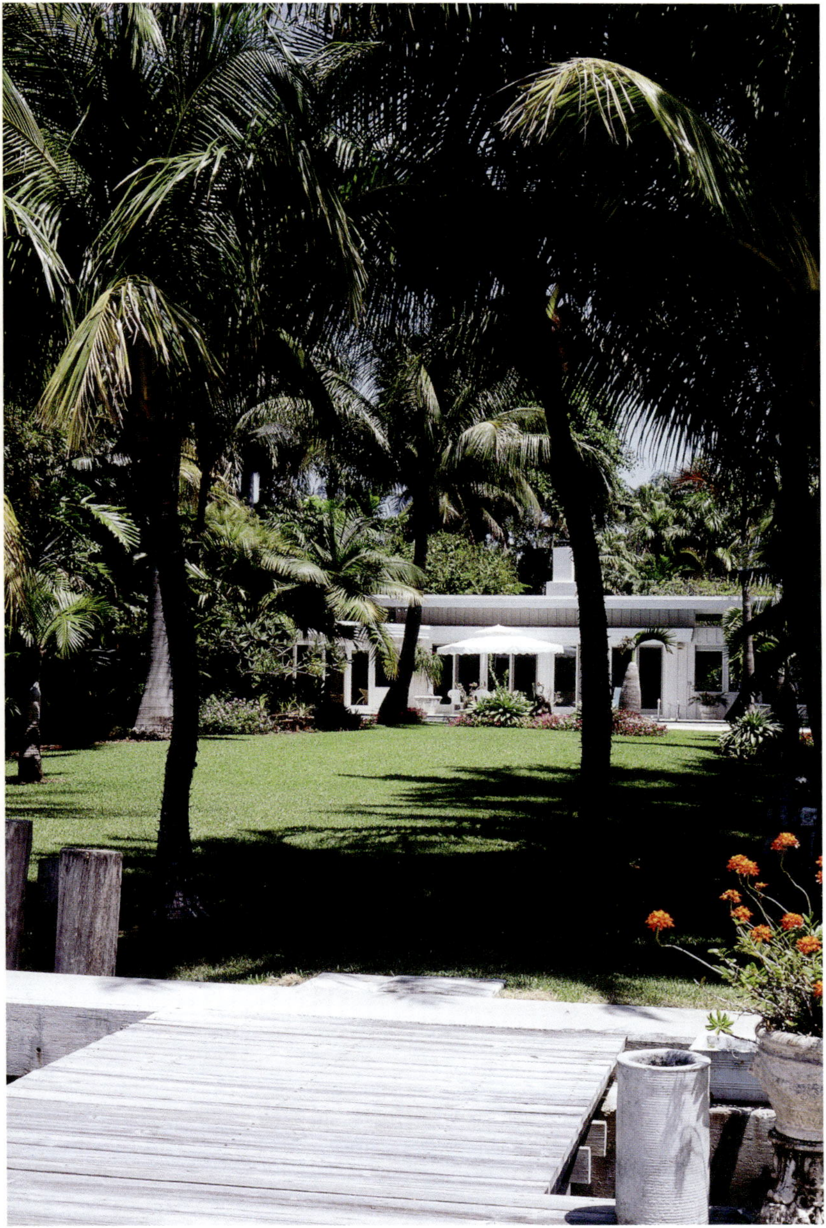

Located on Fire Island, the construction of this house is unique due to the materials used, which are unusual in beach houses. A wooden pathway leads to this home, which is made of two separate parts - the main house, an ideal place for chatting and enjoying ocean views, and the guest house, used as a painting studio.

La costruzione di questa dimora, situata a Fire Island, è unica per i materiali impiegati, che non sono tipici delle case sulla spiaggia. Un sentiero di legno conduce alla casa, composta da due blocchi indipendenti: la residenza principale, convertita in un luogo ideale per conversare e contemplare la vista dell'oceano e la casa degli ospiti, utilizzata come atelier di pittura.

HOUSE ON FIRE ISLAND
Bromley Caldari, Jorge Rangel

New York, USA

Situada en Fire Island, la construcción de esta casa es única debido a los materiales empleados, atípicos en otras edificaciones de playa. Un camino de madera conduce a esta vivienda compuesta por dos bloques independientes: la casa principal, convertida en un lugar ideal para conversar y contemplar las vistas del océano, y la casa de invitados, utilizada como taller de pintura.

Situada em Fire Island, a construção desta casa é única devido aos materiais utilizados, que são invulgares para casas de praia. Um caminho em madeira conduz à casa, constituída por duas partes distintas: a casa principal, um lugar ideal para conversar e apreciar as vistas do oceano, e a casa de hóspedes, usada como estúdio de pintura.

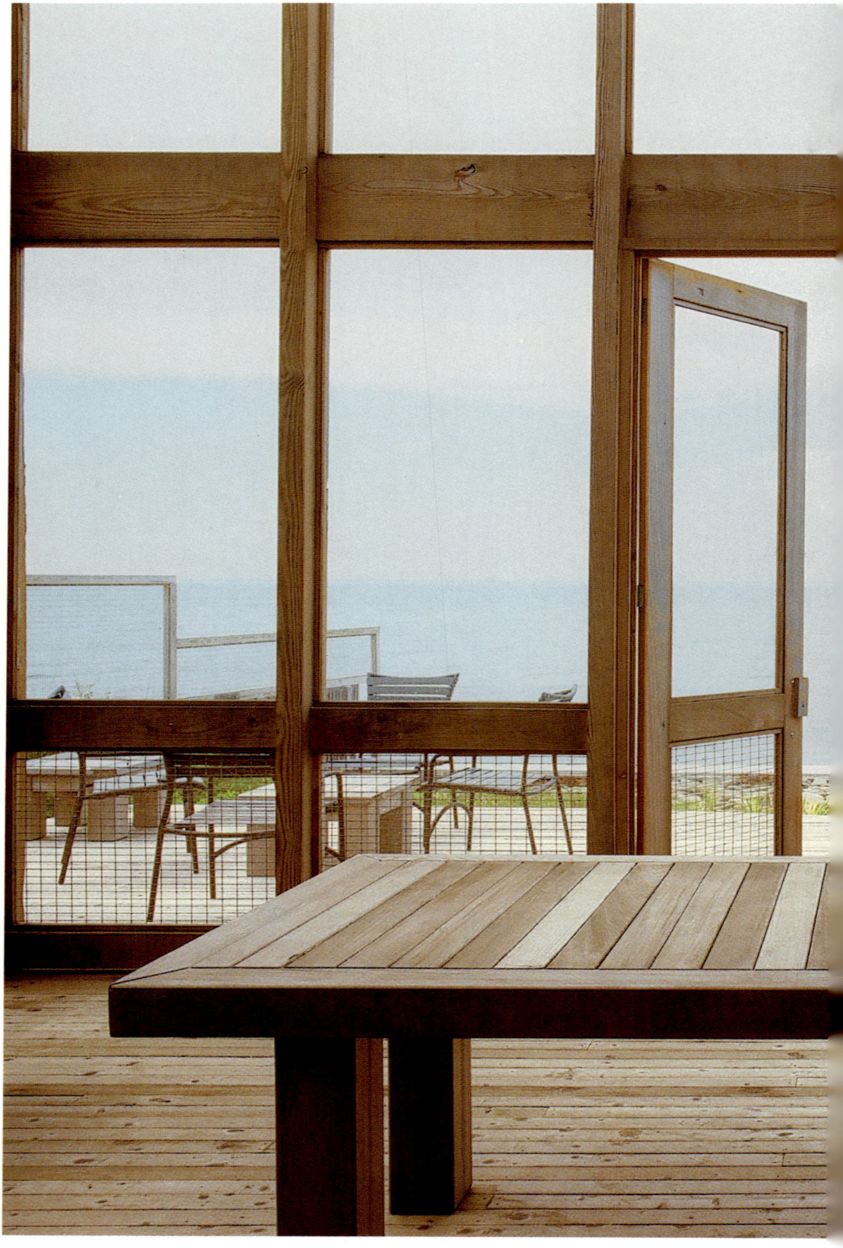

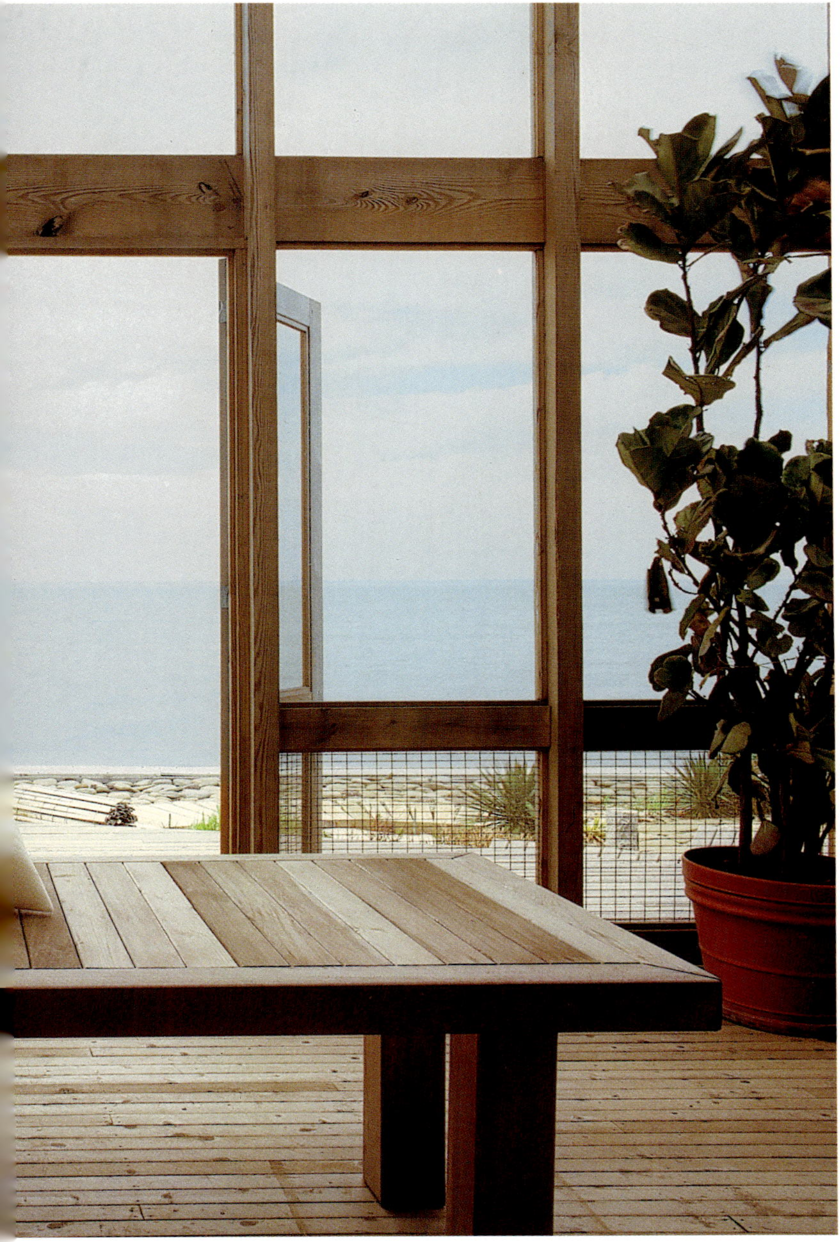

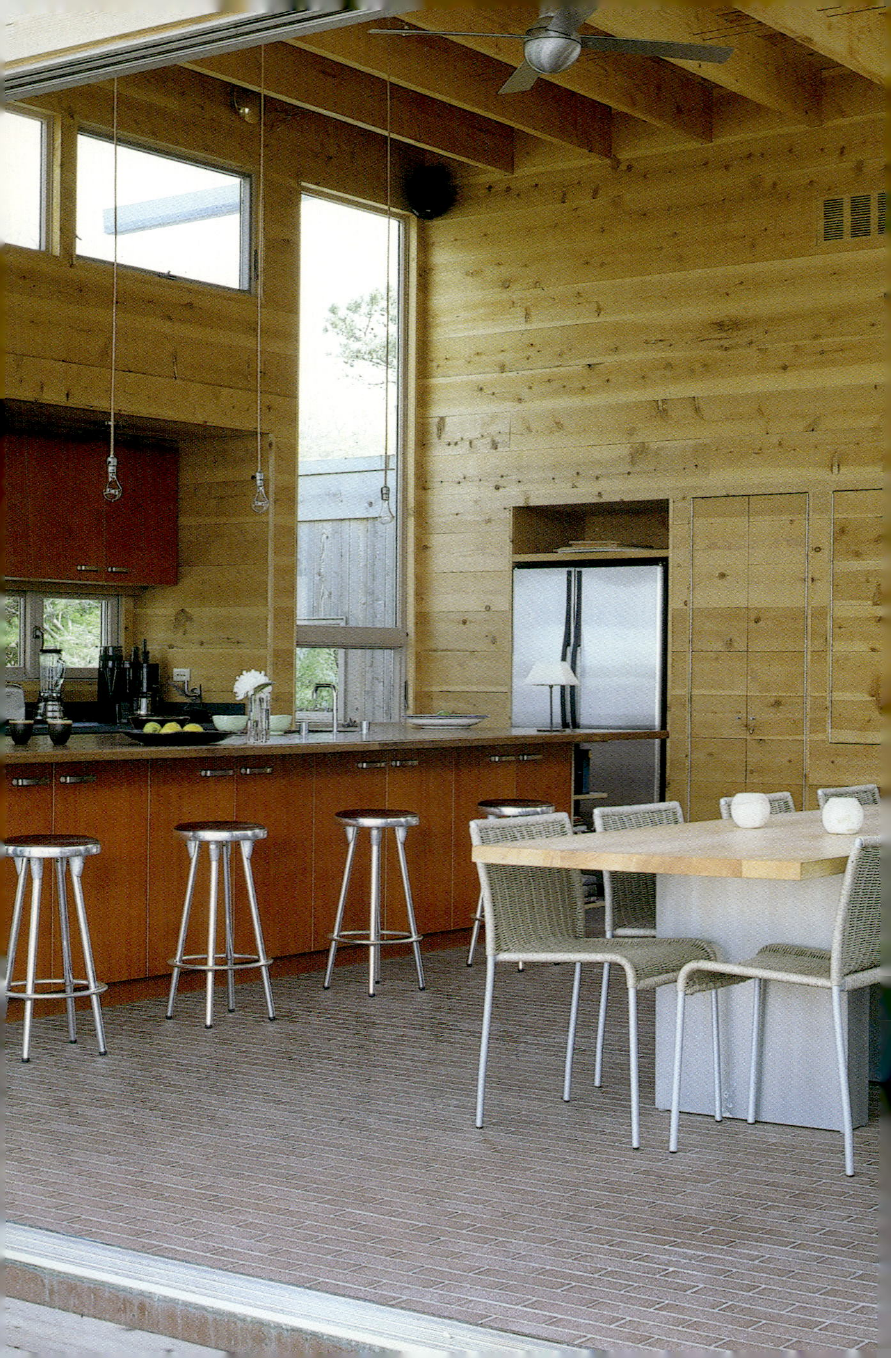

The floor is brick. Inside the house, the use of cedar and pine panelling, coupled with the exposed beams, creates a spacious, airy feel.

Il pavimento è di mattoni. All'interno sono stati utilizzati pannelli di legno di cedro e pino che, insieme alle travi a vista, creano spazi ampi e ariosi.

El pavimento es de ladrillo. En el interior de la vivienda se emplearon paneles de cedro y pino que, junto a la estructura de las vigas, consiguen crear espacios amplios y diáfanos.

O chão é feito de tijolos. No interior da casa, o revestimento em cedro e pinho, associado às vigas expostas, cria um ambiente espaçoso e arejado.

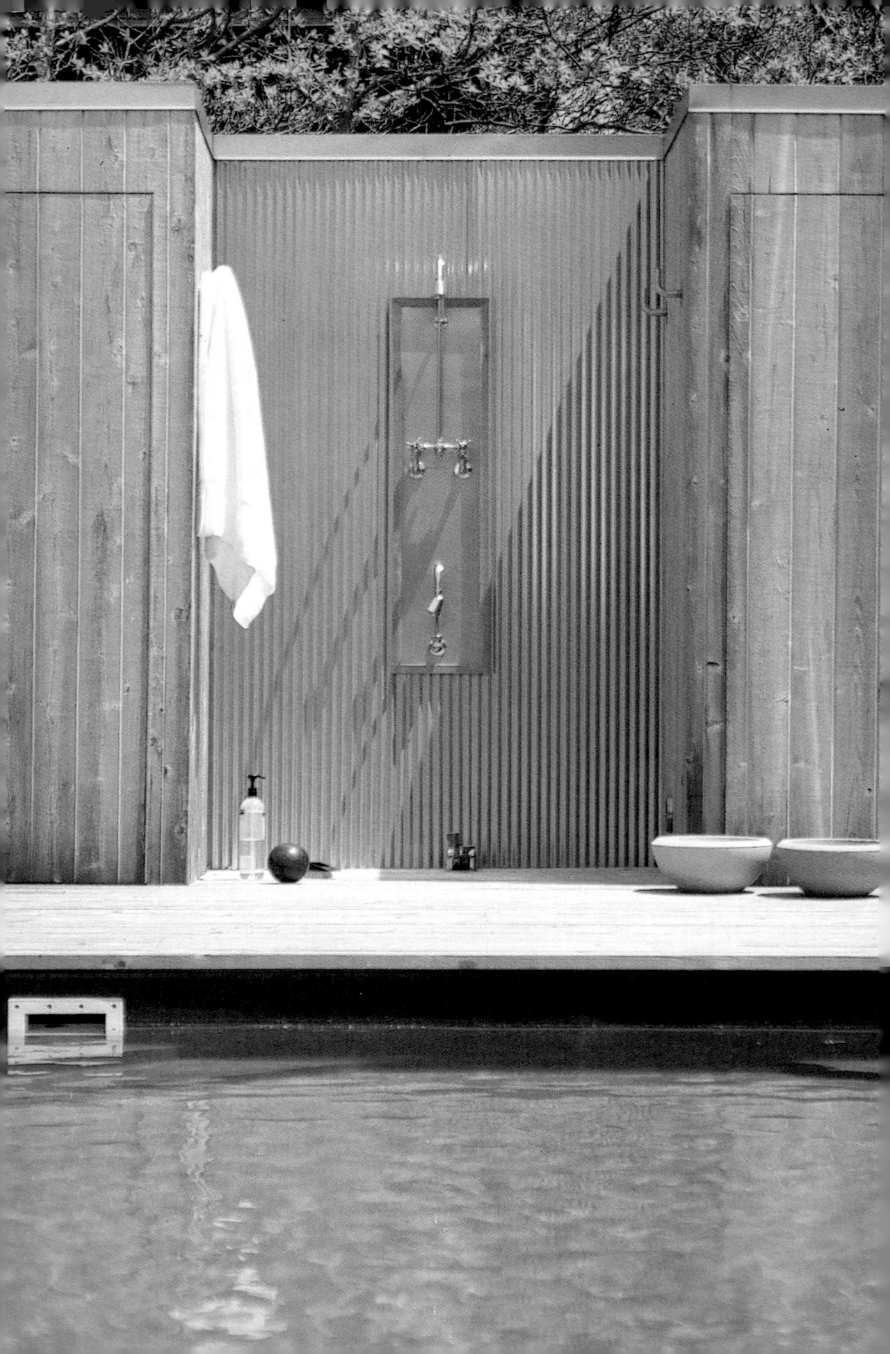

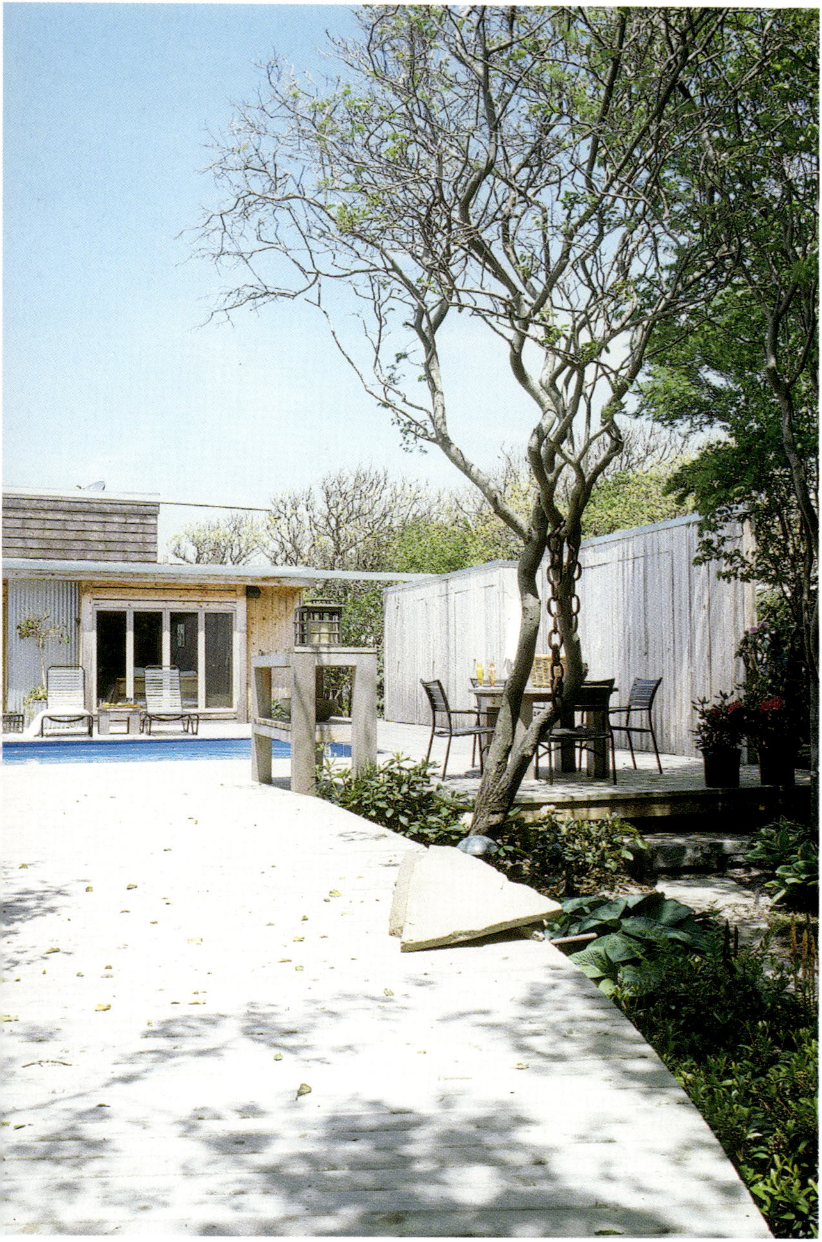

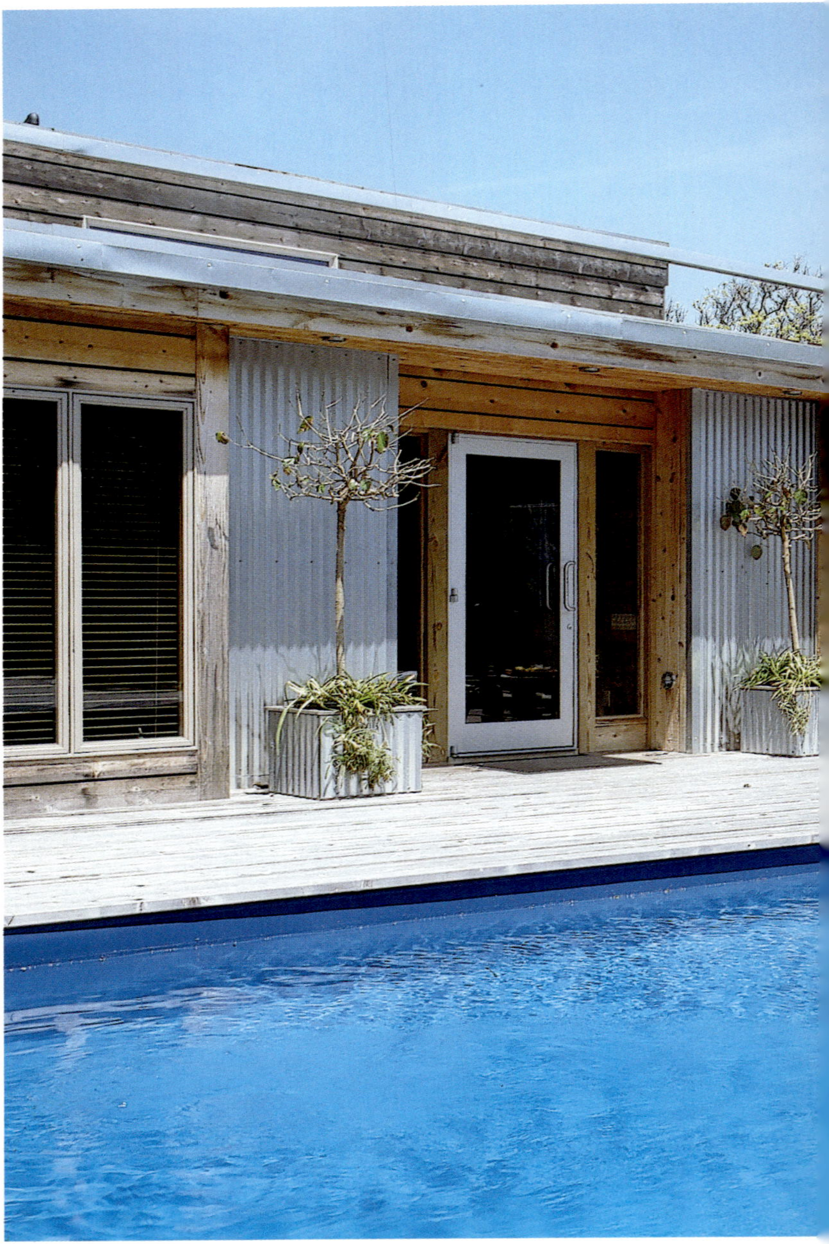

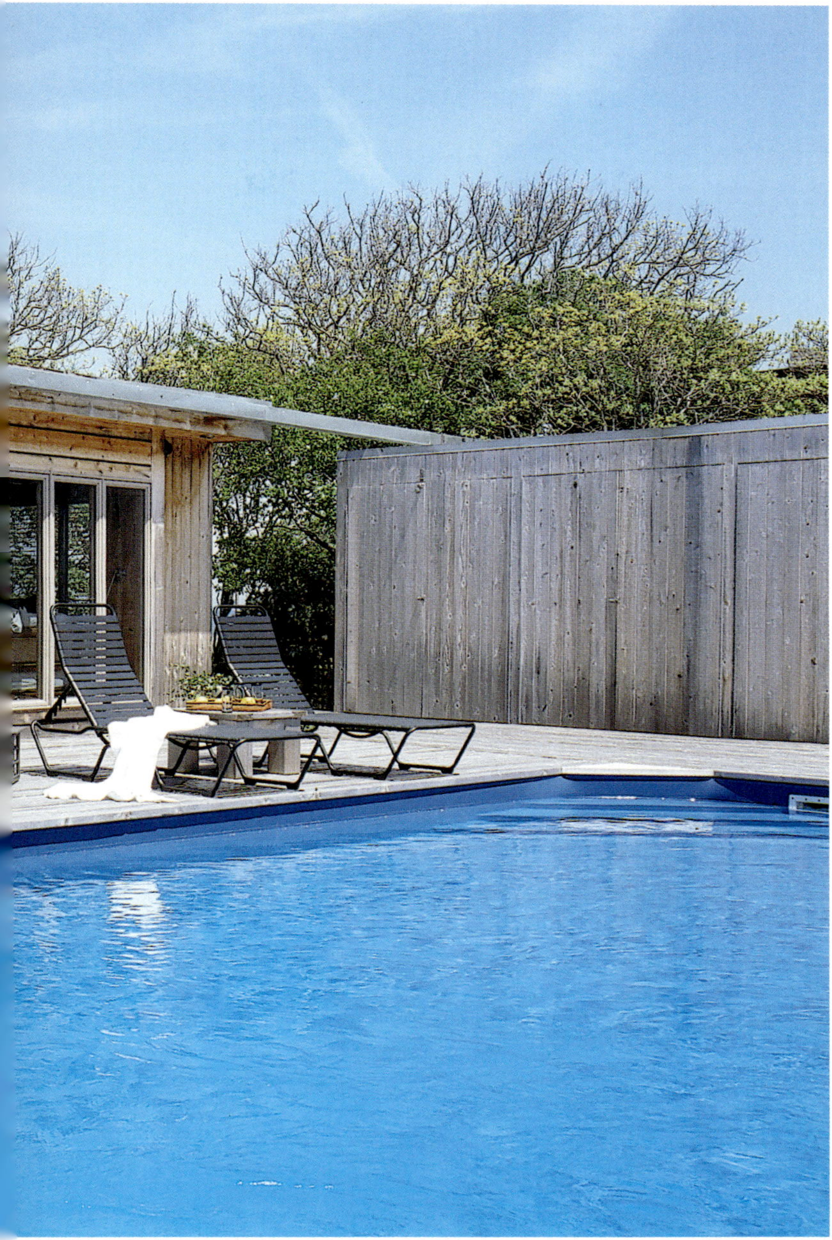

This residential complex boasts a complex design mainly determined by the lay of the land which is focused on reinterpreting the existing topography by building a number of different areas. The homes, located at various heights, create multiple views of the landscape and the bay. The complex is a pleasant, comfortable oasis of neighbourliness..

Questo gruppo di unità abitative corrisponde a un complesso progetto determinato innanzitutto dalla configurazione del paesaggio e incentrato sulla reinterpretazione della topografia esistente, mediante la costruzione di diverse aree. Le case, situate a varie altezze, creano molteplici viste del paesaggio e della baia. L'insieme forma uno spazio piacevole e confortevole di convivenza.

VILLA NAUTILUS

Jaime Varon, Abraham Metta, Alex Metta/Migdal Arquitectos

Acapulco, Mexico

Este conjunto de viviendas corresponde a un complejo diseño condicionado principalmente por el terreno y centrado en la reinterpretación de la topografía existente mediante la construcción de diversos bloques. Las viviendas, situadas a diferentes alturas, crean múltiples vistas del paisaje y de la bahía. El conjunto forma un agradable y confortable espacio de convivencia.

Este complexo residencial pode vangloriar-se de um design complexo, determinado principalmente pelo declive do solo, focando a reinterpretação da topografia existente, através da construção de diversas áreas. As casas, situadas a várias alturas, criam múltiplas vistas da paisagem e da baía. O complexo é um oásis aprazível e confortável de boa vizinhança.

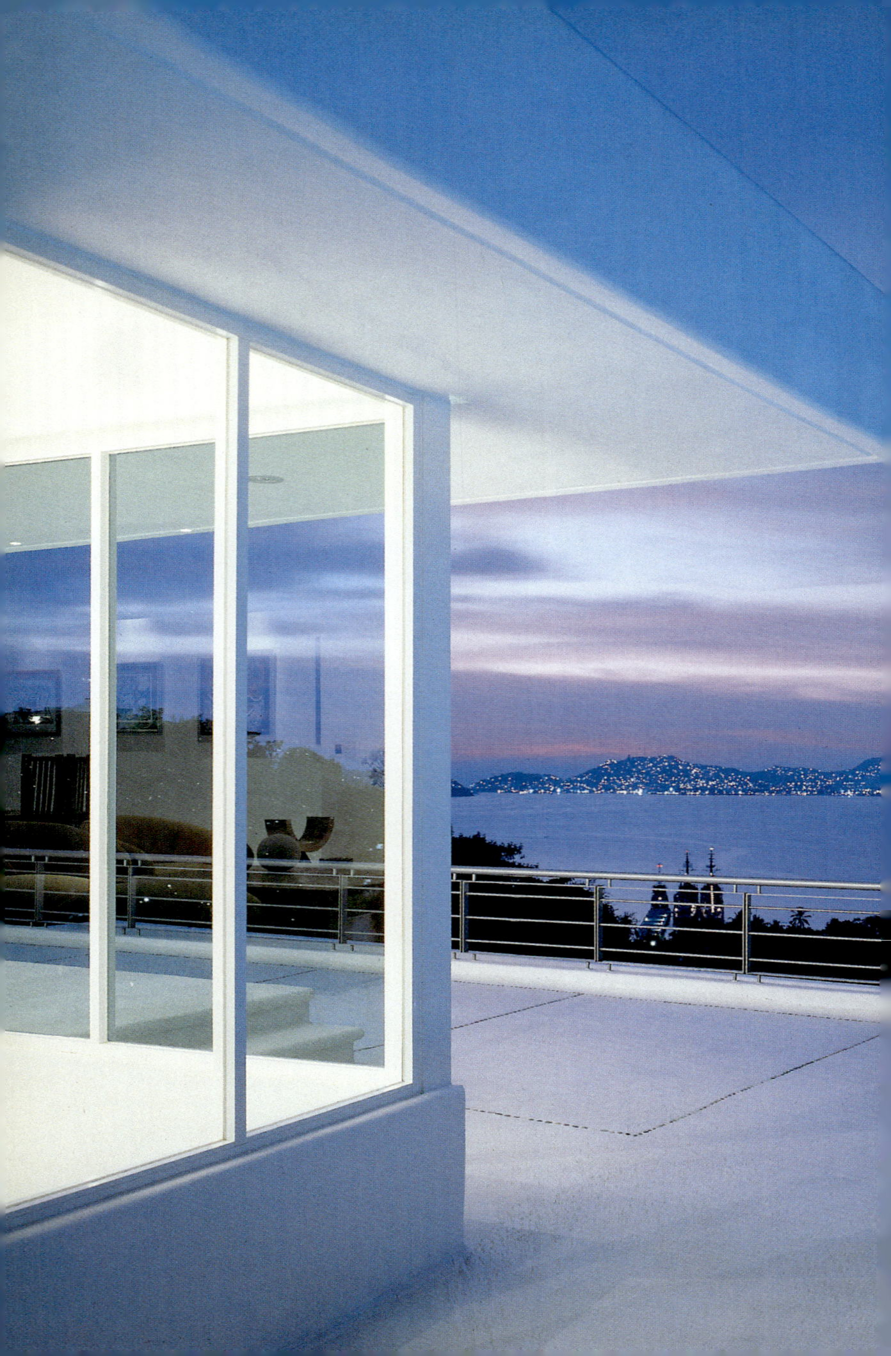

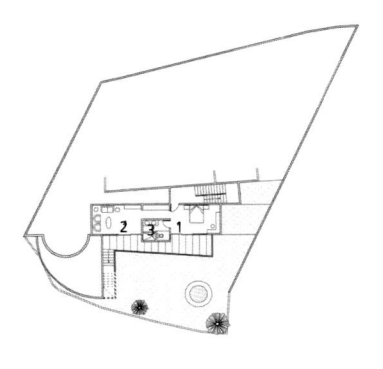

First floor plan

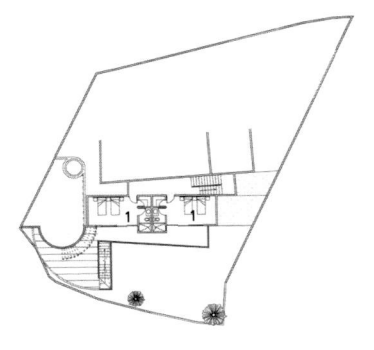

Second floor plan

Third floor plan

1. Bedroom
2. Living room
3. Bathroom
4. Dining room
5. Kitchen
6. Pool

The private quarters are housed on the upper floor. The views from the different areas are oriented toward the sunlight, the surroundings and the views of the landscape.

Al piano superiore si trovano gli spazi privati. Le prospettive delle diverse zone sono orientate in base alla luce solare, all'ambiente circostante e alle vedute del paesaggio.

En la planta alta quedan ubicados los espacios privados. Las perspectivas de las diferentes estancias están orientadas en relación a la luz solar, el entorno y las vistas al paisaje.

Os aposentos privativos encontram-se no andar superior. As vistas das diferentes áreas estão orientadas em direcção à luz solar, ao meio circundante e para a paisagem.

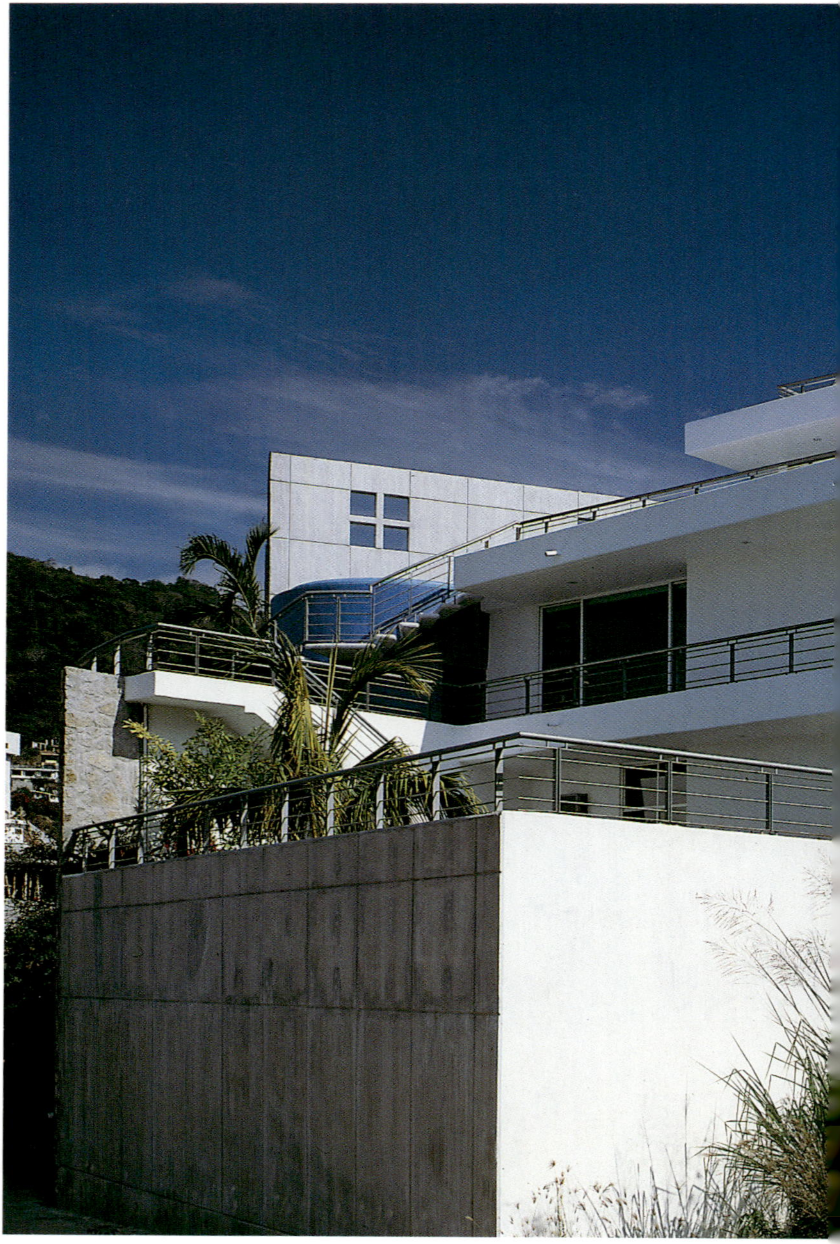

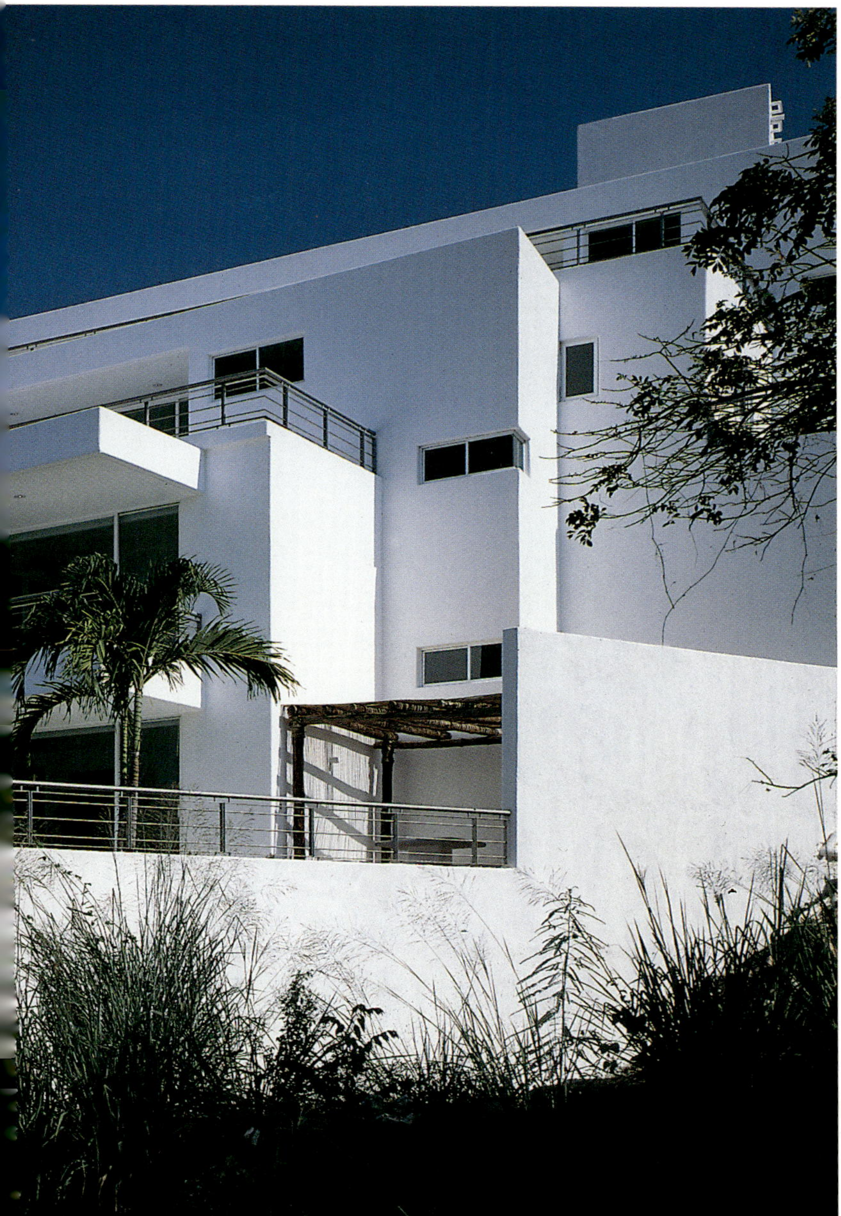

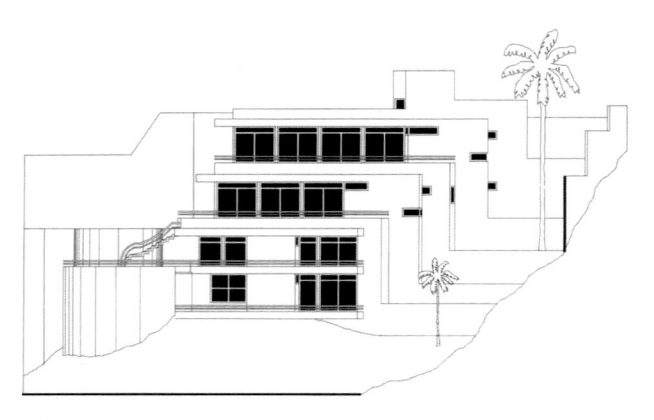

Front elevation

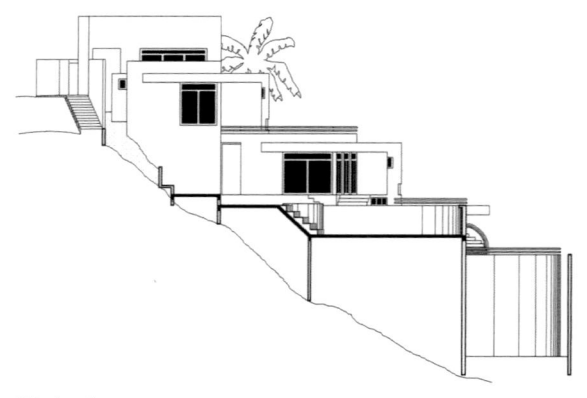

Side elevation

The construction problem for this building, located on a sloping plot of land, was resolved by using blocks held up by load-bearing walls, solid slabs and vaults.

Il problema della costruzione di questa casa su una pendenza del terreno è stato risolto con l'impiego di blocchi sostenuti da muri portanti, lastre massicce e volte.

A partir de bloques sustentados por muros de carga, losas macizas y bóvedas, se resolvió el problema constructivo de esta edificación que está situada en una pendiente del terreno.

O problema de construção deste edifício, situado num terreno em declive, foi resolvido através da utilização de blocos suportados por paredes de carga de alvenaria, placas sólidas e abóbadas.

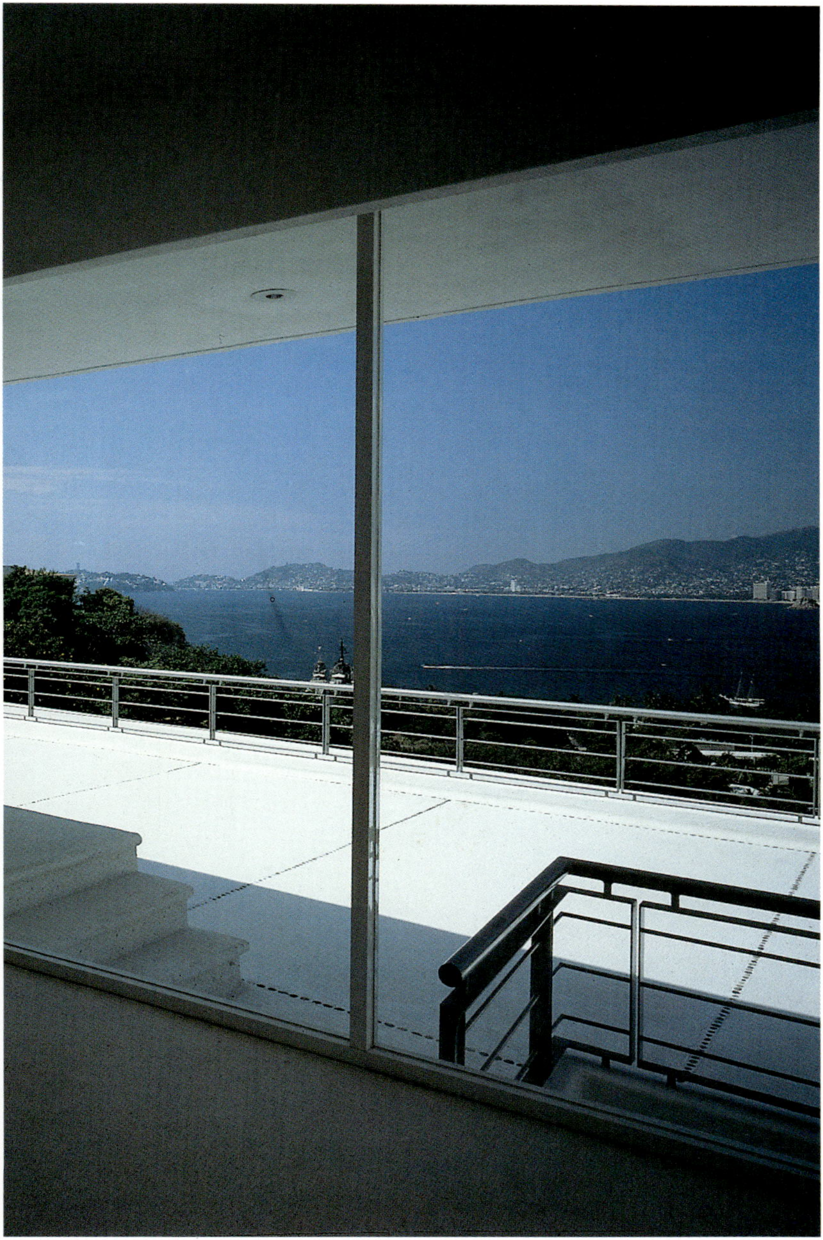

The Poli House rises up majestically on a cliff overlooking the sea, elevated on a platform that confers the sense of being on a podium surrounded only by the landscape. Despite the fact that the idea of placing it even closer to the edge appealed to the architects, ultimately this option had to be rejected for structural reasons, which also determined the building's design.

Villa Poli si erge maestosa su una scogliera di fronte al mare, su una piattaforma che dà la sensazione di essere su un podio circondato solo dal paesaggio. Gli architetti erano attratti dall'idea di costruirla ancora più vicino al bordo della scogliera, tuttavia hanno dovuto desistere per motivi strutturali, che hanno condizionato anche il progetto dell'edificio.

POLI HOUSE
Pezo Von Ellrichshausen Arquitectos

Península de Coliumo, Chile

La casa Poli se alza majestuosamente sobre un acantilado sobre el mar, elevándose sobre una plataforma que provoca la sensación de estar en un podio rodeado únicamente por el paisaje. A pesar de que la idea de situarla aún más cercana al borde atraía a los arquitectos, finalmente ésta se tuvo que desechar por razones estructurales, que condicionaron también el diseño del edificio.

A Casa Poli ergue-se grandiosamente sobre um penhasco com vistas para o mar, elevada sobre uma plataforma que confere a sensação de se estar num pódio, cercado apenas pela paisagem. Apesar de a ideia de colocar a casa ainda mais na crista ter atraído os arquitectos, em última análise esta opção teve de ser rejeitada por razões estruturais, que determinaram também o design do edifício.

The problems posed by the clayey soil over a granite base on which the house is built made it necessary to design a compact volume that would have minimal contact with the ground.

I problemi causati dal terreno argilloso su base granitica su cui è stata costruita la casa hanno reso necessaria la progettazione di un volume compatto, in grado di ridurre al minimo il contatto con il terreno.

Los problemas que generó el terreno arcilloso sobre base de granito en el que está construida la casa hizo que fuera necesario diseñar un volumen compacto que minimizara el contacto con el suelo.

Os problemas originados pelo solo argiloso assente numa base de granito, sobre a qual a casa está construída, levantaram a necessidade de conceber um volume compacto que tivesse um contacto mínimo com o terreno.

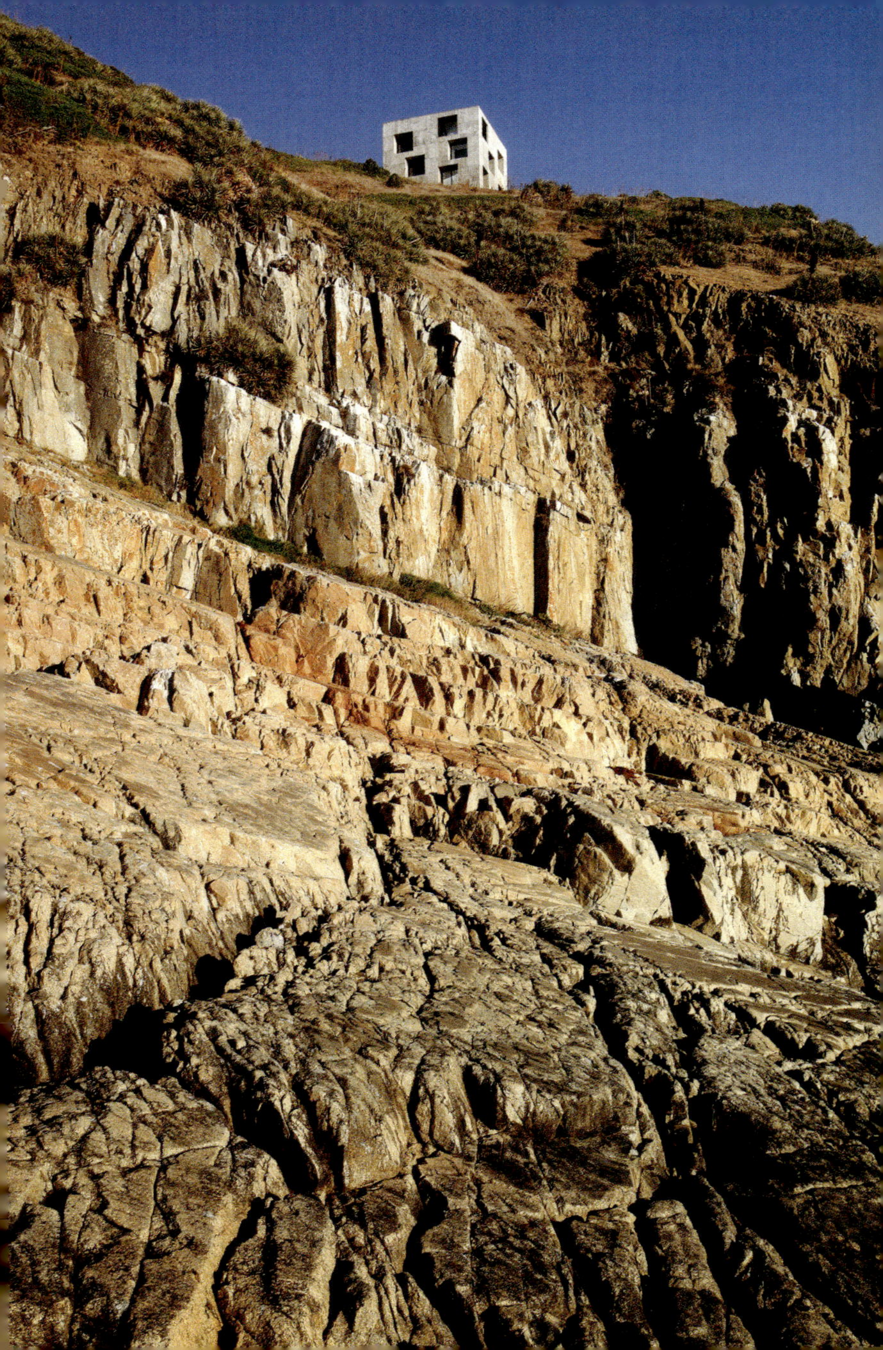

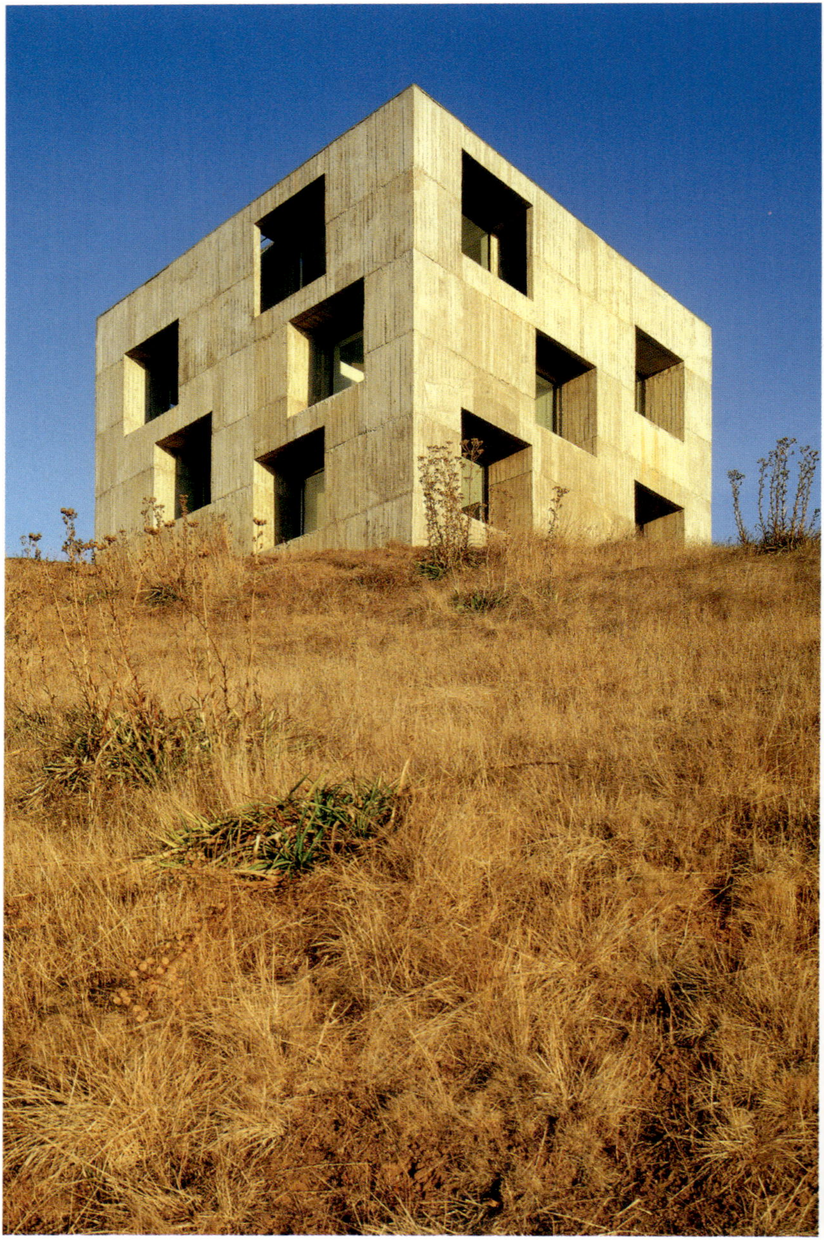

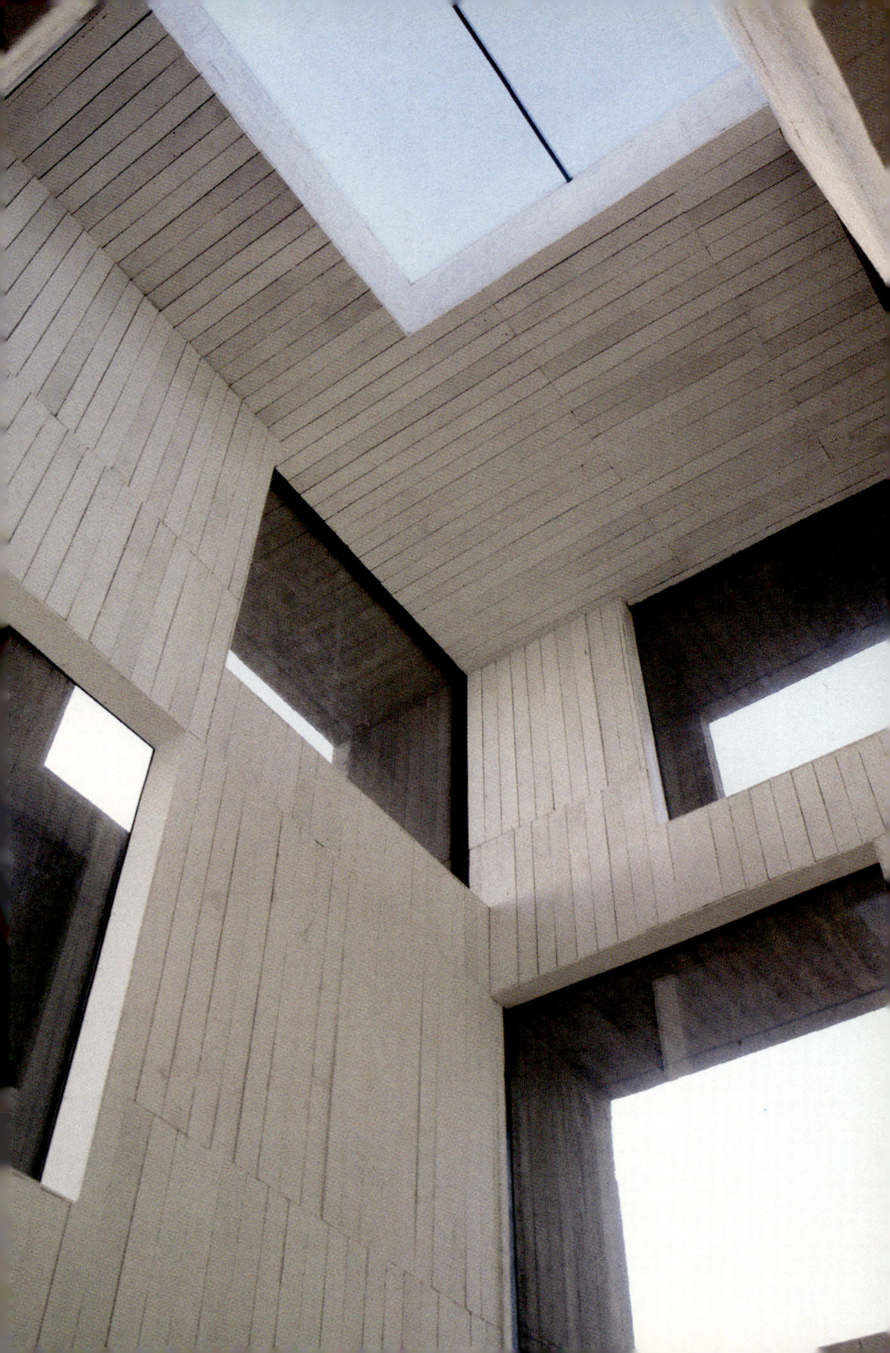

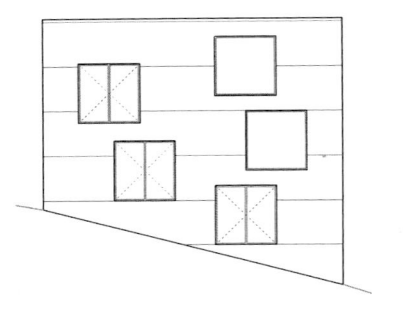

North elevation

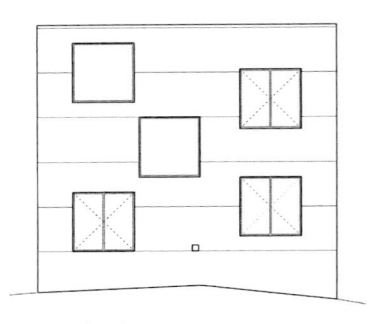

West elevation

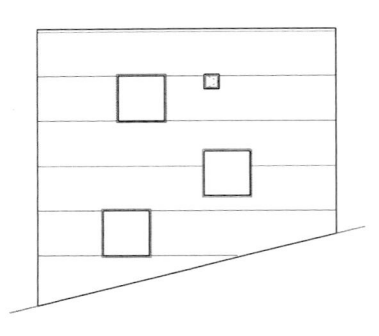

South elevation

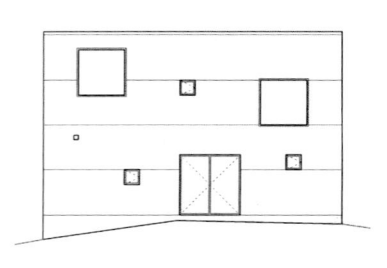

East elevation

The inside of the house is an empty mass in the guise of one continuous space. Despite the solidity of the walls, the feeling inside is one of lightness and weightlessness.

L'interno della casa è una massa vuota che si rivela come uno spazio continuo. Nonostante la solidità delle pareti che formano l'edificio, si percepisce una sensazione di leggerezza e assenza di gravità.

El interior de la casa es una masa vaciada que se revela como un espacio continuo. A pesar de la solidez de las paredes que forman el edificio, la sensación que se percibe dentro es de ingravidez y ligereza.

O interior da casa é uma massa vazia com a aparência de um espaço contínuo. Apesar da solidez das paredes, a sensação no interior é de luminosidade e leveza.

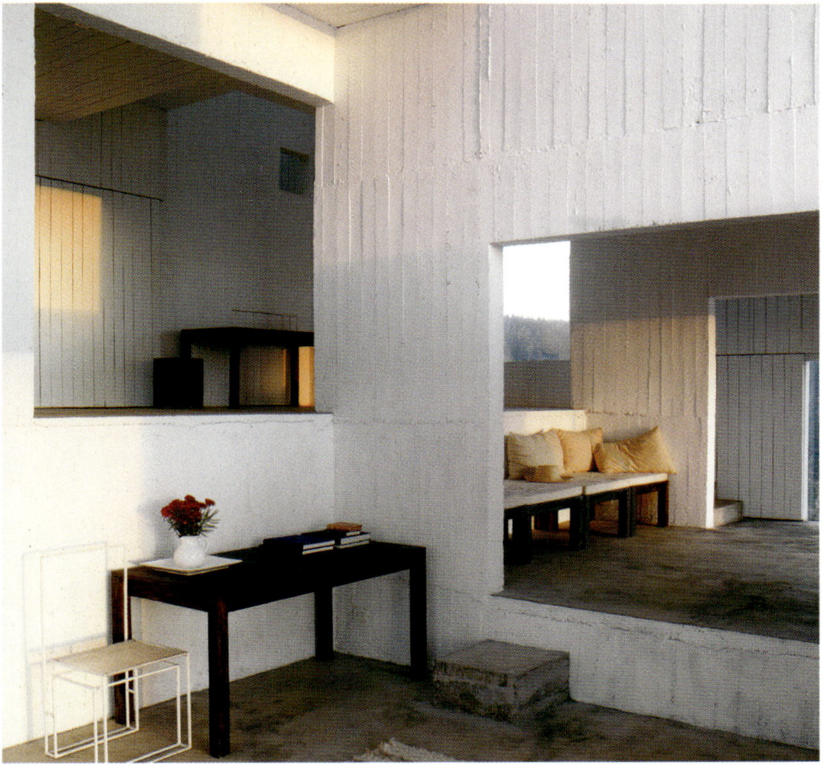

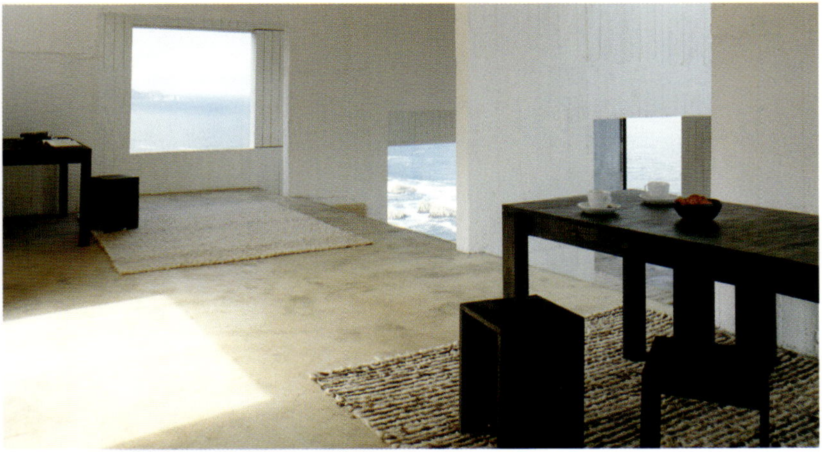

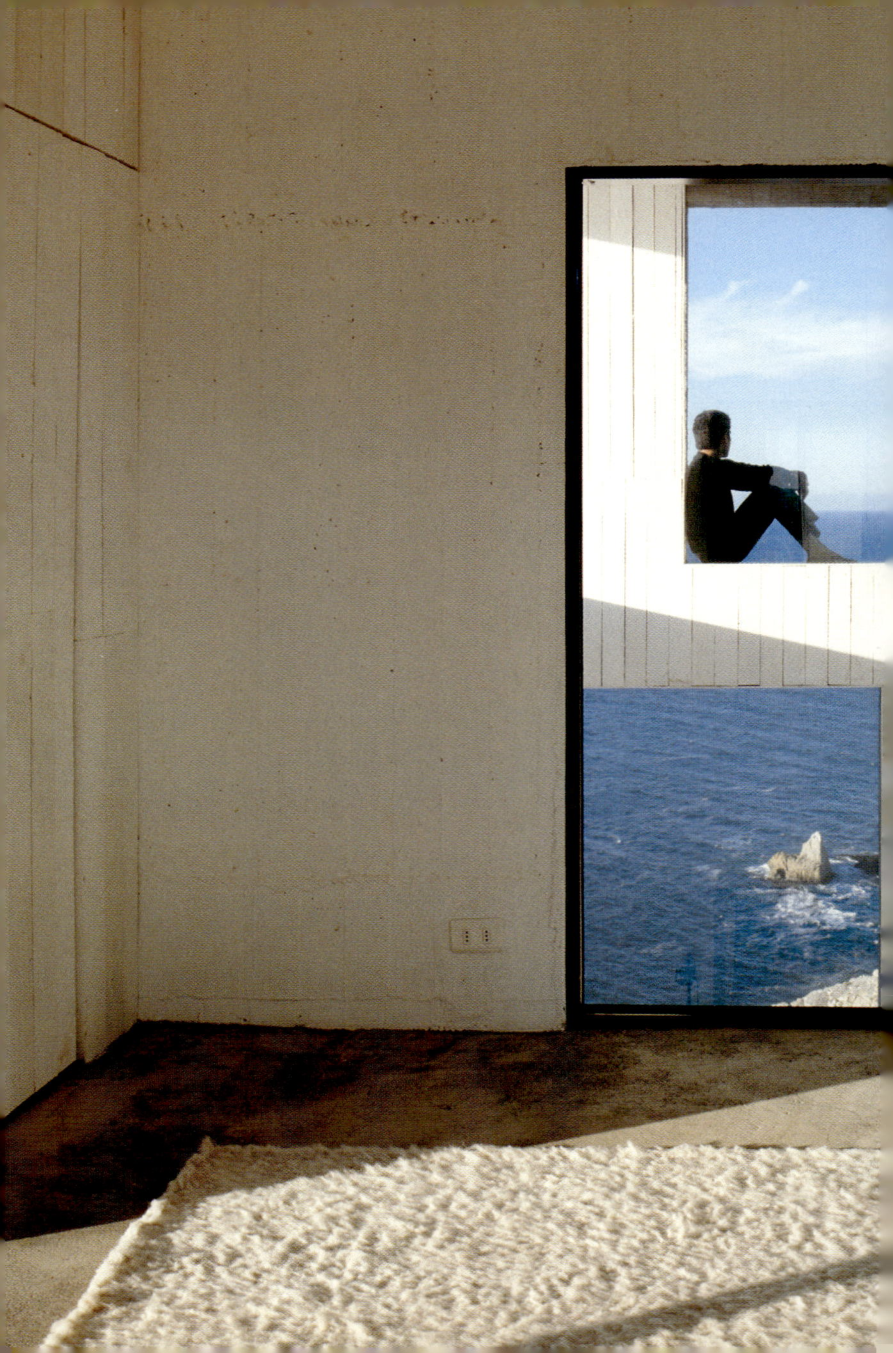

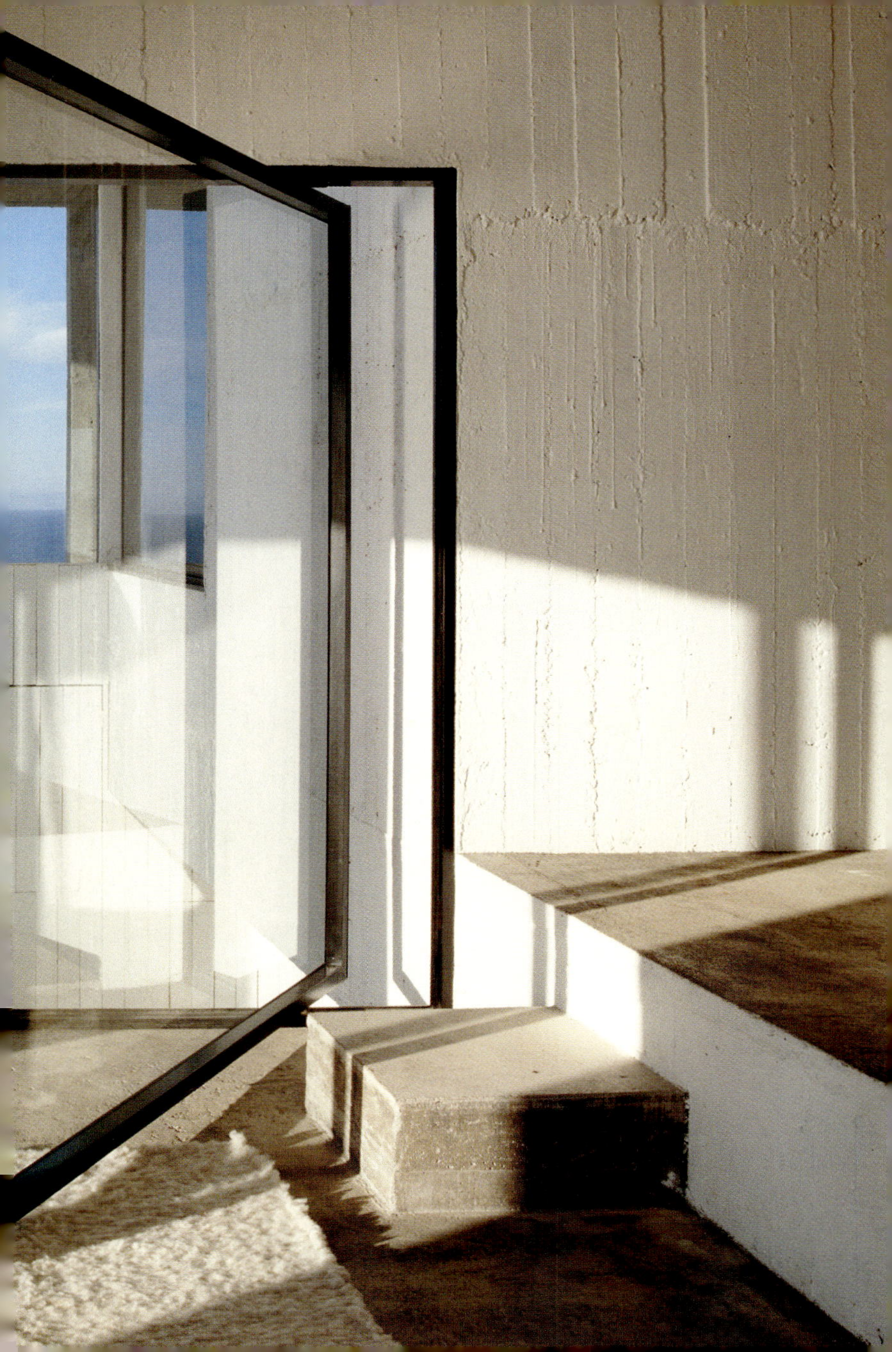

This home, which has wonderful sweeping views of the Pacific Ocean, is made of two horizontal metal volumes suspended and crossed by a vertical concrete axis that serves as the foundation for both of them. The first part, small and compact, houses the private quarters, while the second one, which is brighter, houses the common areas.

Questa residenza, con una magnifica vista panoramica sull'Oceano Pacifico, è formata da due volumi orizzontali di struttura metallica, sospesi e attraversati da un asse verticale di cemento, che costituisce la base di entrambi. Il primo blocco, piccolo e compatto, ospita le stanze private, mentre il secondo, più luminoso, è adibito agli spazi comuni.

REUTTER HOUSE
Mathias Klotz

Cantagua, Chile

Esta vivienda, que posee una magnífica panorámica del océano Pacífico, se compone de dos volúmenes horizontales de estructura metálica, suspendidos y atravesados por un eje vertical de hormigón que funciona como base de ambos. El primer bloque, pequeño y compacto, alberga las habitaciones privadas, mientras que el segundo, más luminoso, está constituido por los espacios comunes.

Esta casa, que dispõe de arrebatadoras vistas para o Oceano Pacífico, é constituída por dois volumes de metal horizontais suspensos e cruzados por um eixo vertical em betão, que serve de alicerce para ambos os volumes. A primeira parte, que é mais pequena e compacta, aloja os aposentos privados, e a segunda parte, mais luminosa, inclui as áreas comuns.

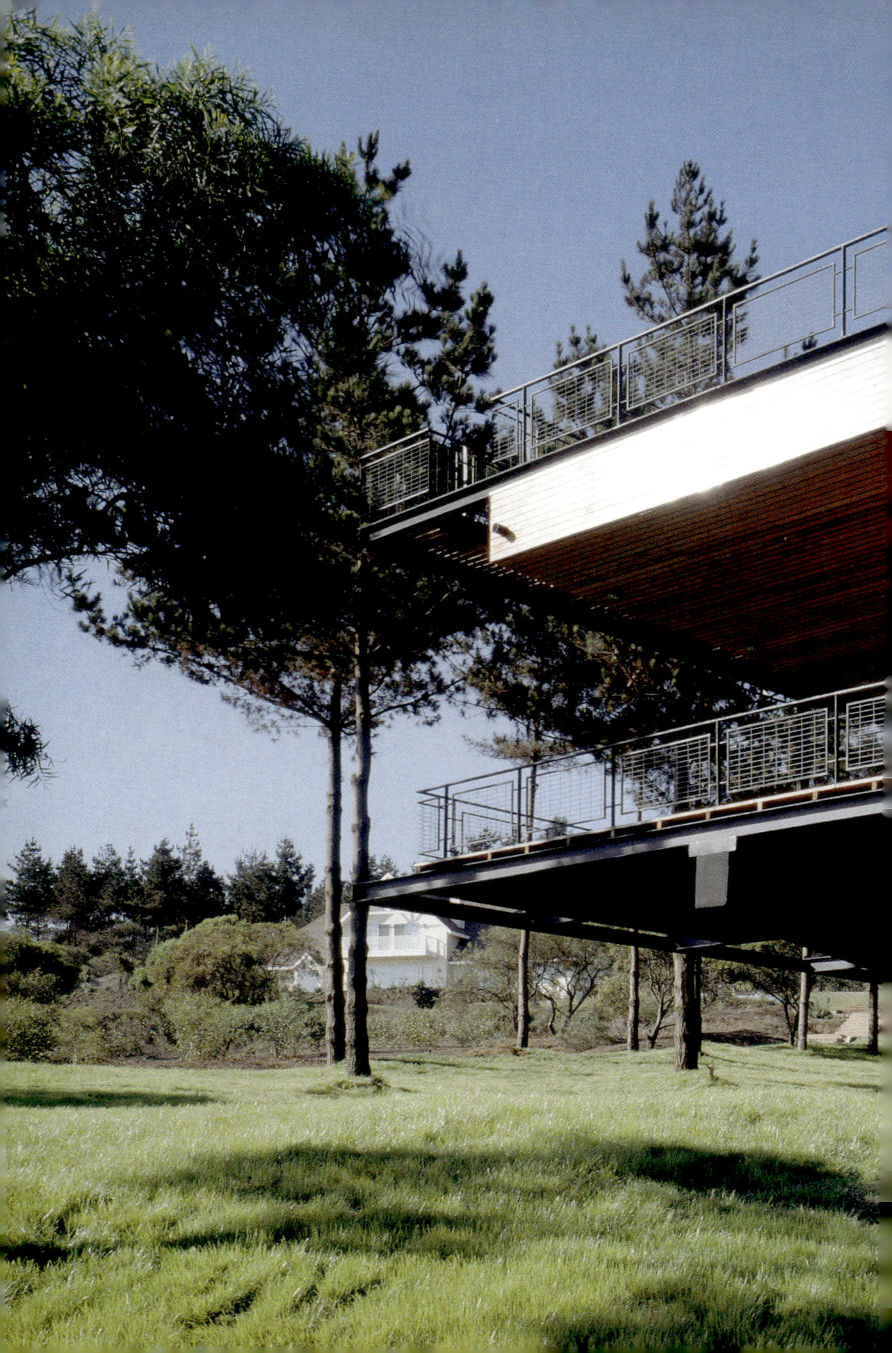

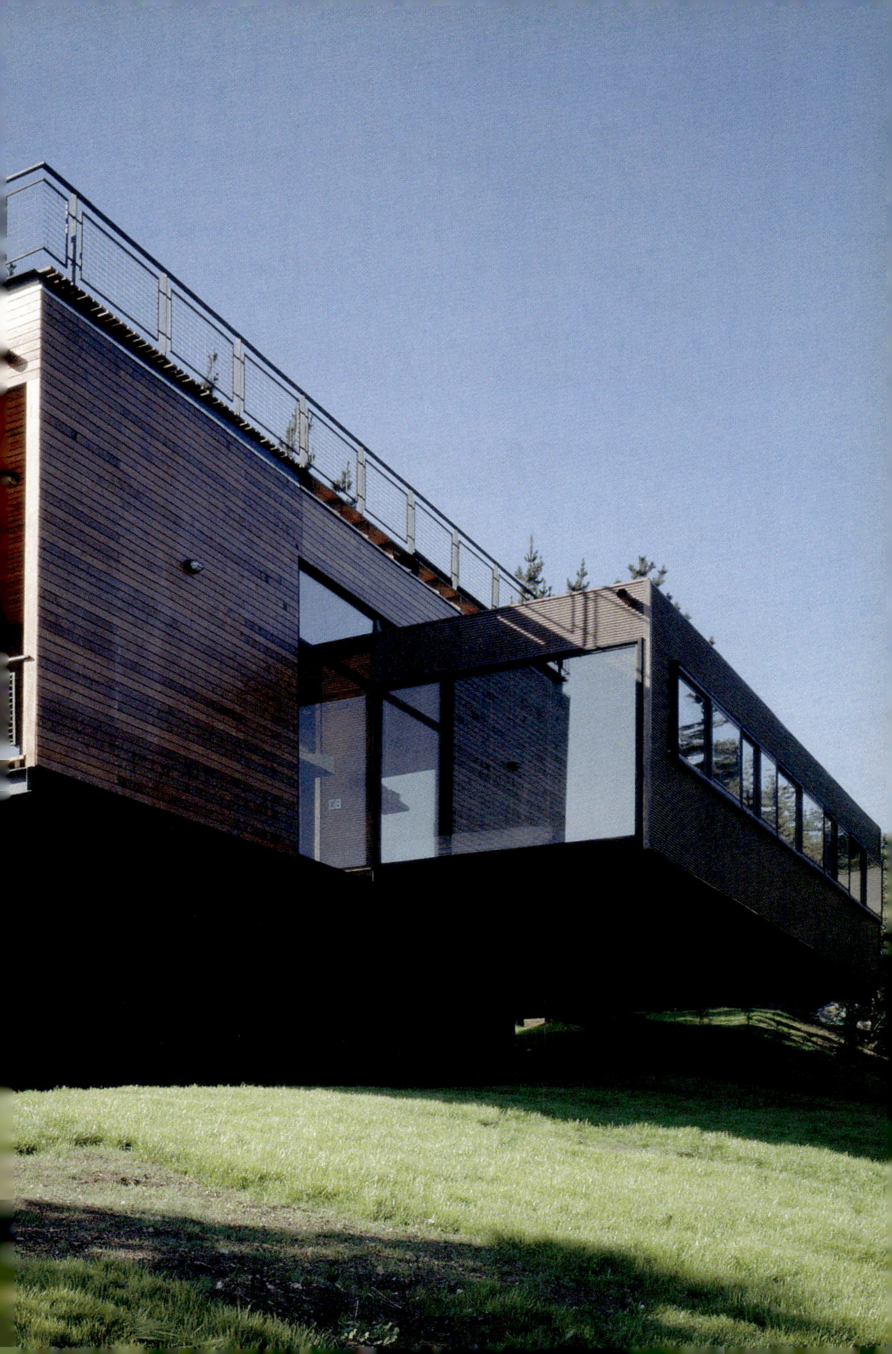

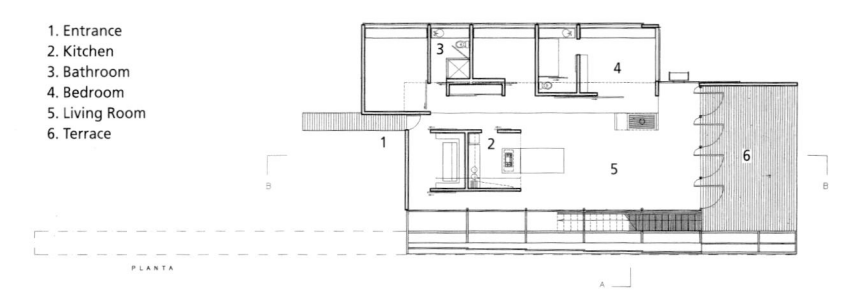

1. Entrance
2. Kitchen
3. Bathroom
4. Bedroom
5. Living Room
6. Terrace

Floor Plan

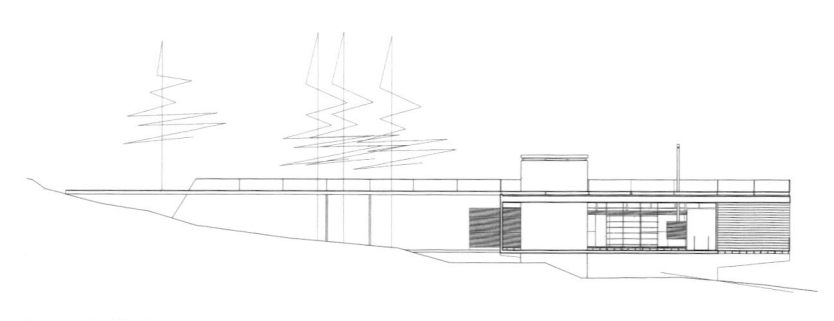

Longitudinal Section

Located on the slope of a pine grove overlooking Cachagua beach, this house was designed so that the residents could enjoy the best views of the coast and is meant to become a dynamic element that is linked to its surroundings.

Ubicada en la ladera de un bosque de pinos sobre la playa de Cachagua, esta casa fue diseñada para disfrutar de las mejores vistas de la costa y convertirse en un elemento dinámico entrelazado con el entorno.

Situata al limitare di un bosco di pini sulla spiaggia di Cachagua, questa casa è stata progettata per godere delle più belle vedute della costa e creare un collegamento dinamico con l'ambiente circostante.

Situada na encosta de um pinhal sobre a praia Cachagua, esta casa foi concebida para os residentes poderem apreciar as belas vistas da costa e para se tornar um elemento dinâmico, unido ao meio circundante.

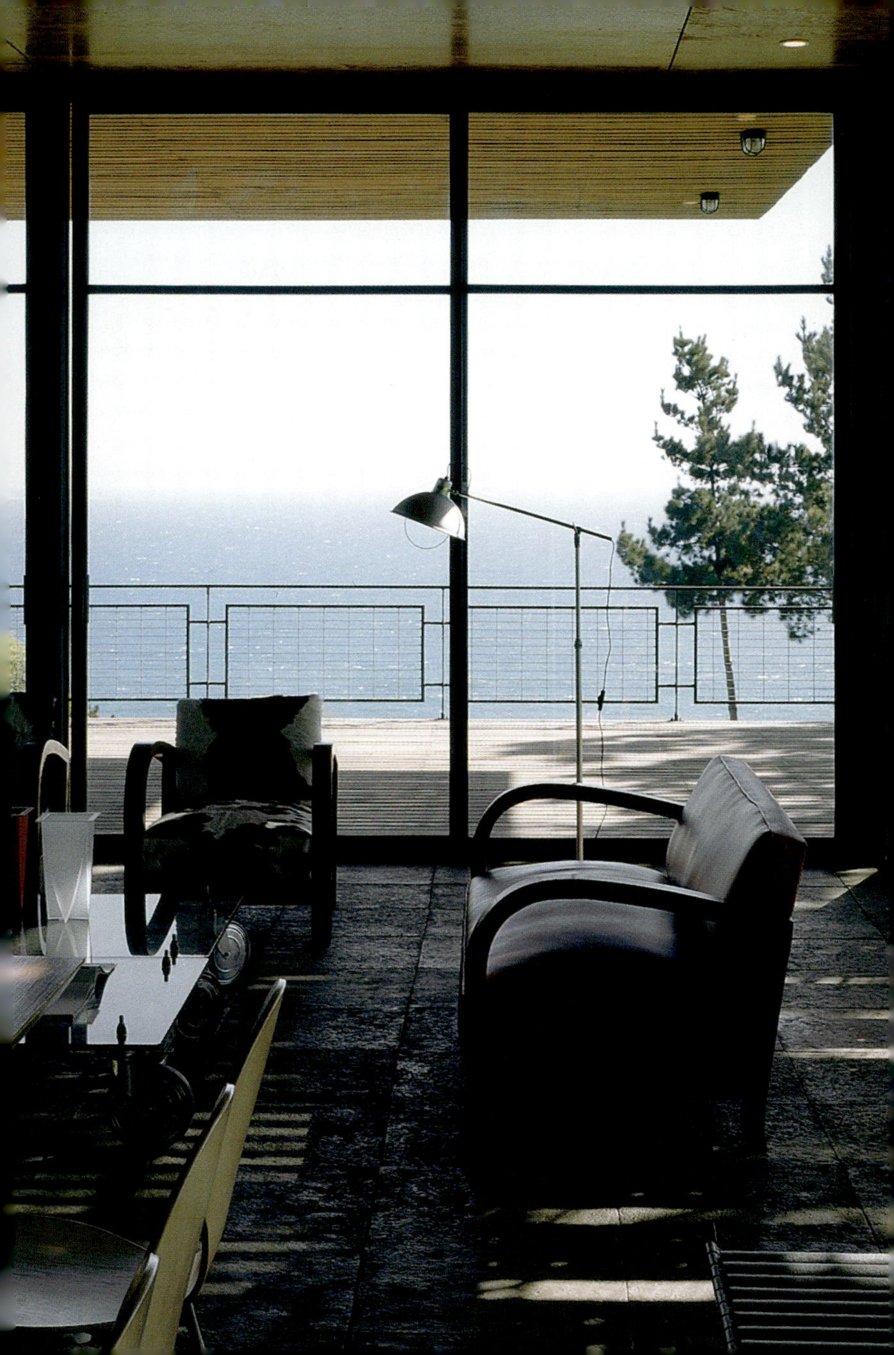

The simple structure of this refuge, which boasts subtle lines and light-filled spaces, harks back to the traditional structures in the region, especially with the wood cladding the entire façade. With the sea behind it, the house looks bright, while from the opposite angle it appears as an attractive construction that reinterprets the landscape.

La semplice struttura di questo rifugio, costituito da linee sottili e spazi luminosi, evoca le costruzioni tradizionali della regione, in particolare per il legno che riveste interamente la facciata. Con il mare come sfondo, la casa ha un aspetto luminoso, mentre dall'angolo opposto appare come una costruzione affascinante che reinterpreta il paesaggio.

UGARTE HOUSE
Mathias Klotz

Maintecillo, Chile

La sencilla estructura de este refugio de líneas sutiles y espacios luminosos hace referencia a las construcciones tradicionales de la región, especialmente por la madera que reviste toda la fachada. Con el mar de fondo la casa ofrece un aspecto liviano, mientras que desde el ángulo contrario, se dibuja como una atractiva construcción que reinterpreta el paisaje.

A estrutura simples deste refúgio, que ostenta linhas subtis e espaços repletos de luz, relembra as estruturas tradicionais da região, especialmente com a madeira revestindo a totalidade da fachada. Com o mar por trás, a casa parece luminosa, ao passo que, vista do ângulo oposto, surge como uma atractiva construção que reinterpreta a paisagem.

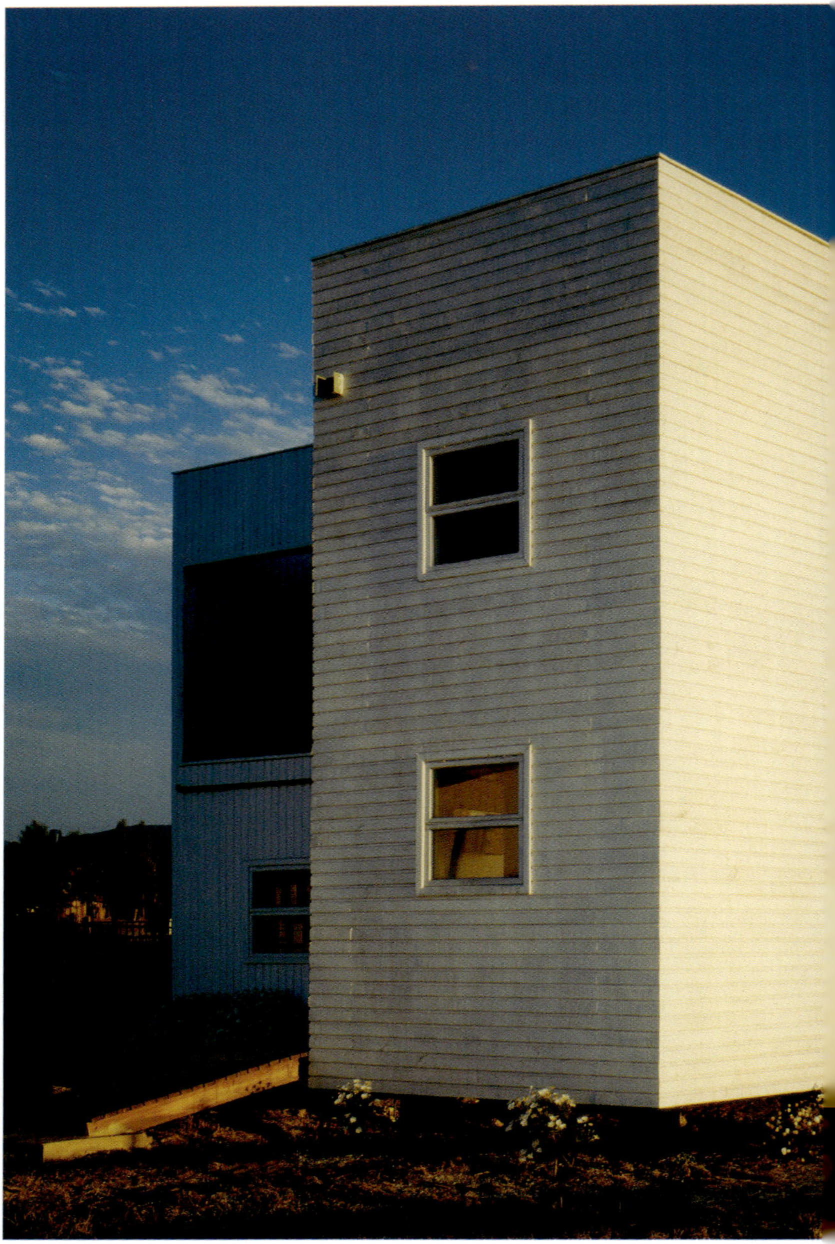

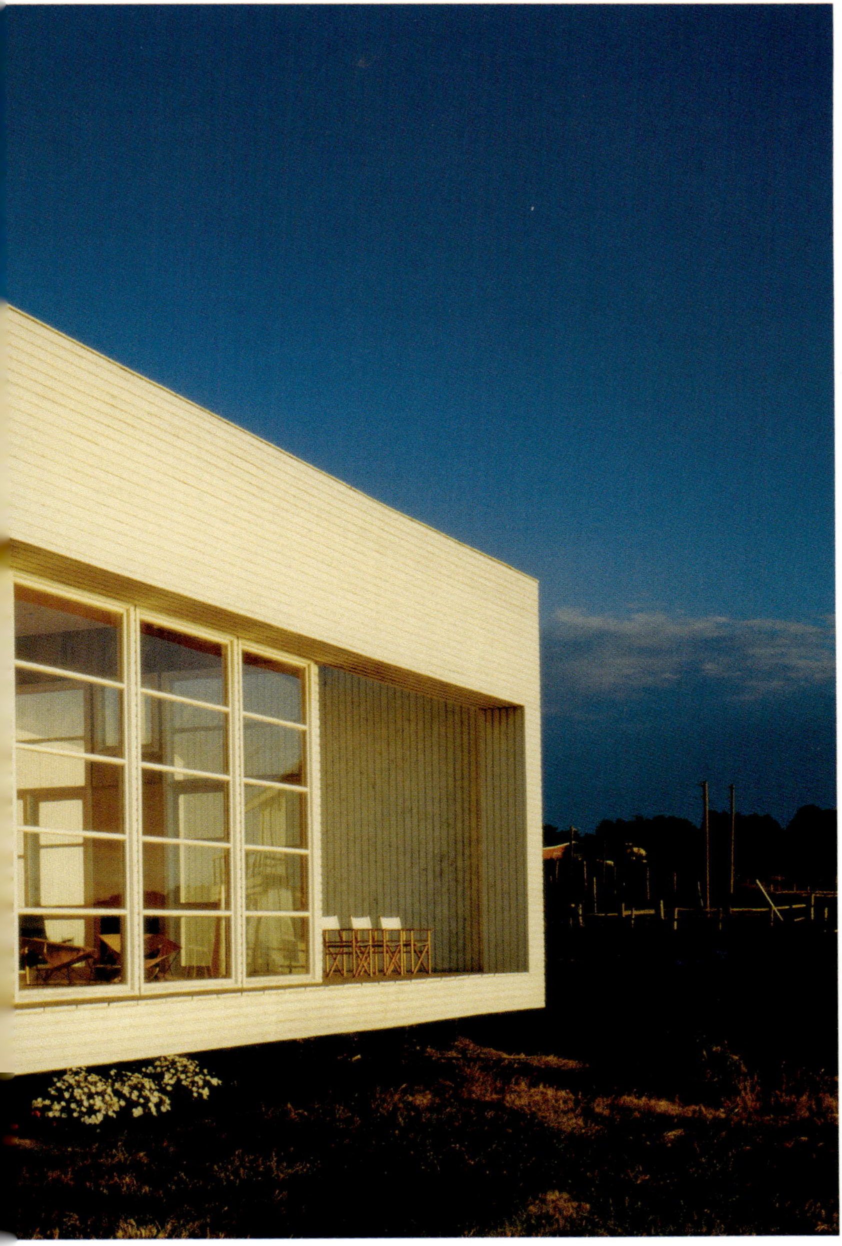

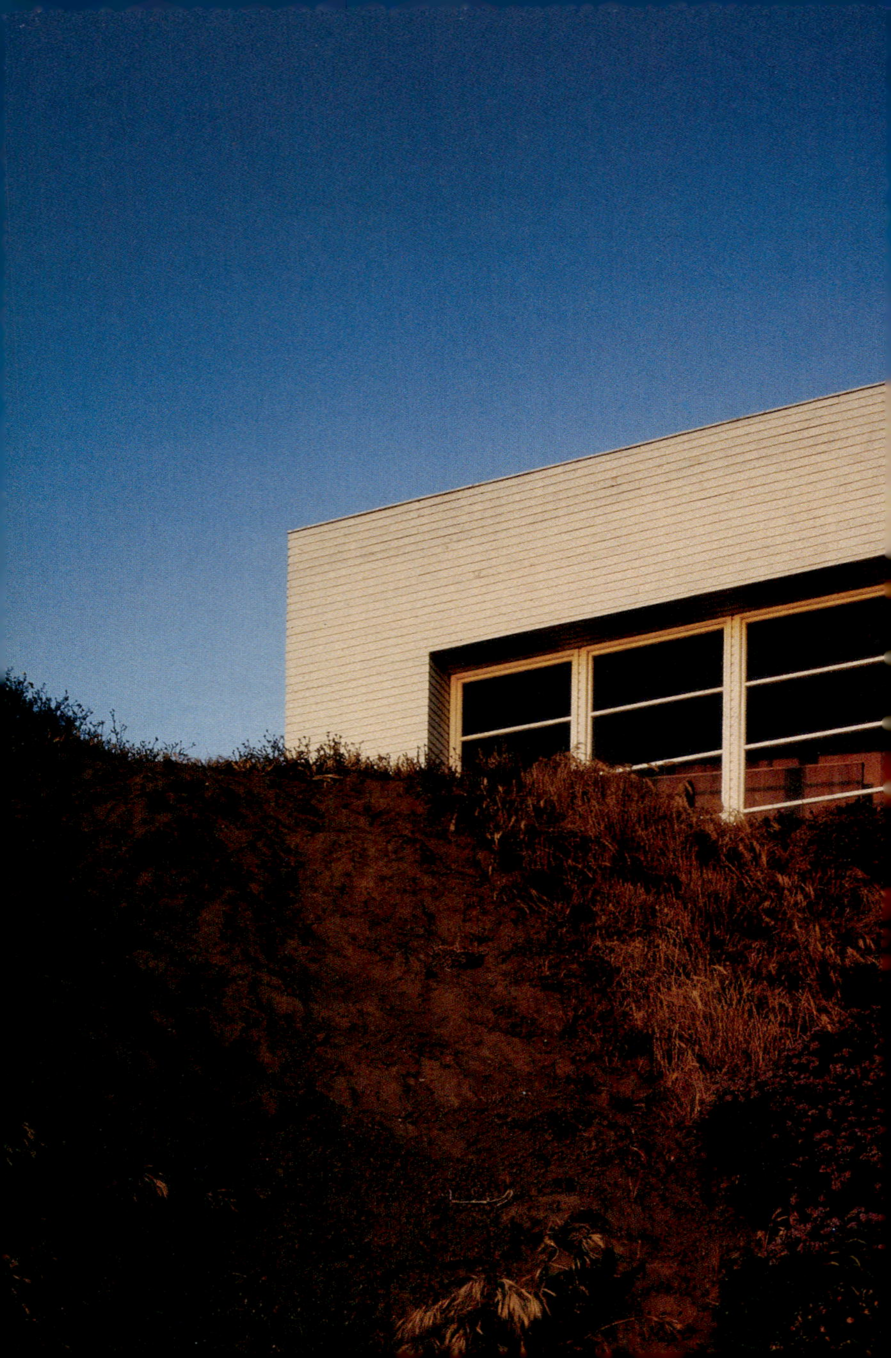

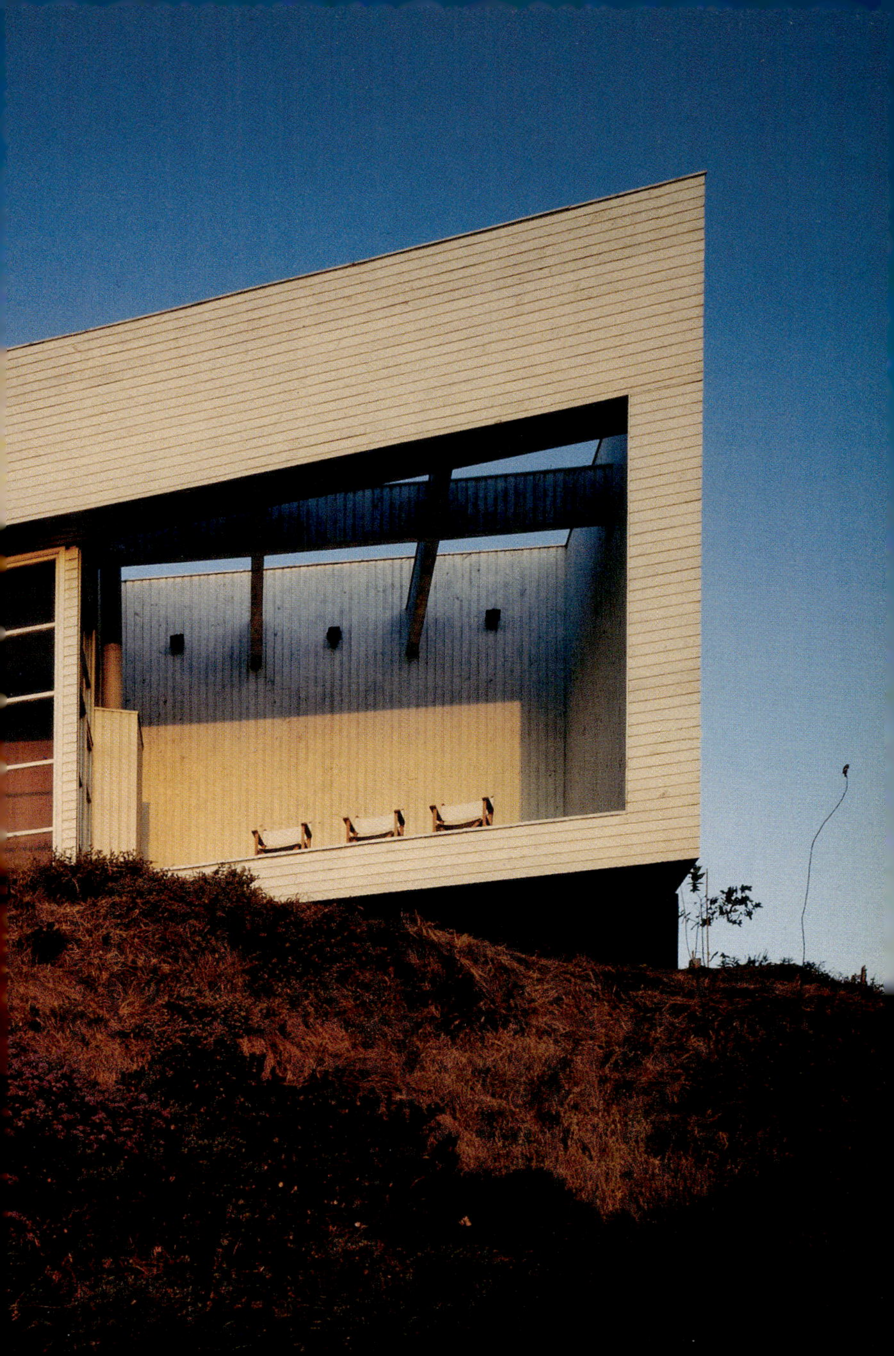

Inside, the floors and walls are covered with wood. The tones of this material is echoed in the furniture, although several pieces break up this chromatic uniformity.

All'interno, il legno ricopre i pavimenti e le pareti. La tonalità di questo materiale viene riproposta anche per i mobili, sebbene alcuni pezzi rompano questa uniformità cromatica.

En el interior, la madera cubre los suelos y las paredes. La tonalidad de este material se mantiene también en el mobiliario, aunque algunas piezas rompen esta uniformidad cromática.

No interior, os soalhos e as paredes são revestidos a madeira. Os tons deste material repercutem-se no mobiliário, apesar de existirem várias peças que rompem com esta uniformidade cromática.

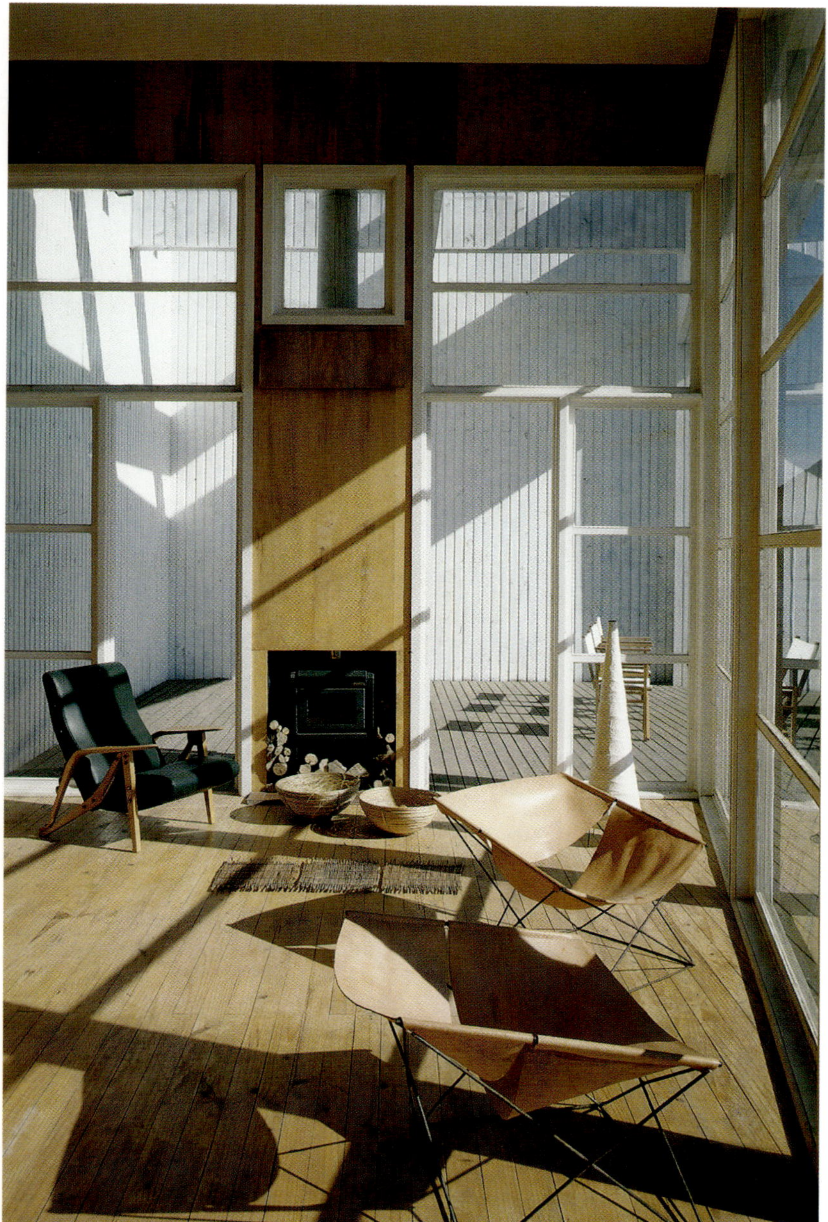

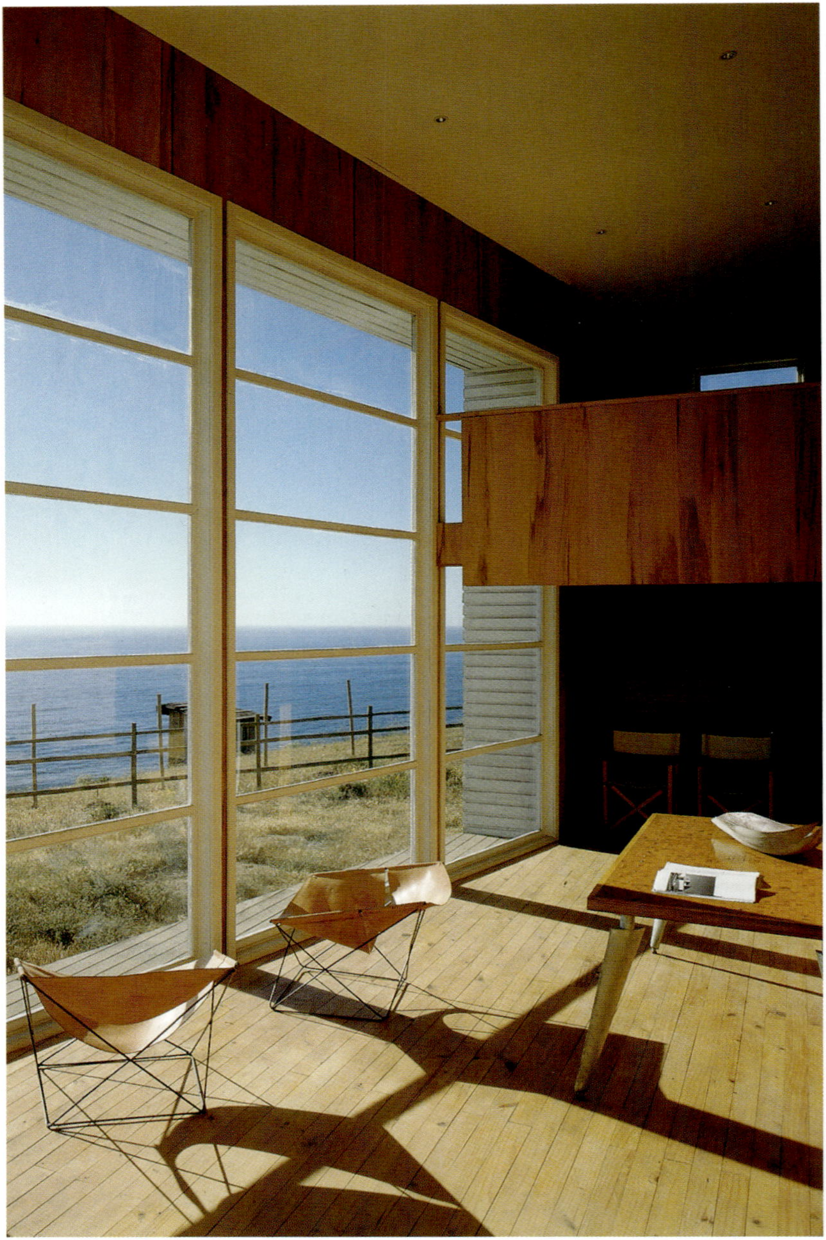

Ground floor plan

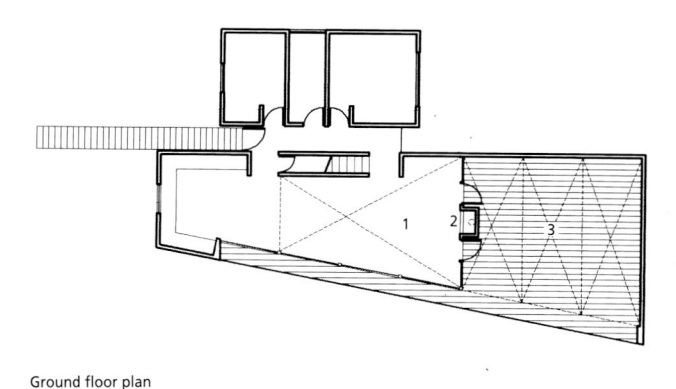

1. Living room
2. Chimney
3. Terrace
4. Salon

Upper level plan

The Ugarte House is a tiny weekend refuge located on the edge of the Maitencillo Sur cliffs, north of Santiago, with spectacular views of the Pacific Ocean.

Villa Ugarte è un piccolo rifugio per trascorrere il fine settimana. Situata al limite della scogliera di Maitencillo Sur, a nord di Santiago, gode di alcune splendide viste dell'Oceano Pacifico.

La Casa Ugarte es un pequeño refugio de fin de semana situado al borde del acantilado de Maitencillo Sur, en el norte de Santiago, que disfruta de unas magníficas vistas al océano Pacífico.

A Casa Ugarte é um pequeno refúgio de fim-de-semana, situado na extremidade das falésias Maitencillo Sur, a norte de Santiago, com vistas impressionantes para o Oceano Pacífico.

Located on the coast of Queensland, this design entailed the complete refurbishment of a building made up of two independent structures. Both new and recycled materials were used to join the front and back sections of the complex. The new hub is now a central courtyard which protects the residents from the harsh climate in the region.

Questo progetto ha comportato il rinnovamento completo di un edificio situato sulla costa del Queensland e composto da due strutture indipendenti, utilizzando materiali nuovi e riciclati per unire le sezioni anteriore e posteriore del complesso. Questa nuova area di unione delimita un cortile centrale che permette agli abitanti di proteggersi dalle rigidità del clima locale.

HOUSE IN MERMAID BEACH
Paul Unlmann Architects

Queensland, Australia

Situado en la costa de Queensland, este proyecto supuso la renovación completa de un edificio compuesto por dos estructuras independientes, en la que se utilizaron materiales nuevos y reciclados para unir las secciones anterior y posterior del complejo. Esta nueva área de unión configura un patio central que permite a sus habitantes guarecerse del riguroso clima de la zona.

Situado na costa de Queensland, este projecto implicava a renovação total de um edifício constituído por duas estruturas independentes. Recorreu-se a materiais novos bem como a materiais reciclados para unir as secções frontal e traseira do complexo. O novo ponto fulcral é agora um pátio central que protege os residentes do clima rigoroso da região.

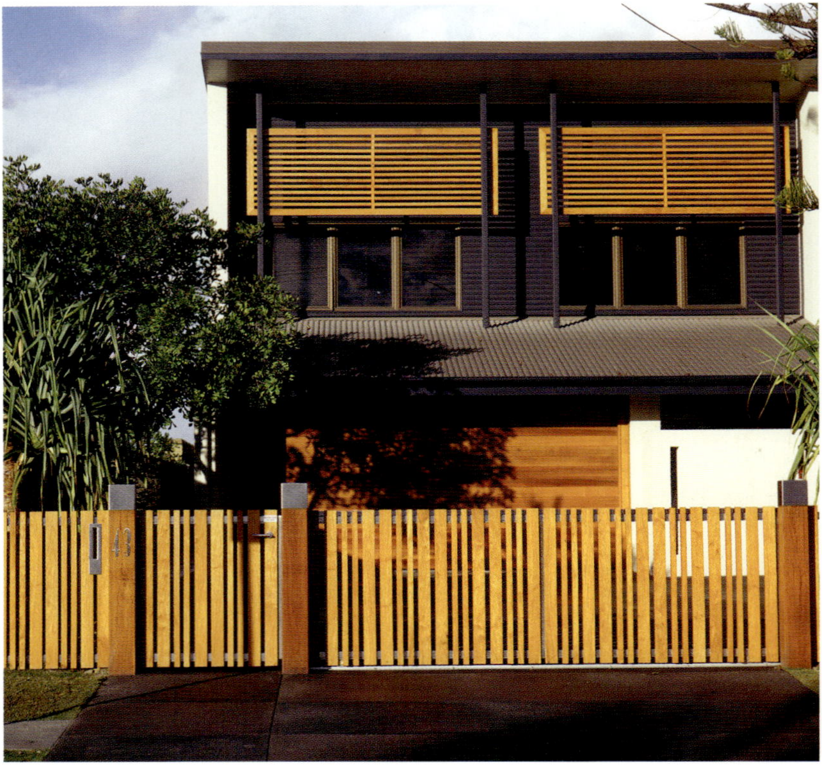
43

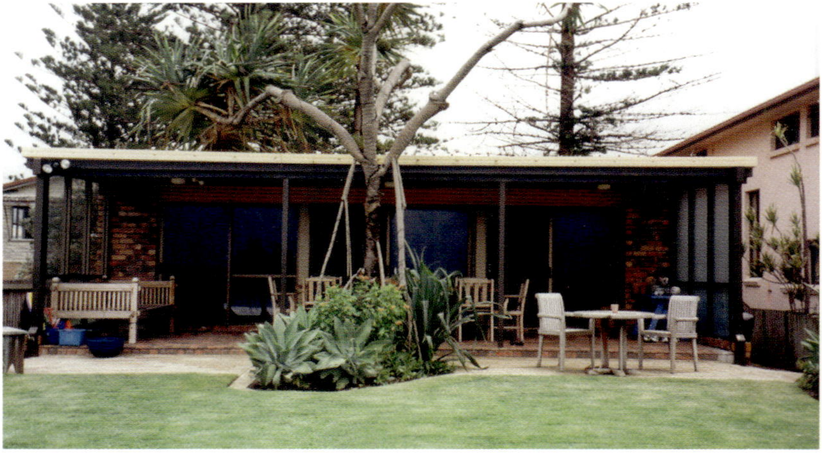

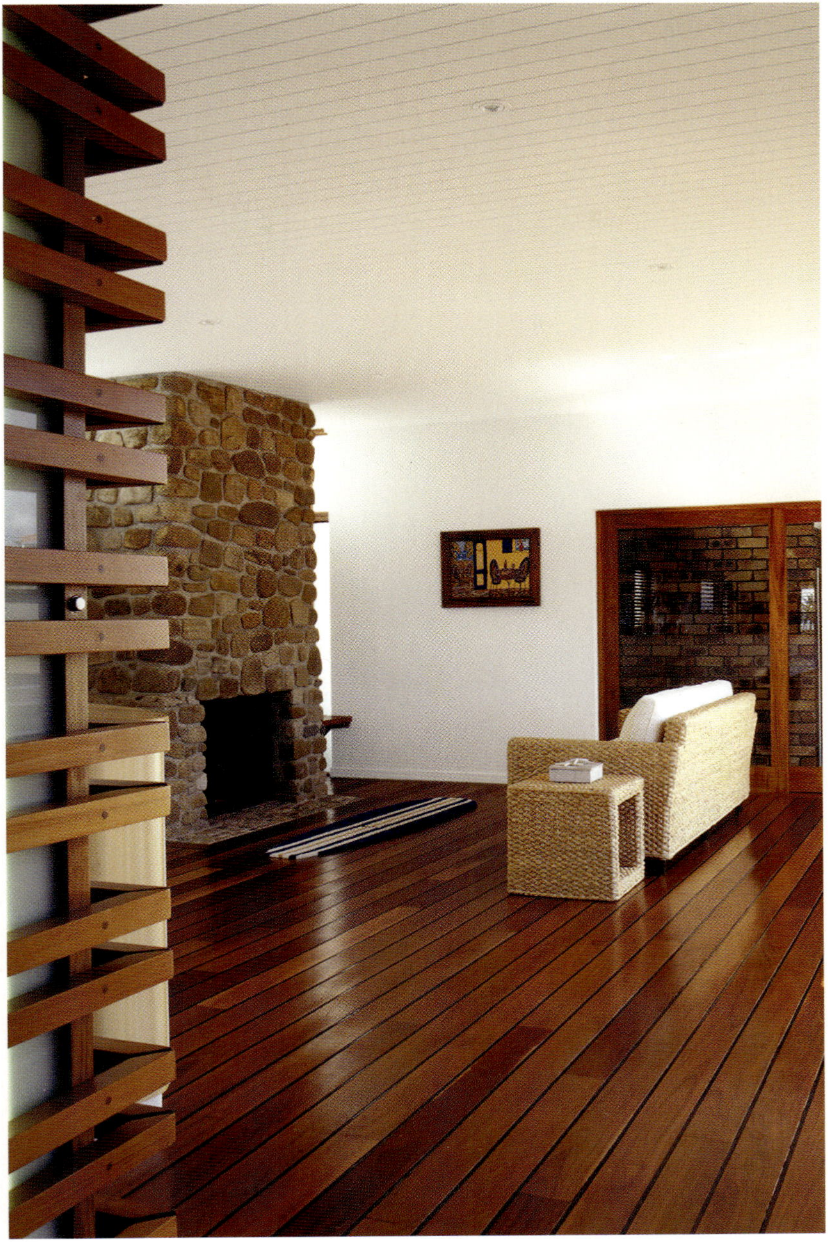

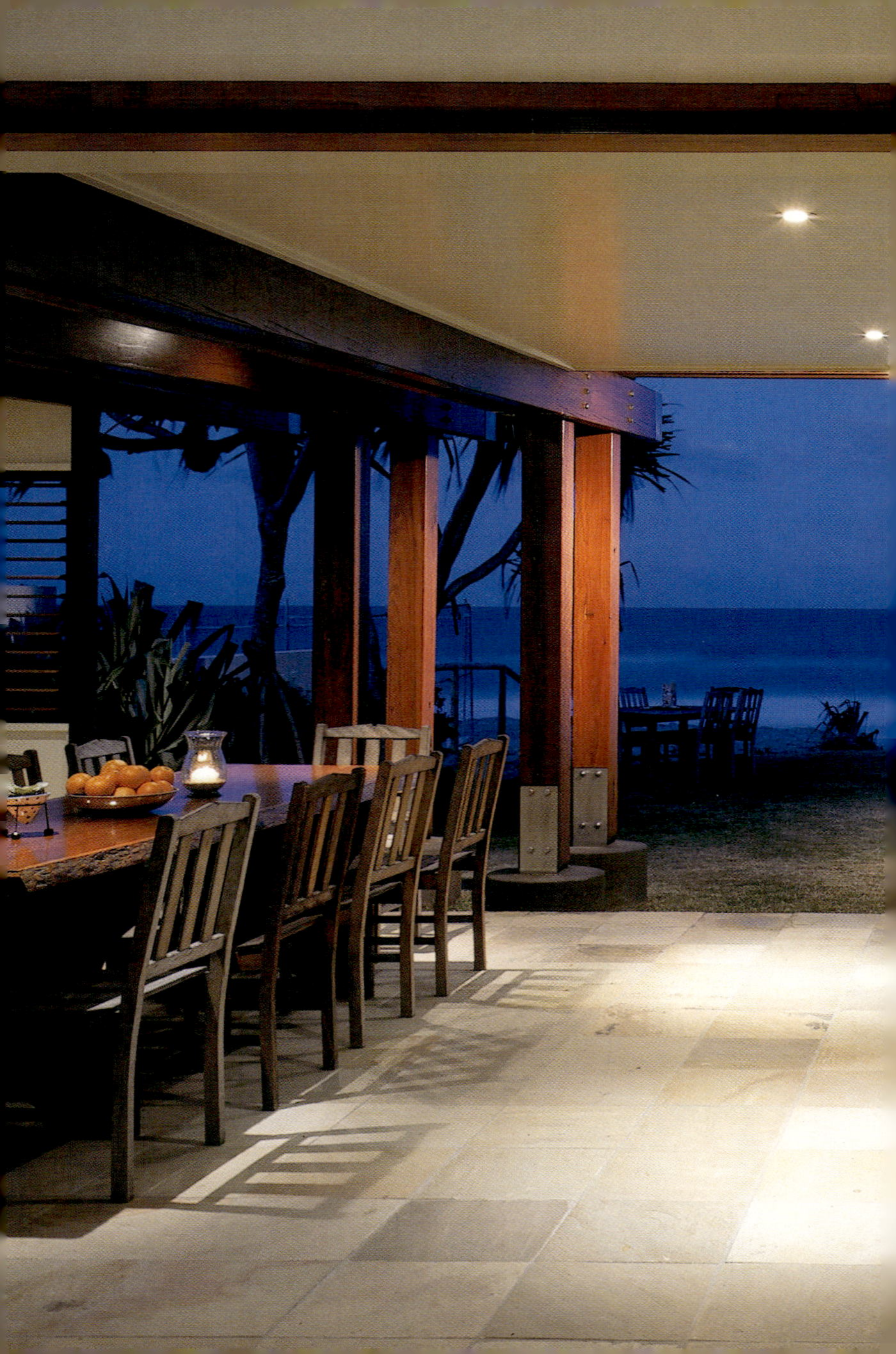

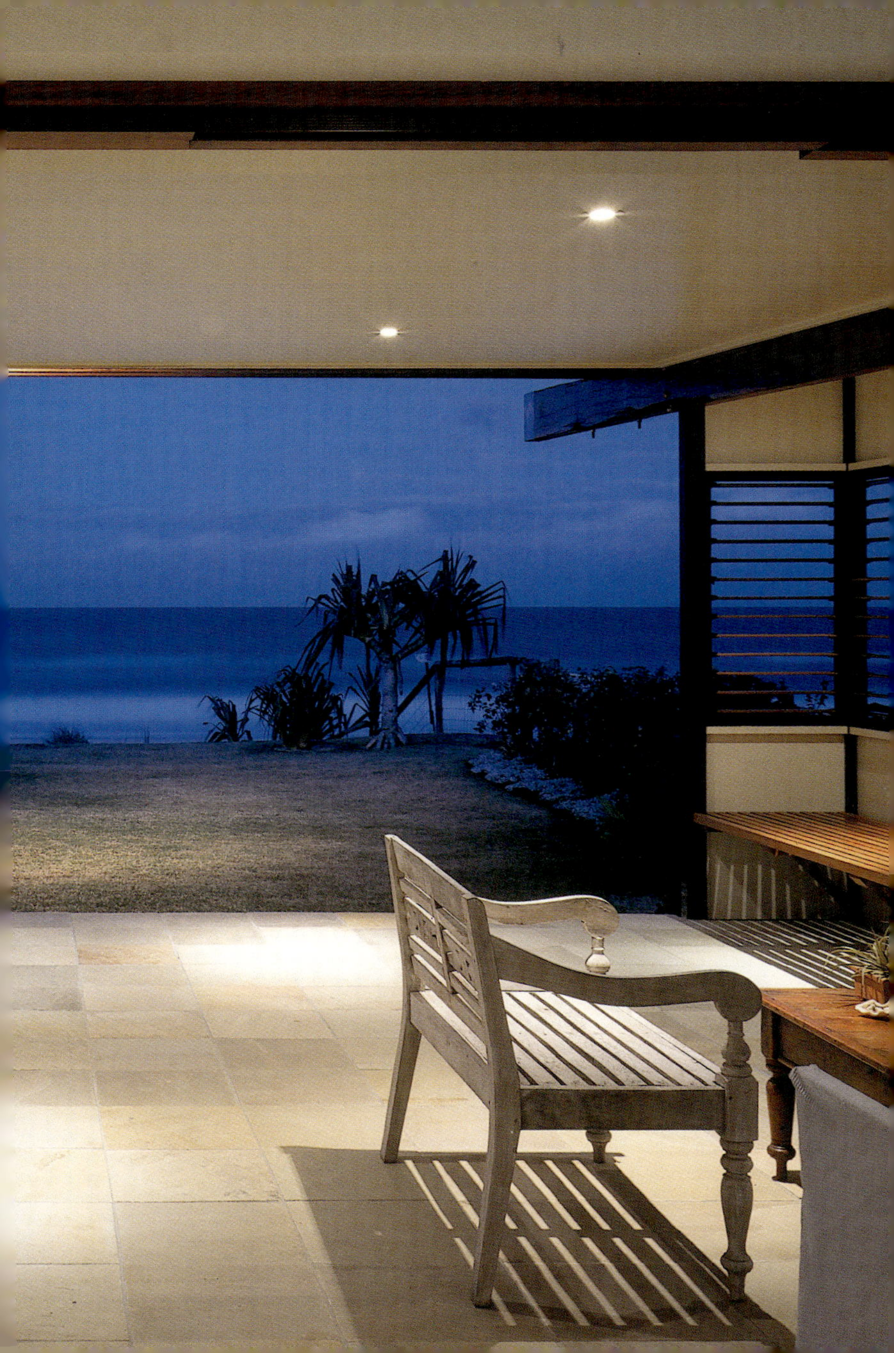

The materials used both inside and outside this house achieve a sense of warmth and forge an intimate relationship with the environs, especially with the sea.

I materiali utilizzati sia per l'interno che per l'esterno di questa casa consentono di ottenere una sensazione di calore e stabiliscono una relazione intima con l'ambiente circostante, in particolare con il mare.

Los materiales utilizados tanto en el interior como en el exterior de esta casa consiguen una sensación de calidez y establecen una relación íntima con el entorno de la vivienda, especialmente con el mar.

Os materiais utilizados no interior e no exterior desta casa produzem uma sensação de calor e forjam uma relação íntima com os arredores, especialmente com o mar.

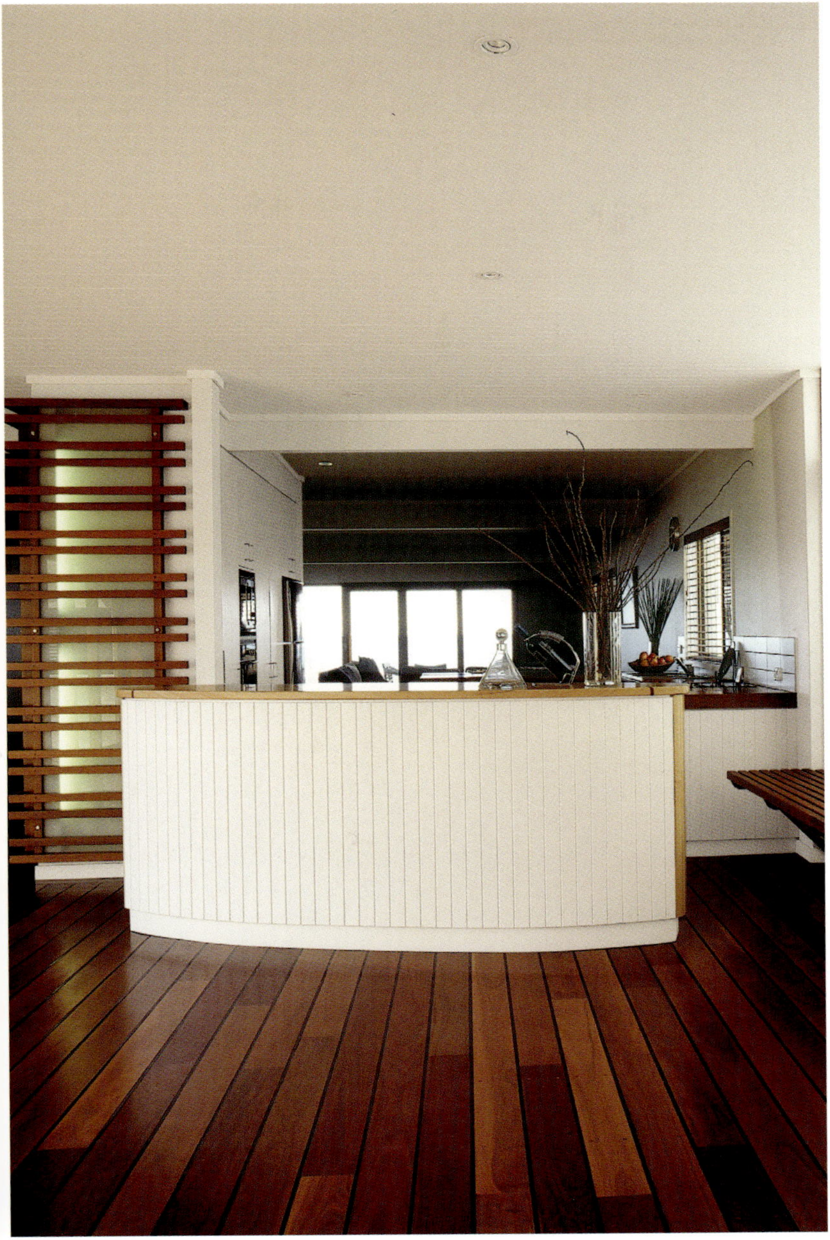

Located on a hillside, this refurbished house enjoys sweeping views of the Santa Monica and Malibu coasts. Due to height restrictions and minimum distances between houses, the roof was designed to resemble a horizontal parapet shared by the outer walls, which tilt towards the nucleus. This enhances the feeling of spaciousness inside.

Situata sul fianco di una collina, questa villa ristrutturata usufruisce appieno delle viste panoramiche della costa di Santa Monica e Malibú. A causa delle restrizioni sull'altezza e sulla distanza tra le case, il tetto è stato progettato come un parapetto orizzontale, condiviso dai muri esterni che si inclinano verso il nucleo, aumentando la sensazione interna di ampiezza.

ROCHMAN RESIDENCE
Callas Shortridge Architects

California, USA

Situada al borde de una colina, esta vivienda rehabilitada disfruta de vistas panorámicas de las costas de Santa Mónica y Malibú. Debido a las restricciones de altura y de distancia entre casas, la cubierta se diseñó como un antepecho horizontal compartido por los muros exteriores, que se inclinan desde el núcleo, lo que incrementa la sensación interior de amplitud.

Situada numa colina, esta casa renovada goza de vistas arrebatadoras das costas de Santa Monica e Malibu. Devido às restrições de altura e distâncias mínimas entre as casas, o telhado foi desenhado para se assemelhar a um parapeito horizontal partilhado pelas paredes exteriores, que se inclinam em direcção ao centro. Isto aumenta a sensação de amplidão no interior.

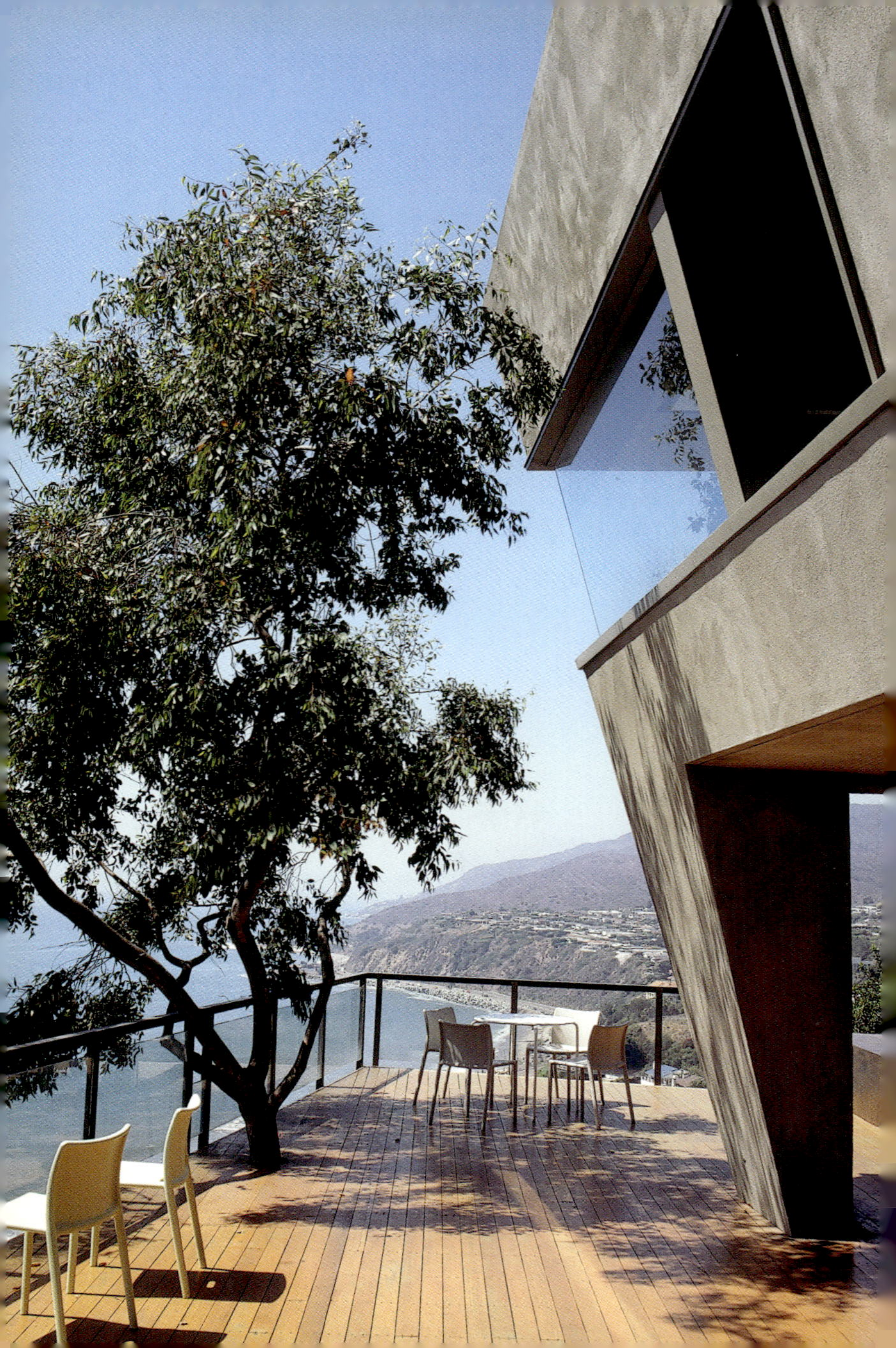

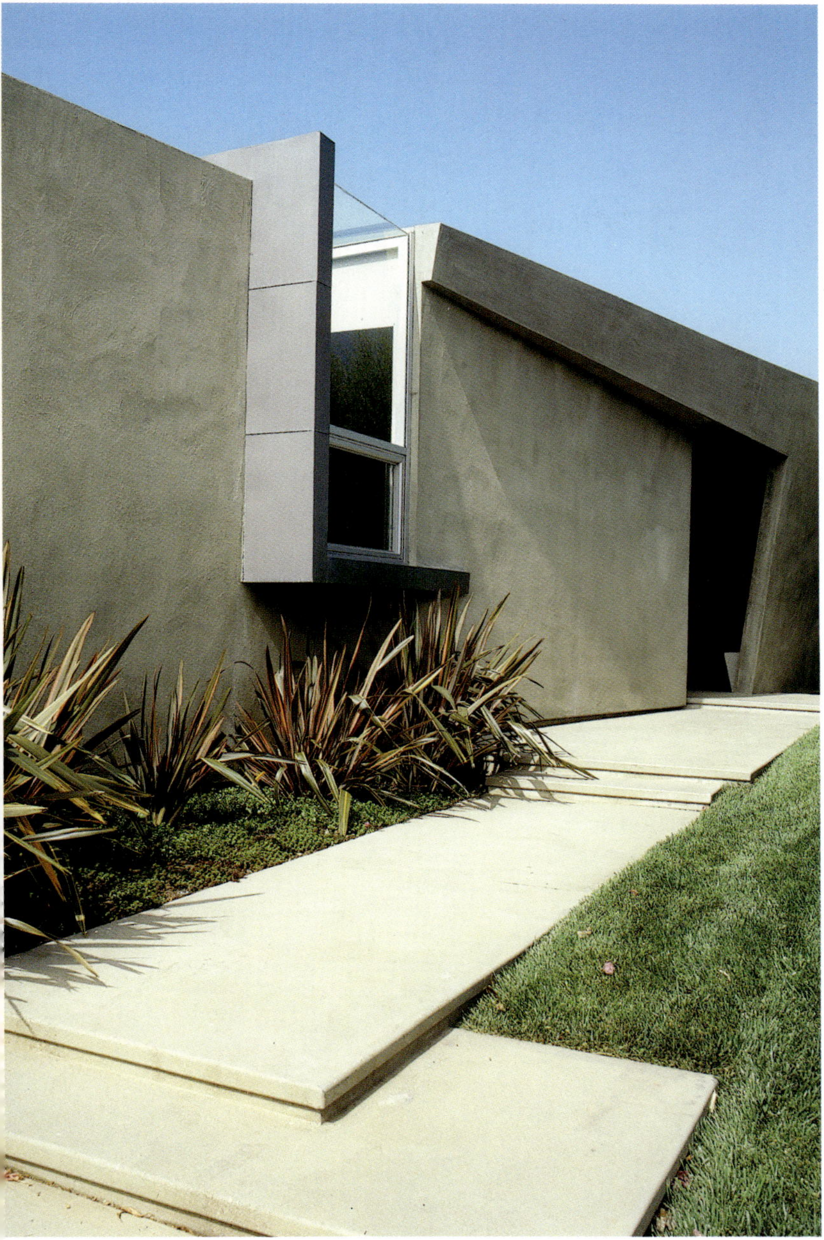

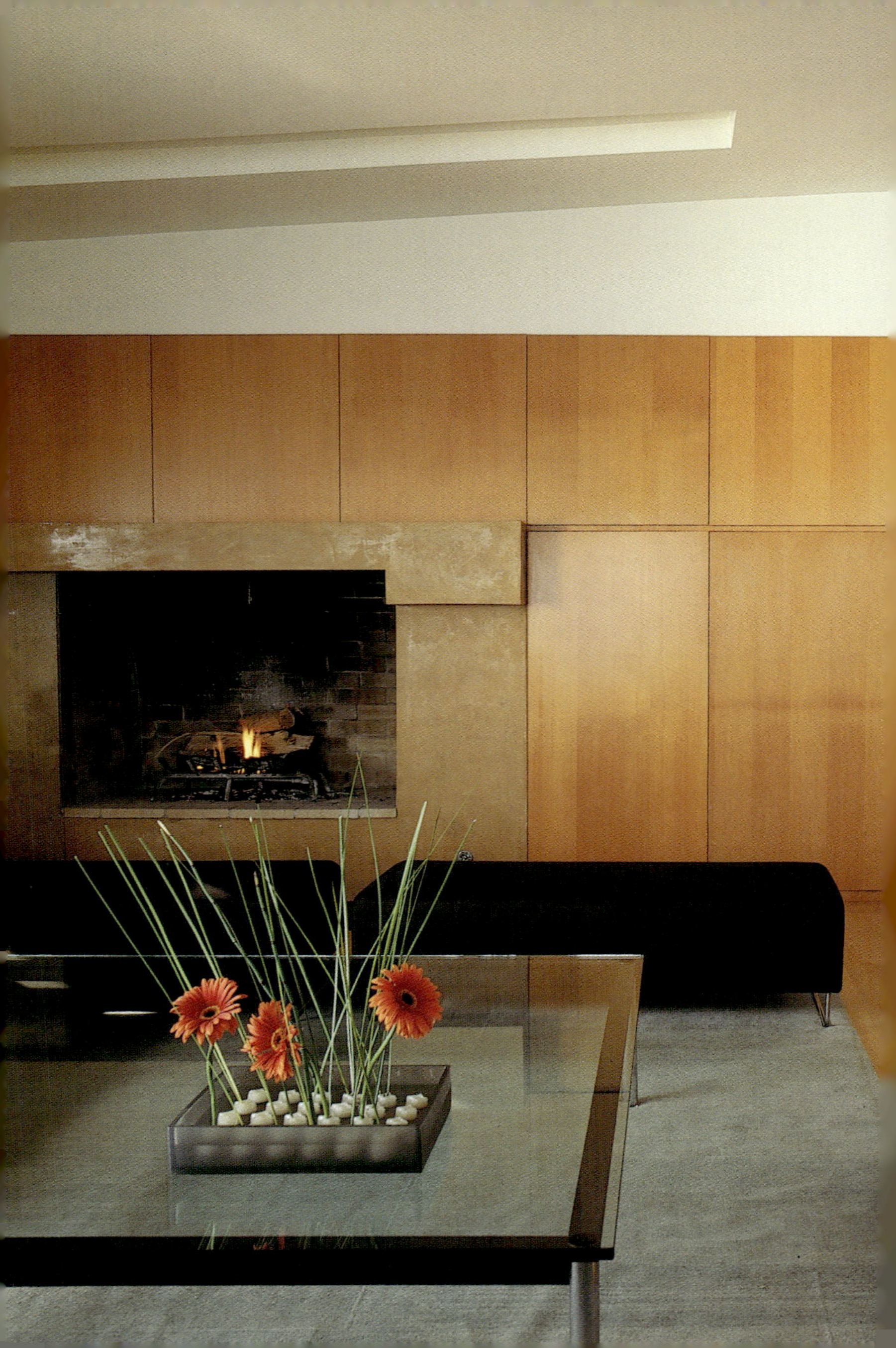

An orange-tinged plaster wall located along the entrance defines the crosswise axis of the house and divides the private quarters on the lower level from the public area on the upper level.

Un muro di gesso di colore arancione lungo l'entrata definisce l'asse trasversale della casa e divide la zona privata, situata al piano inferiore, da quella pubblica, al piano superiore.

Un muro de yeso anaranjado ubicado a lo largo de la entrada define el eje transversal de la vivienda y divide la zona privada, situada en el nivel inferior, de la pública, en el superior.

Uma parede em estuque em tons laranja, situada ao longo da entrada define o eixo de través da casa e separa os aposentos privados, no piso inferior, da área pública, no piso superior.

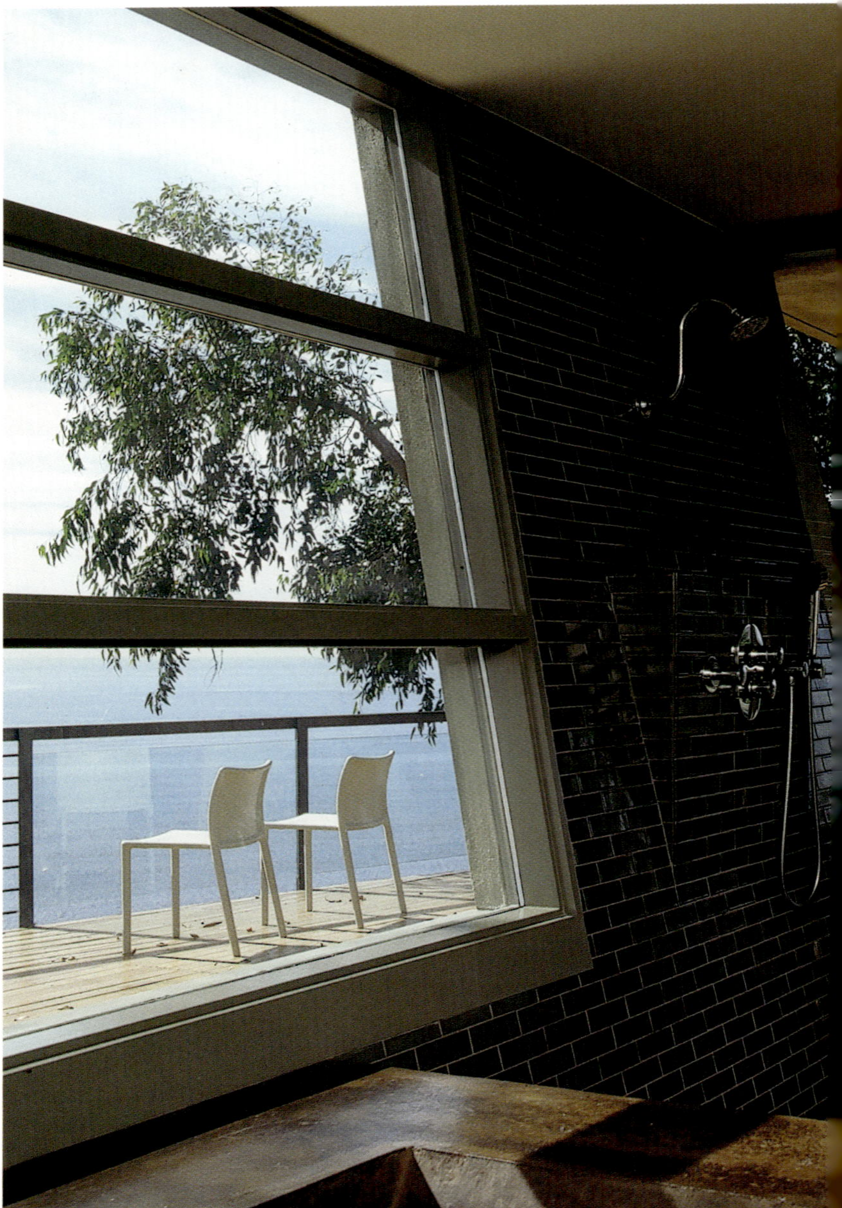

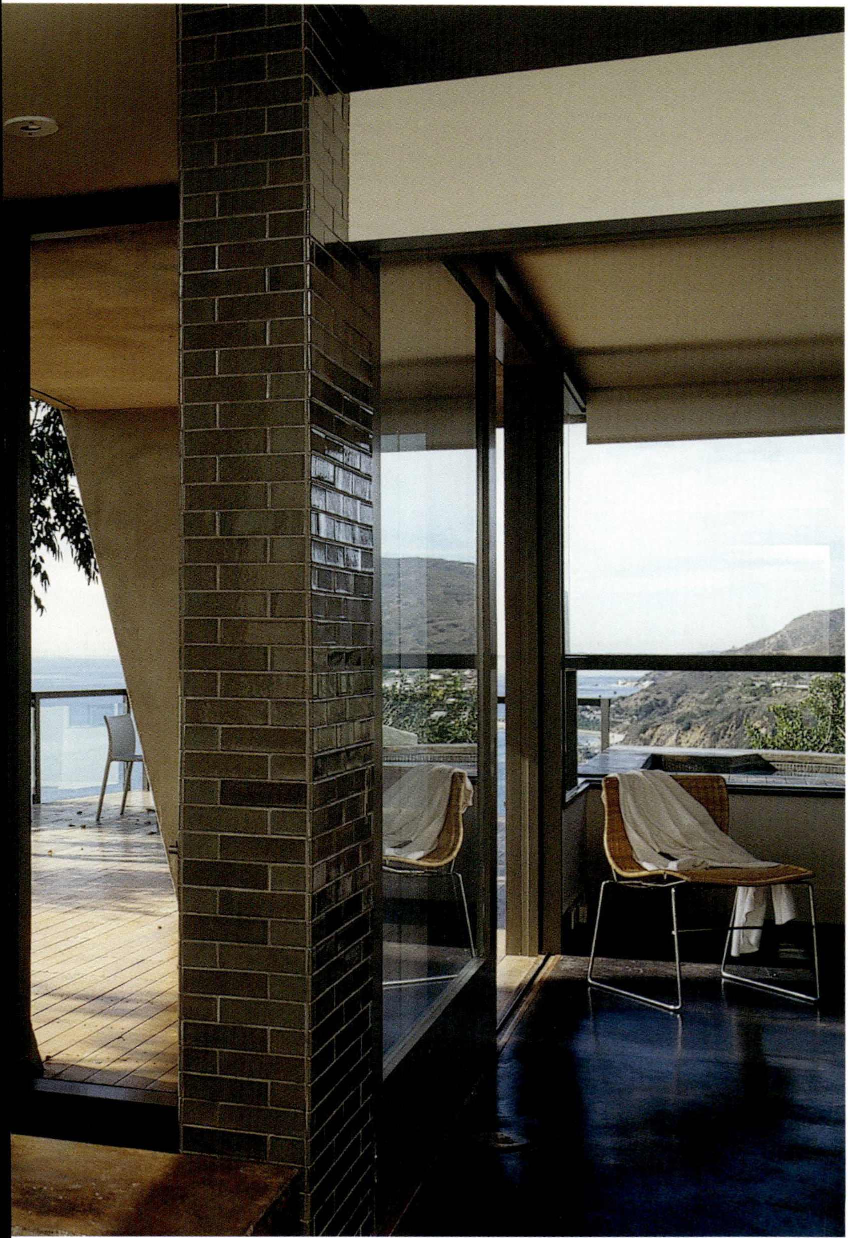

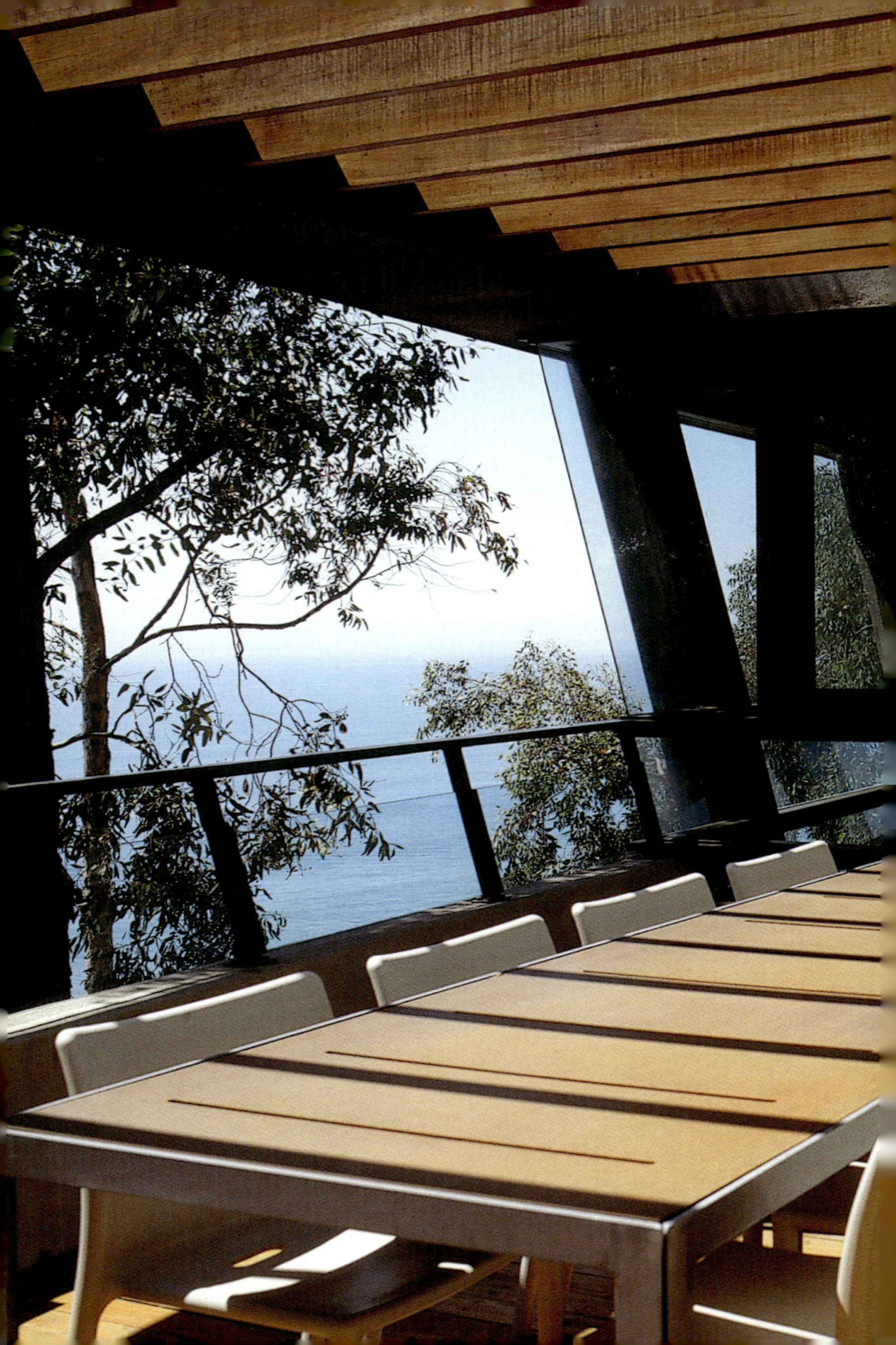

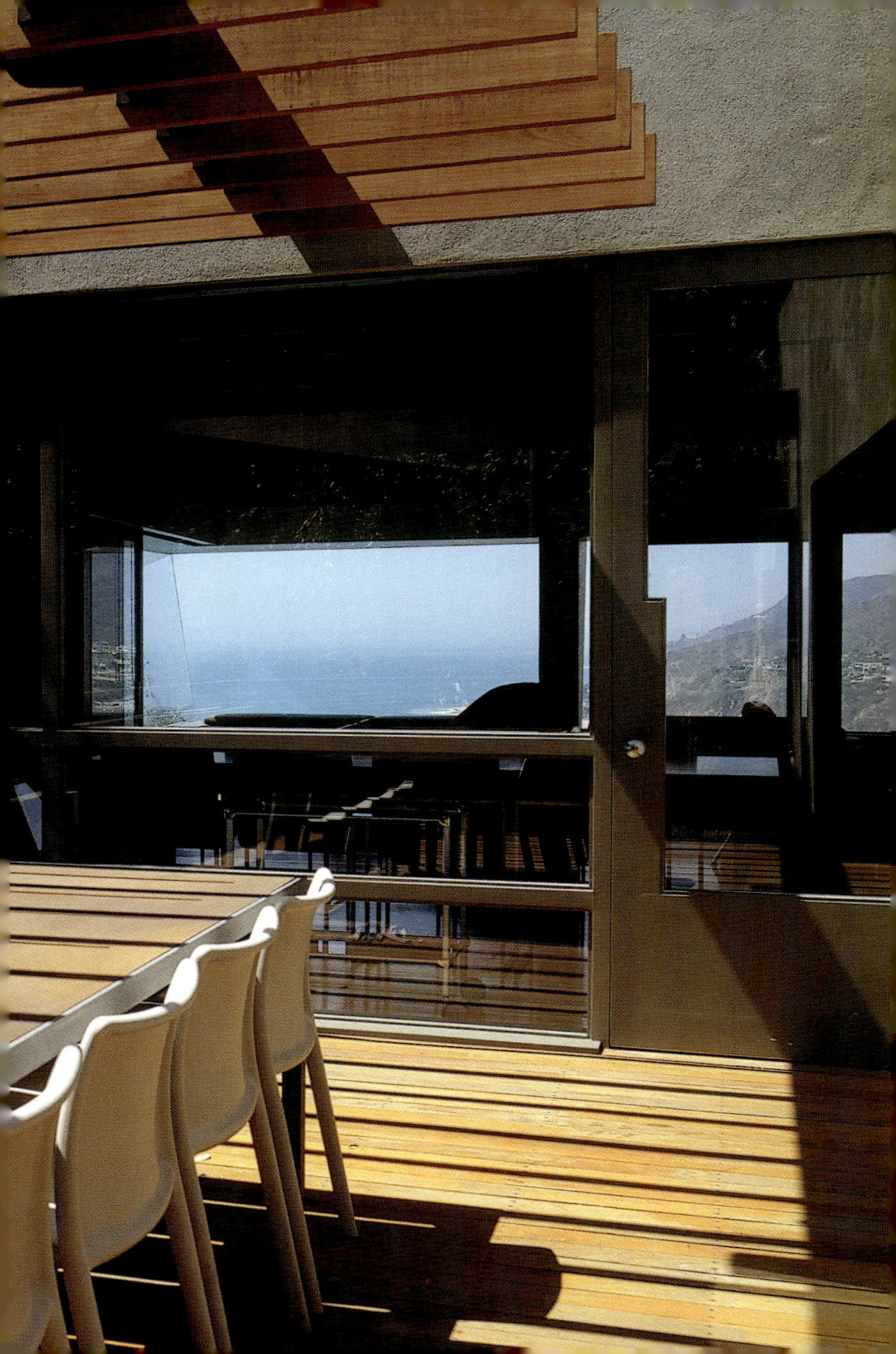

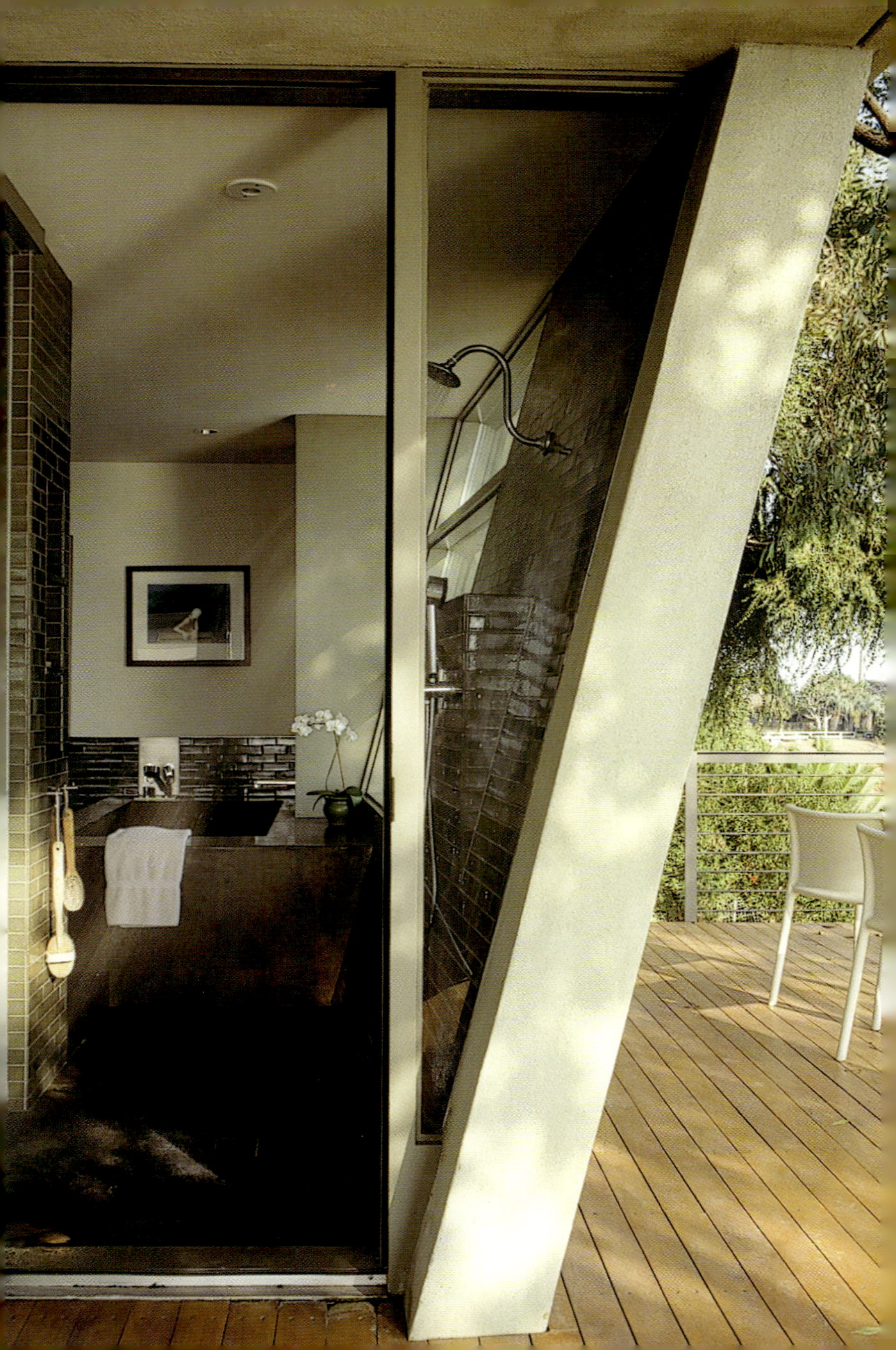

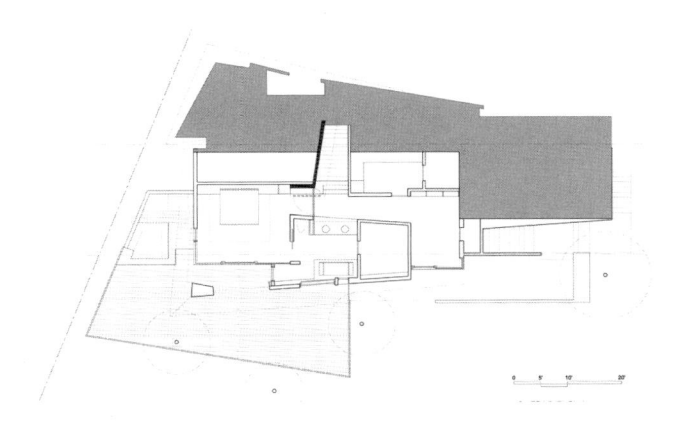

Lower level plan

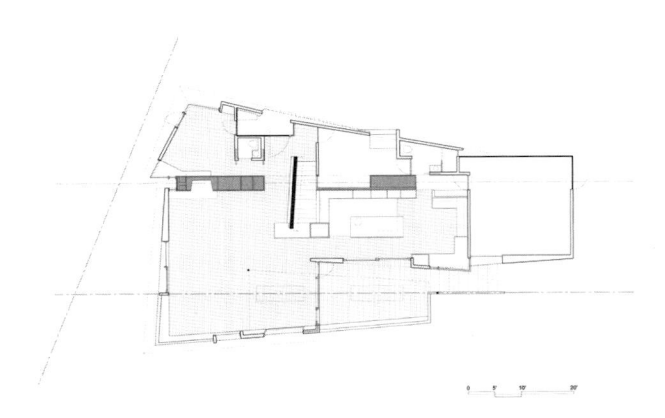

Upper level plan

The original structure is dotted by large windows arranged along the entire house. Thanks to this design, the landscape can be enjoyed from all the rooms.

La original estructura queda fragmentada por amplios ventanales distribuidos a lo largo de toda la casa. Gracias a este diseño, se puede disfrutar del paisaje desde las diversas estancias.

La struttura originale è disseminata di grandi finestre distribuite per l'intera casa, che consentono di godersi il paesaggio da tutte le stanze.

A estrutura original está pontilhada com amplas janelas dispostas por toda a casa. Graças a este design, a paisagem pode ser apreciada de todas as divisões.

Situated on a breathtaking garden, this structure maintains the horizontal details of the surrounding buildings. The verticality and height of the cedar fence, emphasizes this, as well as the pergola rising up to the sky. The building thus captures the essence of the city.

Una scala scultorea situata nel vestibolo mette in comunicazione i due piani della casa, distribuendo gli spazi in base al loro utilizzo. Al piano terra si trova la zona giorno, formata da soggiorno, sala da pranzo, cucina e sauna, mentre il piano superiore, adibito a zona notte, ospita le diverse camere da letto, tutte con vista sul mare e sulla piscina.

SEASIDE HOUSE

Miami, Florida, USA

Una escultural escalera situada en el vestíbulo de esta casa determina su distribución y comunica los dos pisos que la forman. De carácter diferenciado, según su uso nocturno o diurno, en la planta baja se encuentran la zona de comedor y salón, una cocina y una sauna, mientras que la planta superior alberga las diferentes habitaciones, todas ellas con vistas al mar y a la piscina.

Uma escadaria escultural situada na entrada desta casa determina a sua disposição e estabelece ligação entre os dois andares. Com distintas características para a utilização diurna ou nocturna, o andar inferior aloja as salas de jantar e de estar, além da cozinha e da sauna, e, por sua vez, o andar superior aloja os quartos, todos com vistas para o mar e para a piscina.

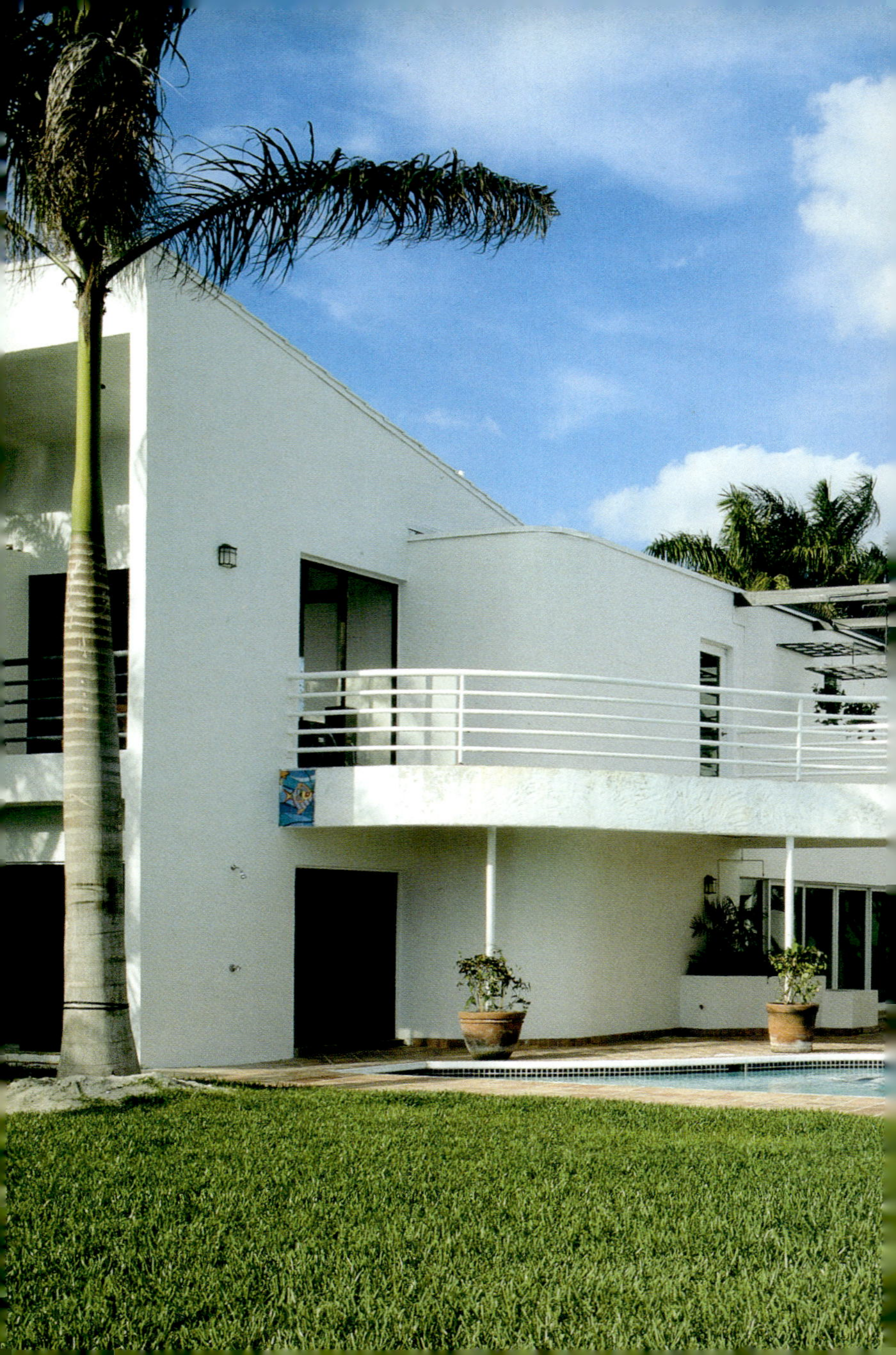

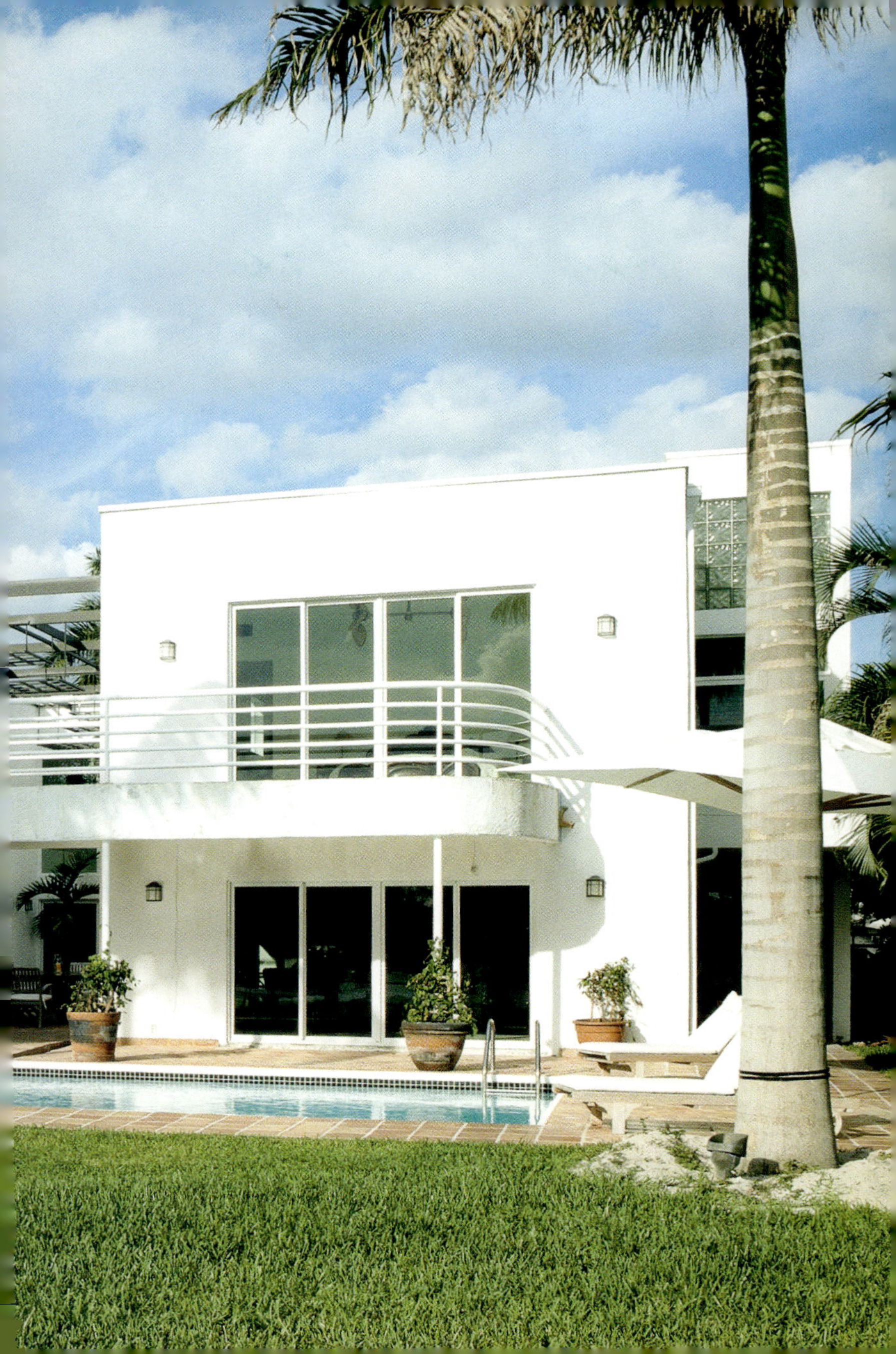

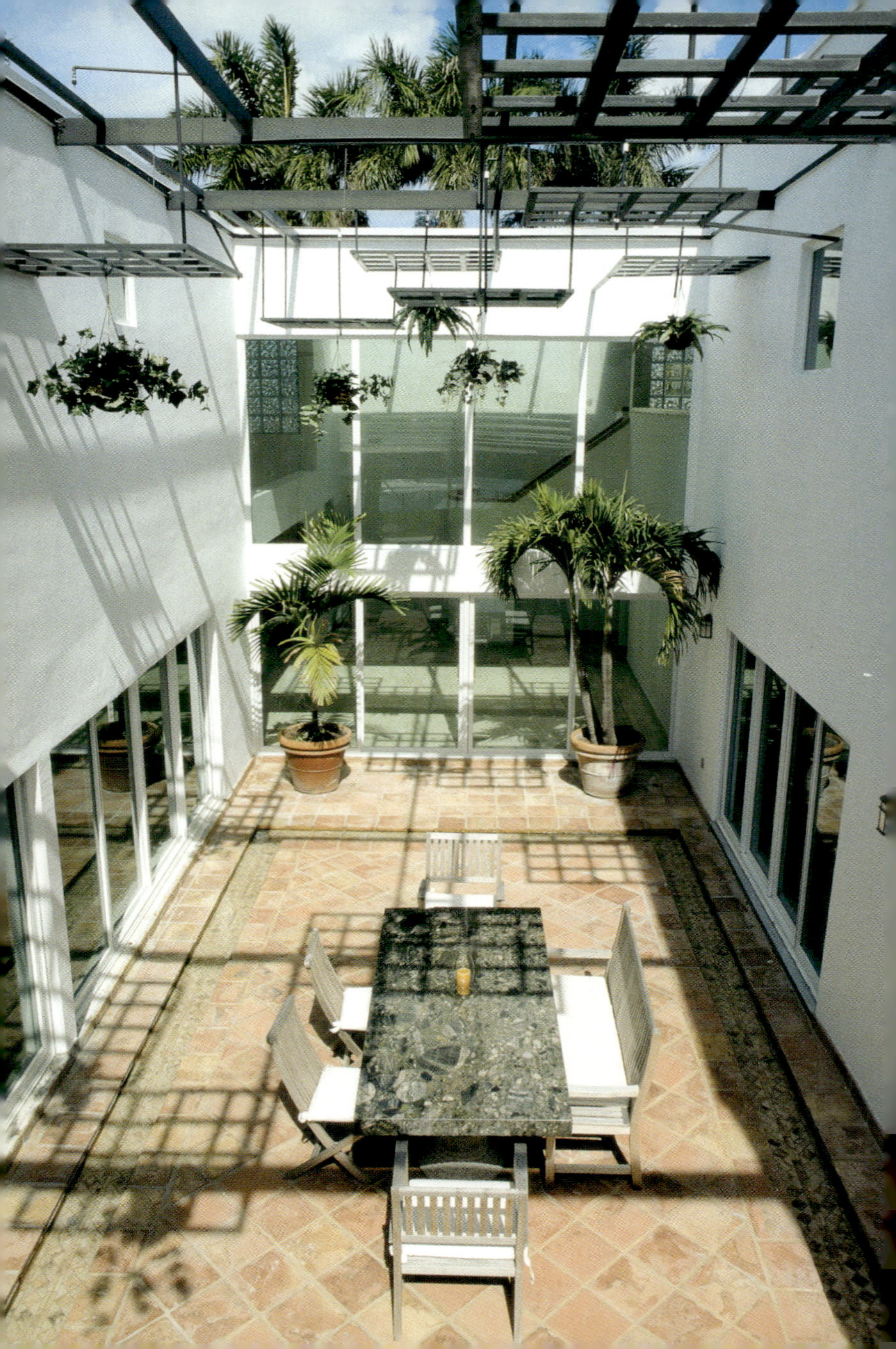

The dining room, which faces outdoors, is located in the hallway made by the two main bodies of the house. A pergola-like metal structure built between both creates an appealing play of shadows.

La sala da pranzo, orientata verso l'esterno, è situata nel corridoio che collega le due parti della casa. Una struttura in metallo a forma di pergola costruita tra i due blocchi crea un seducente gioco d'ombre.

El comedor, orientado hacia el exterior, está situado en el pasillo que forman los dos bloques de la casa. Una estructura de metal construida entre ambos a modo de pérgola crea un atractivo juego de sombras.

A sala de jantar, virada para o exterior, situa-se no pátio formado entre as duas partes principais da casa. Uma estrutura de metal tipo pérgola, construída entre ambas as partes, cria um jogo de sombras encantador.

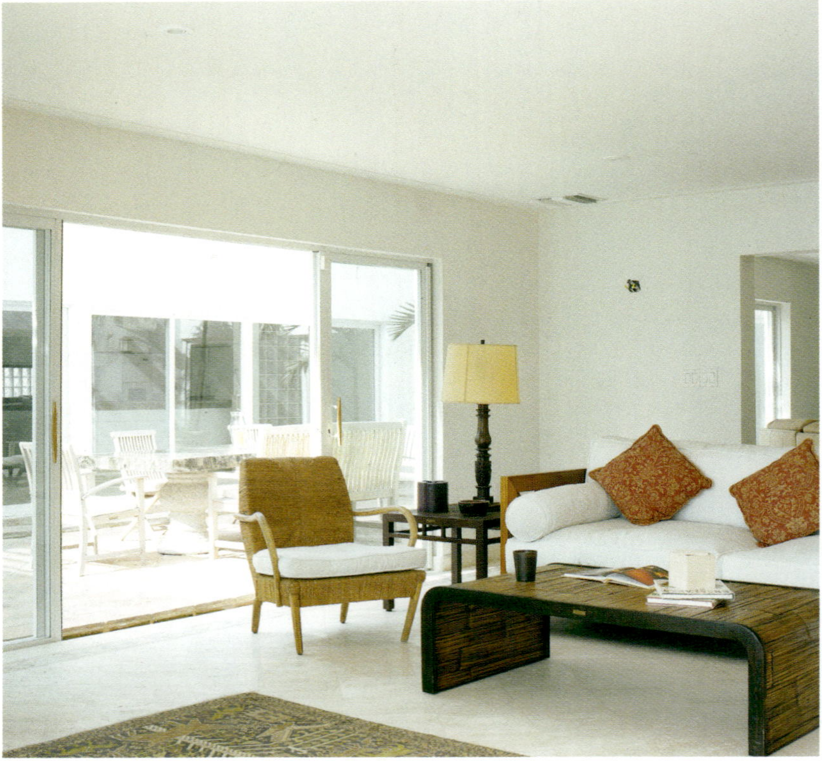

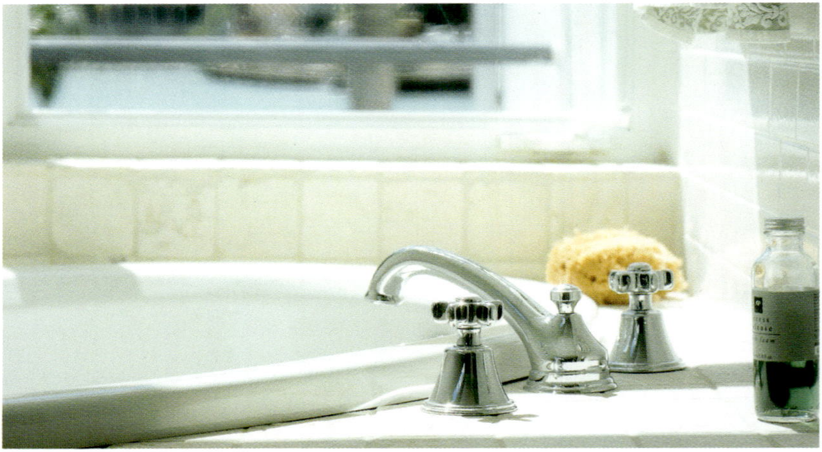

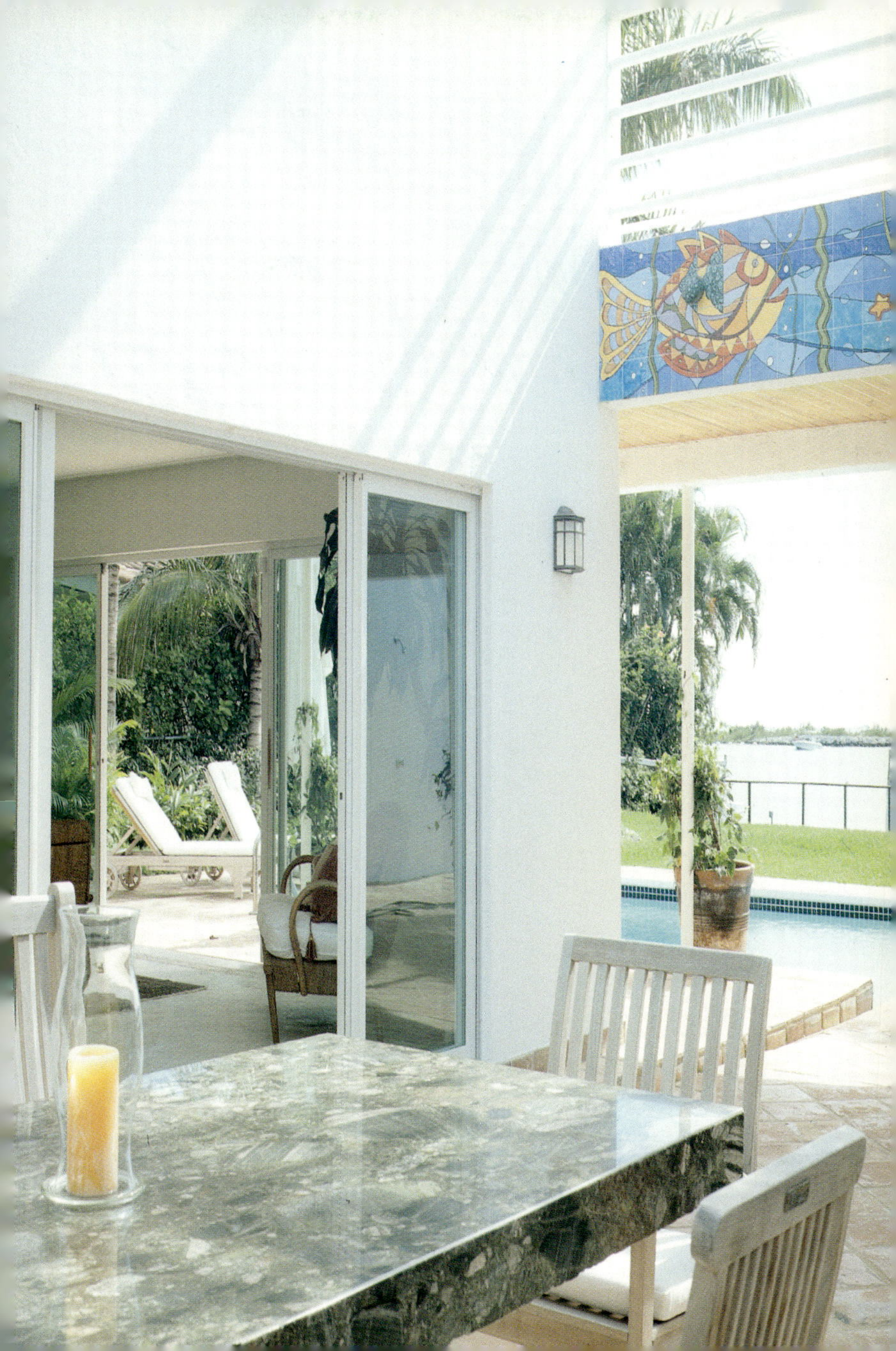

The narrowness of the plot where this residence was built forced the architects to make the most of the space vertically and towards the water. Divided into three floors, the house has a basement and two upper floors. To avoid curtailing the space on the ground level, the architects decided to build the swimming pool on the upper level. By doing so they connected both terraces and offered fantastic views of the landscape.

L'esiguità del terreno su cui è stata costruita questa residenza ha obbligato gli architetti a sfruttare lo spazio in verticale e verso l'acqua. I livelli della casa sono tre, due piani e un seminterrato. Per non limitare lo spazio del piano terra, la piscina è stata costruita al piano superiore, mettendo in comunicazione le due terrazze e offrendo viste magnifiche del paesaggio.

SHAW HOUSE

Patkau Architects

Vancouver, Canada

La estrechez del terreno donde se construyó esta residencia obligó a los arquitectos a potenciar el espacio verticalmente y hacia el agua. Distribuida en tres niveles, la casa dispone de un sótano y dos pisos. Para no limitar el espacio de la planta baja, se decidió construir la piscina en el nivel superior conectando las dos terrazas y ofreciendo magníficas vistas del paisaje.

A estreiteza do terreno onde foi construída esta residência compeliu os arquitectos a aproveitarem ao máximo o espaço, na vertical e em direcção à água. A casa está dividida em três andares: rés-do-chão e dois andares superiores. Para evitar reduzir o espaço no nível inferior, os arquitectos construíram a piscina no nível superior, originando a união dos terraços e a exposição de vistas fantásticas.

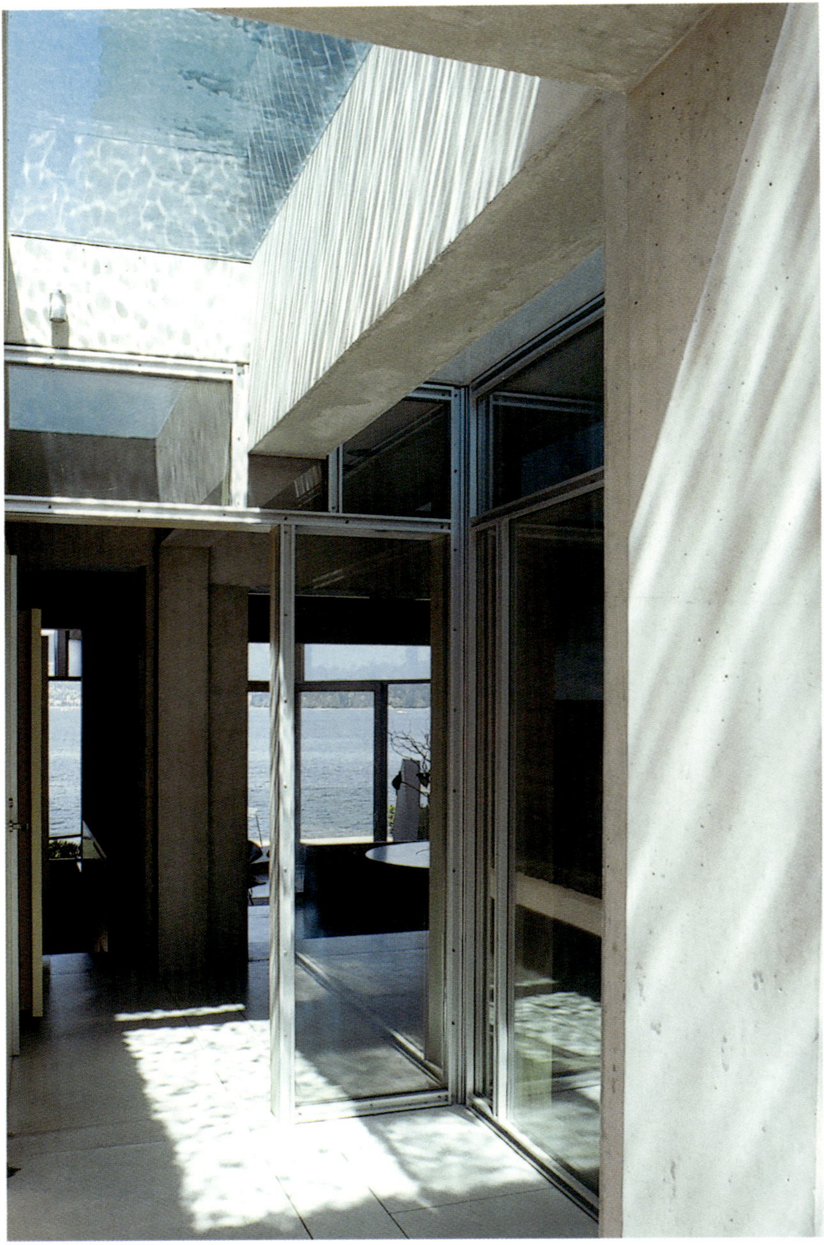

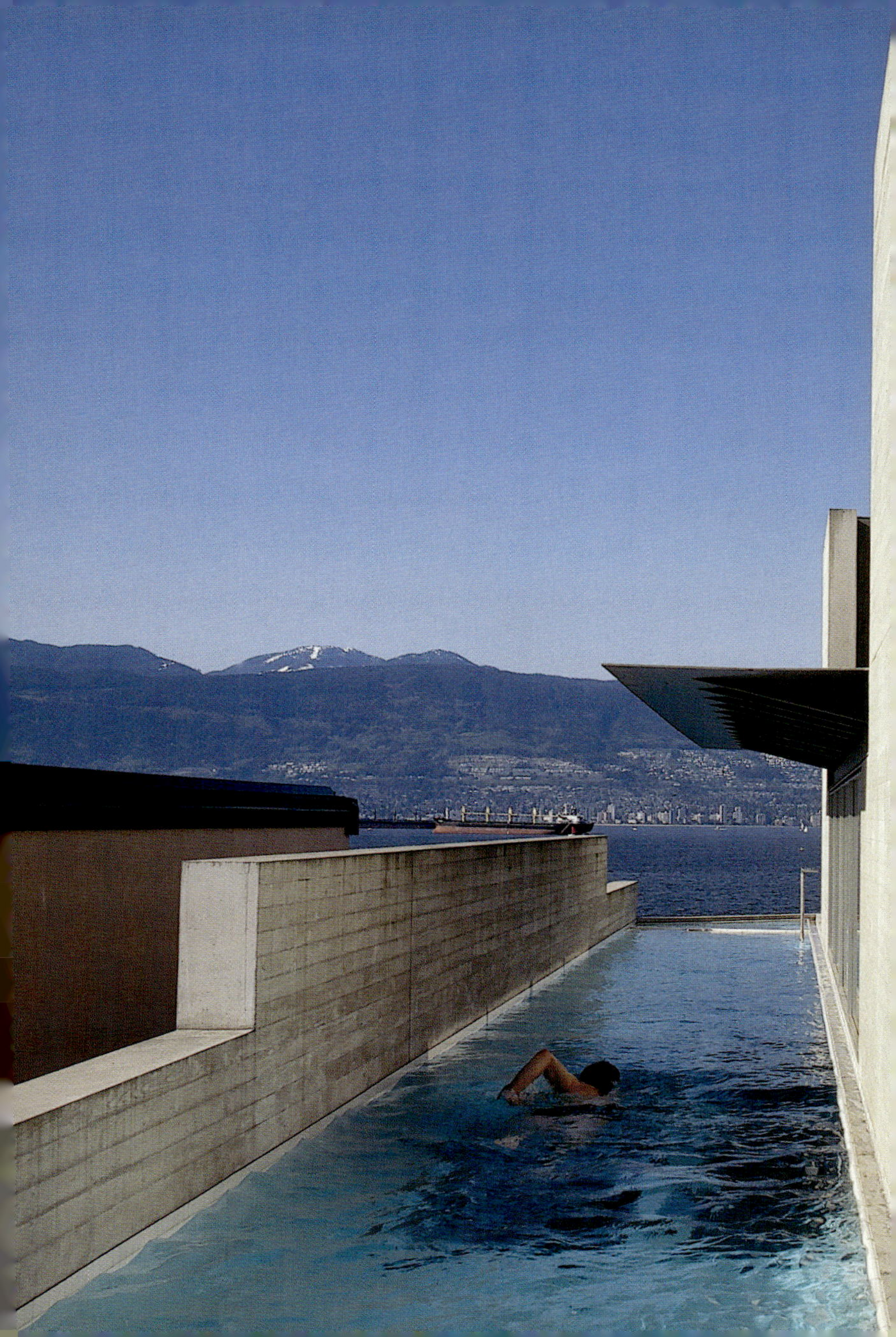

The large windows all along the living room manage to flood the inside of this home with light and provide wonderful views of the mountains looming over Vancouver's horizon.

Le grandi finestre disposte lungo il soggiorno consentono agli interni di riempirsi di luce e permettono di godere di viste fantastiche delle montagne che dominano l'orizzonte di Vancouver.

Los grandes ventanales distribuidos por el salón consiguen llenar de luz el interior de esta casa y permiten disfrutar de unas fantásticas vistas a las montañas que predominan en el horizonte de Vancouver.

As amplas janelas ao longo da sala de estar permitem inundar o interior da casa com luz e oferecem vistas magníficas das montanhas elevando-se sobre o horizonte de Vancouver.

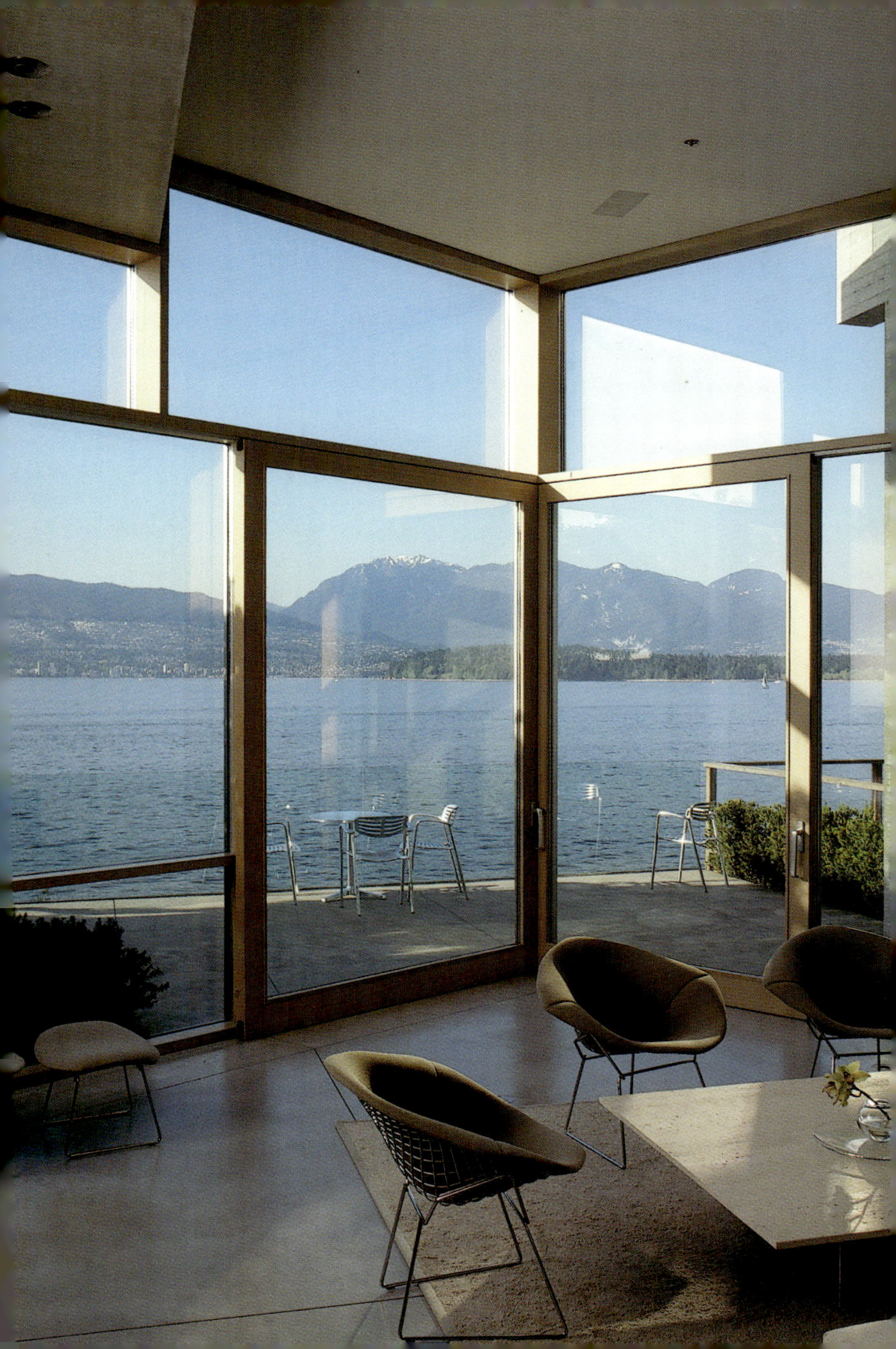

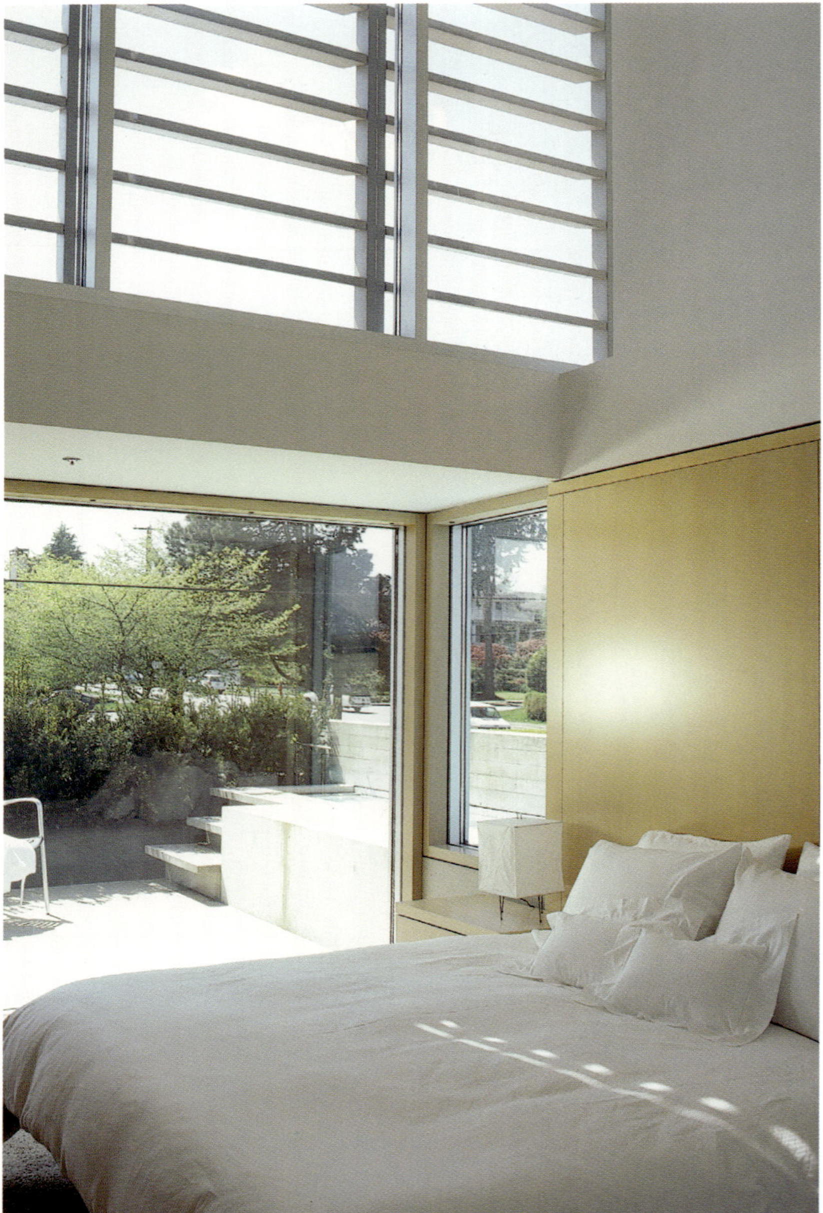

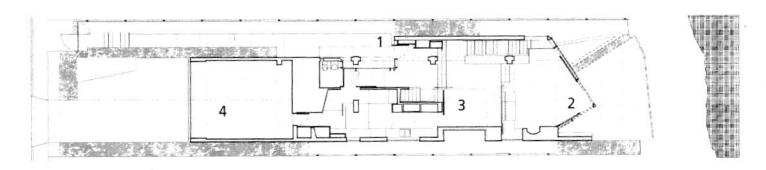

Ground floor

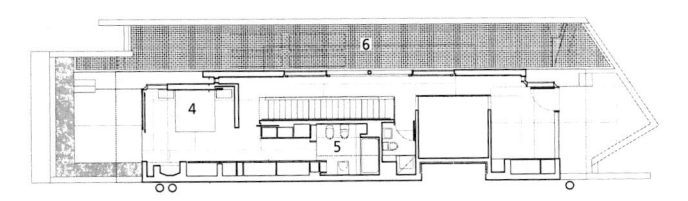

First floor

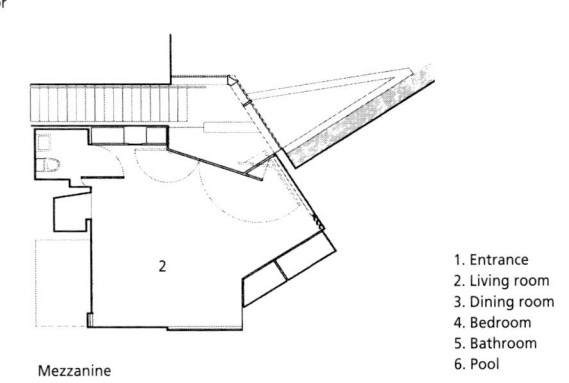

Mezzanine

1. Entrance
2. Living room
3. Dining room
4. Bedroom
5. Bathroom
6. Pool

The private quarters are located on the upper floor, while the lower floor houses the common areas. Inside, the small spaces seem larger thanks to the high ceilings.

Gli spazi privati sono situati al piano superiore, mentre quello inferiore ospita le aree comuni. All'interno, i soffitti alti consentono di ampliare gli spazi limitati.

Los espacios privados están situados en la planta superior, mientras que en la inferior están dispuestos los comunes. En el interior, los espacios pequeños se agrandan gracias a los altos techos.

Os aposentos privados situam-se no andar superior e o andar inferior aloja as áreas comuns. No interior, os pequenos espaços parecem maiores graças aos tectos altos.

The design of this home, nestling among sand dunes and tea plants just 164 feet from the seashore, fits perfectly into its idyllic setting. The house has several different alternatives, both inside and outside, for the different weather conditions, and its structure is in harmony with the purity and simplicity of its natural surroundings.

Il design di questa dimora, a soli 50 metri dalla riva del mare, protetta tra dune di sabbia e piante di tè, s'intona perfettamente con questo scenario idilliaco. L'interno e l'esterno della casa offrono diverse alternative alle differenti condizioni meteorologiche e la struttura è in perfetta armonia con la purezza e la semplicità dell'ambiente naturale.

PORT FAIRY HOUSE
Farnan Findlay

Victoria, Australia

El diseño de esta vivienda, resguardada entre dunas de arena y plantas de té, y a sólo 50 metros de la orilla del mar, responde en todos los aspectos a su idílico contexto. La casa presenta diversas alternativas, tanto en su interior como en su exterior, a las diferentes condiciones meteorológicas, y su estructura armoniza con la pureza y la sencillez del entorno natural.

O design desta casa, aninhada entre dunas de areia e plantas de chá, apenas a 50 metros da costa, adequa-se perfeitamente à sua localização idílica. A casa apresenta diversas alternativas, tanto no interior como no exterior, para diferentes condições meteorológicas, e a sua estrutura está em harmonia com a pureza e simplicidade do meio natural circundante.

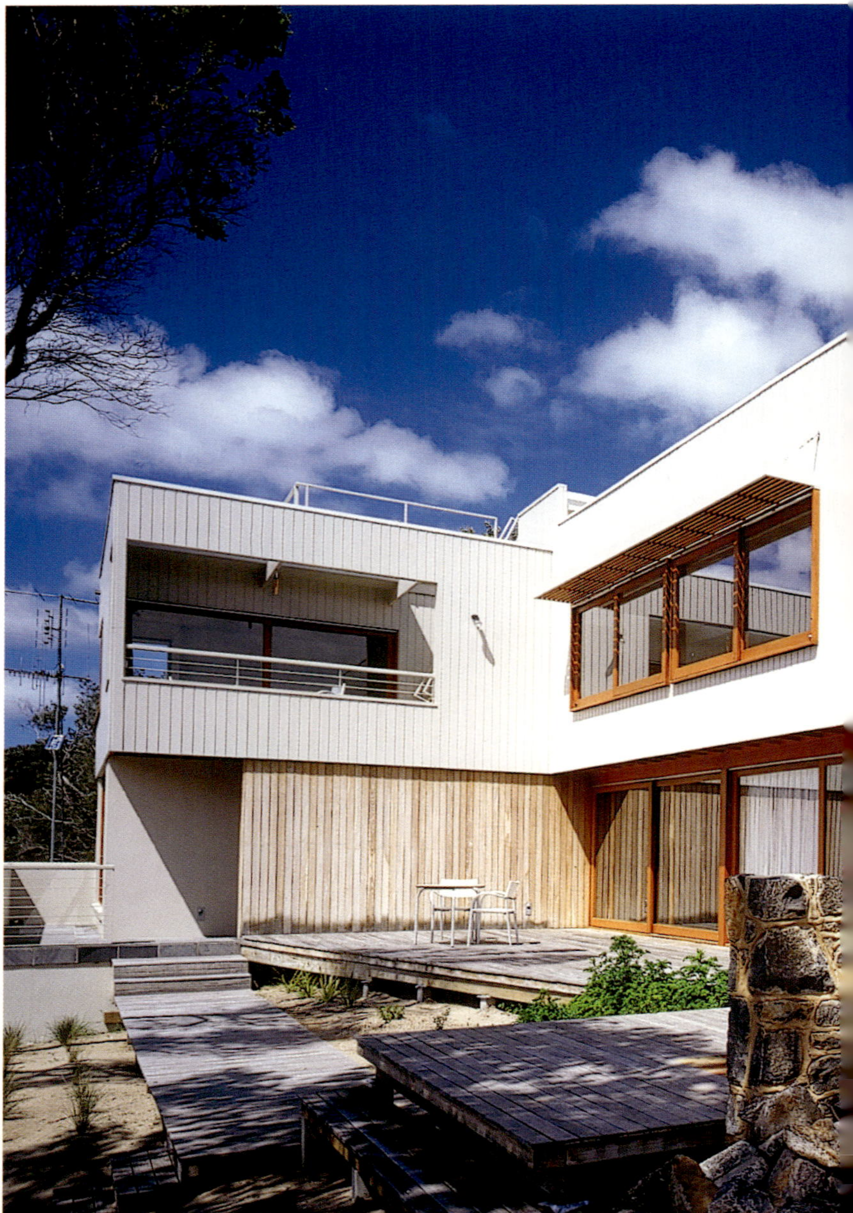

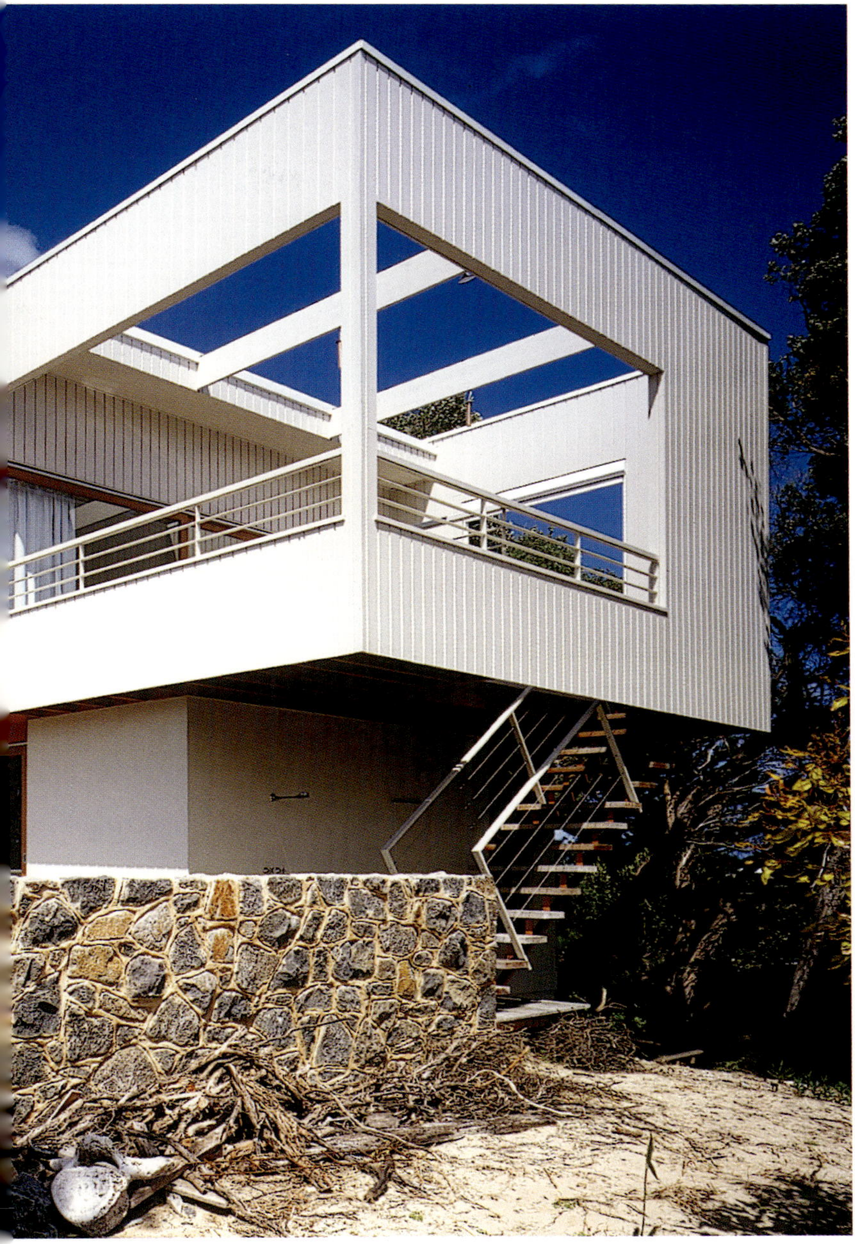

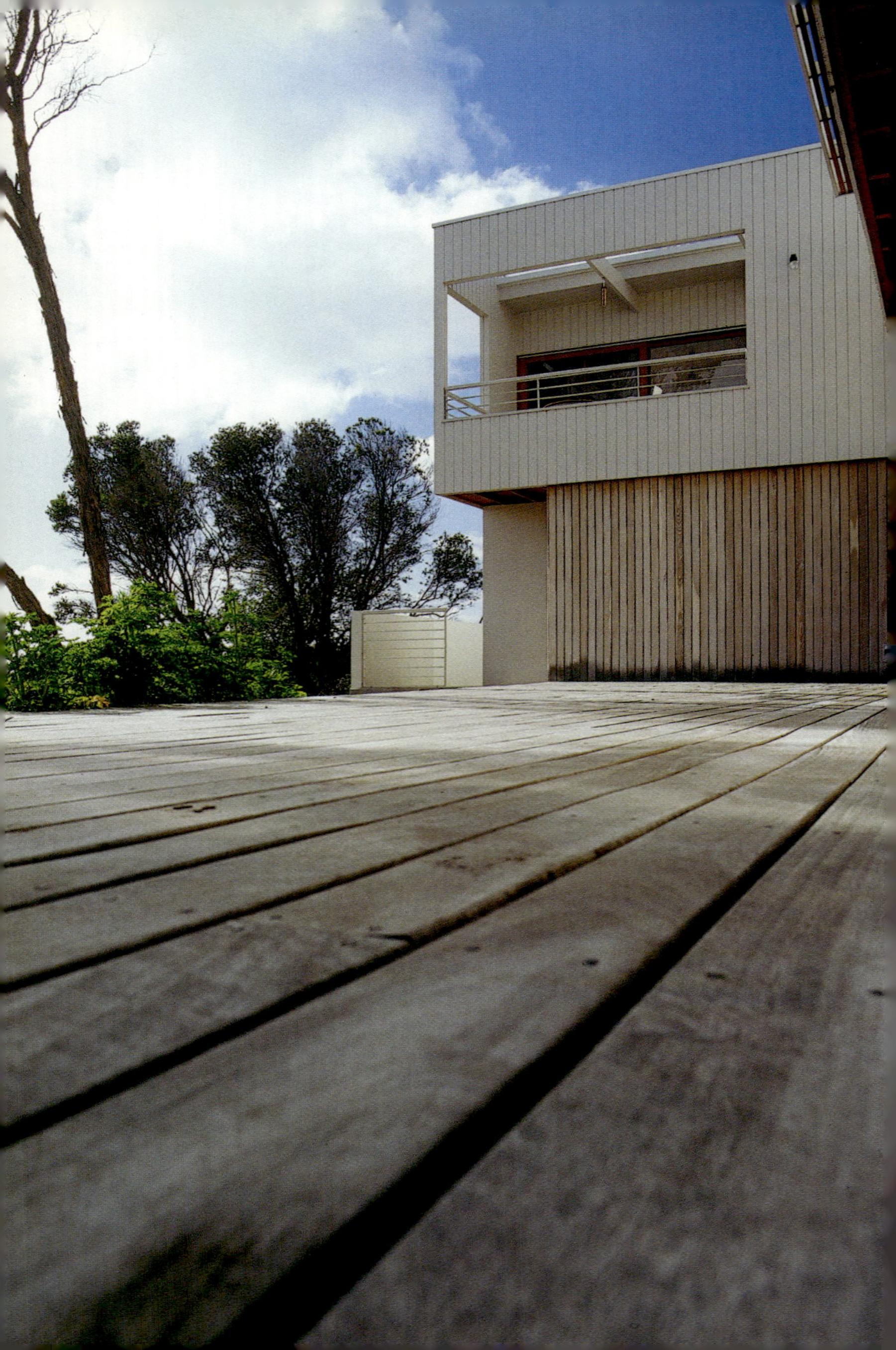

Elevations

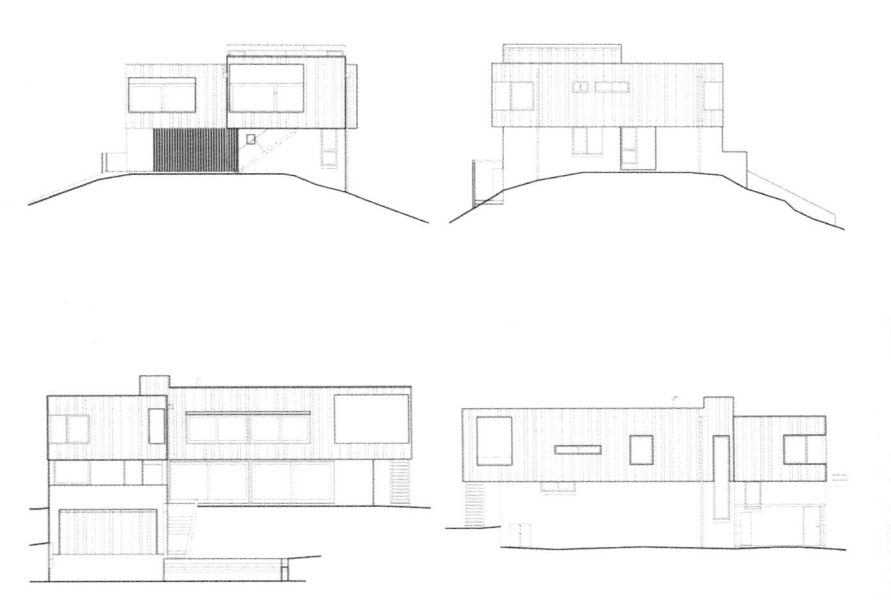

This residential design is an example of how form and function can dovetail to achieve a private, protected space that simultaneously opens up to the outdoors and its environment.

Este proyecto residencial es un ejemplo de cómo forma y funcionalidad pueden coincidir para conseguir un ambiente privado y protegido, que al mismo tiempo se abre al exterior y a su contexto.

Questo progetto costituisce un esempio di come forma e funzionalità possano convivere per creare un ambiente privato e protetto che, al tempo stesso, si apre verso l'esterno e l'ambiente circostante.

Este design residencial é um exemplo de como forma e função podem ajustar-se para criar um espaço privado e protegido, aberto simultaneamente para o exterior e o meio ambiente.

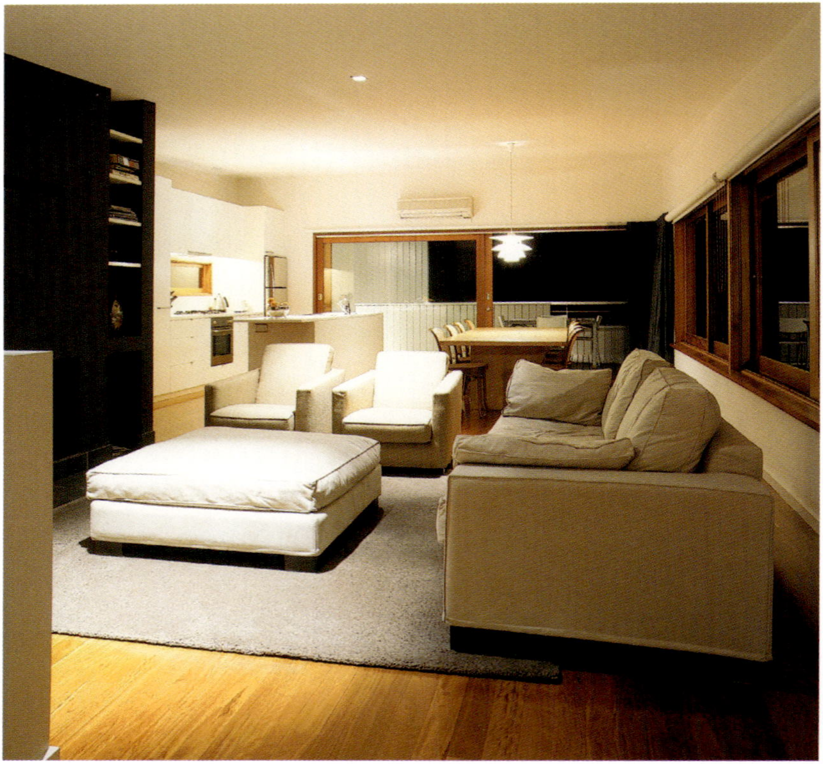

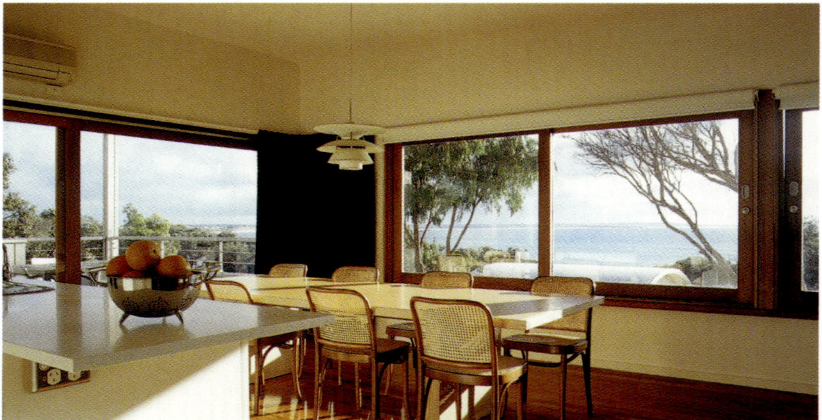

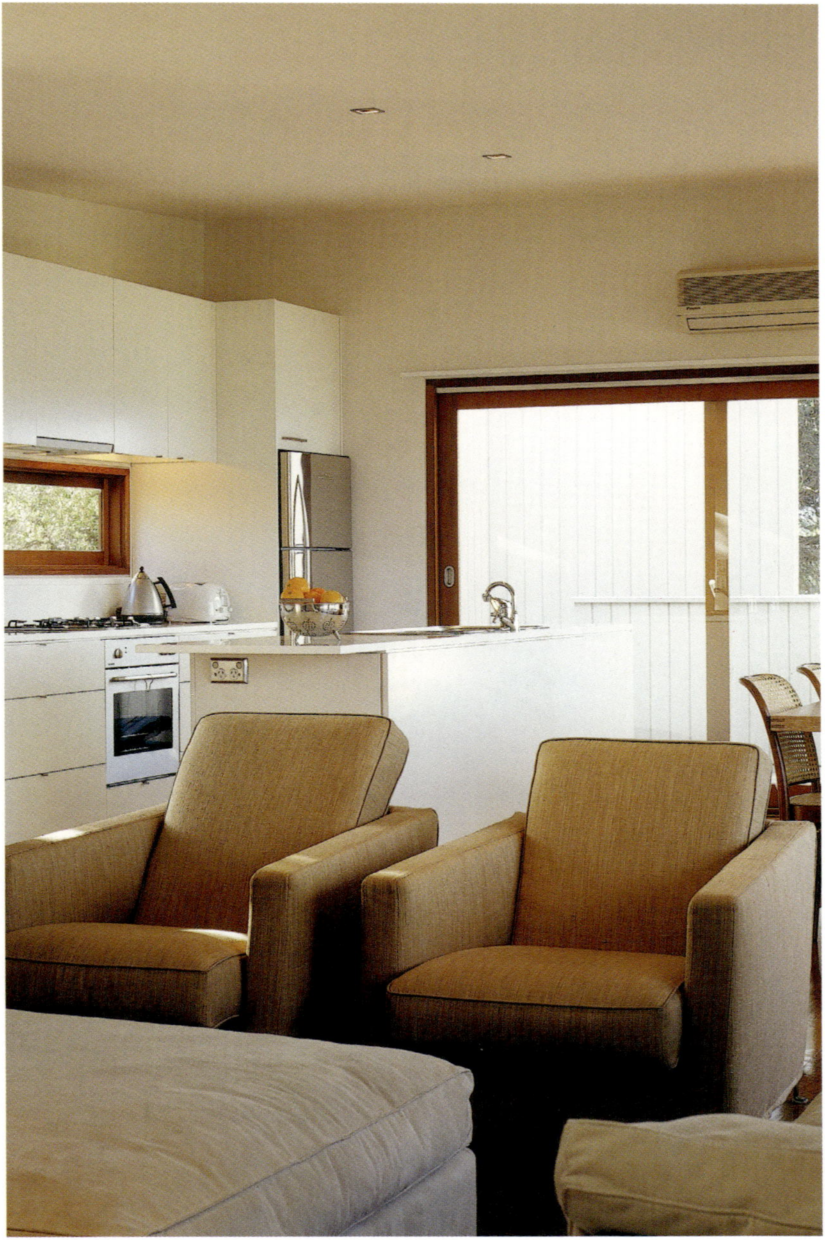

This house was built in a half-moon shape so that all the rooms would have views of the swimming pool, which is also curved and located on the lower level. The interior is full of sinuous shapes and interplays of volumes and heights in a highly particular architectural style. As for the colours, white takes centre stage.

La casa è costruita a forma di mezza luna, in modo che tutte le stanze abbiano la vista sulla piscina situata al livello inferiore, anch'essa di forma incurvata. All'interno, abbondano le forme sinuose e i giochi con altezze e volumi, che creano uno stile architettonico molto particolare. Riguardo ai colori, il bianco è il protagonista assoluto.

WEISS HOUSE
Barry Sugerman

Miami, Florida, USA

La casa está construida en forma de media luna, de tal manera que todas las habitaciones tengan vistas a la piscina, también de forma curva, que está situada en la parte posterior. En el interior, abundan las formas sinuosas y se juega con los volúmenes y las alturas, en un estilo arquitectónico muy particular. En cuanto al colorido, el blanco es el principal protagonista.

Esta casa foi construída em formato meia--lua, para que todas as divisões tivessem vista para a piscina, a qual tem uma forma curva e se encontra no nível inferior. O interior está pleno de formas sinuosas e efeitos combinados de volumes e alturas, num estilo arquitectónico bastante particular. Em termos de cores, o branco assume o papel principal.

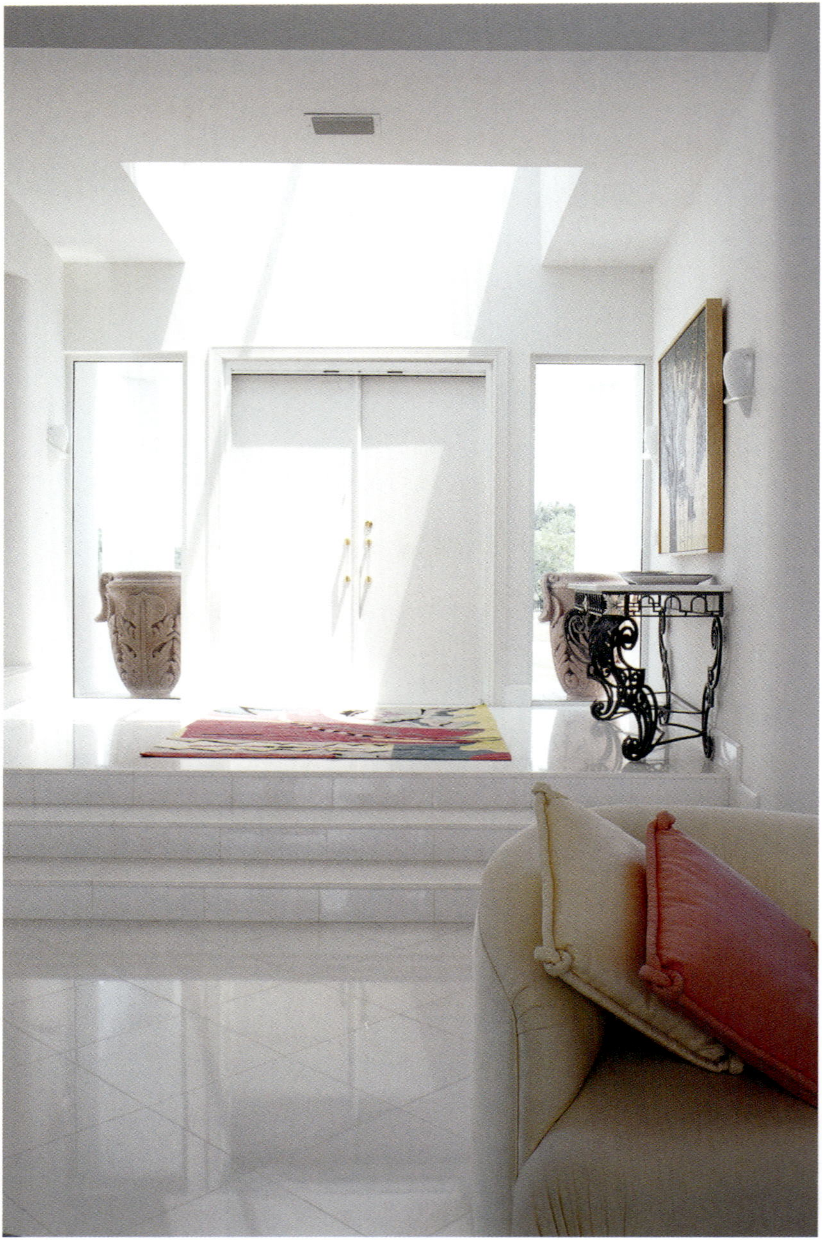

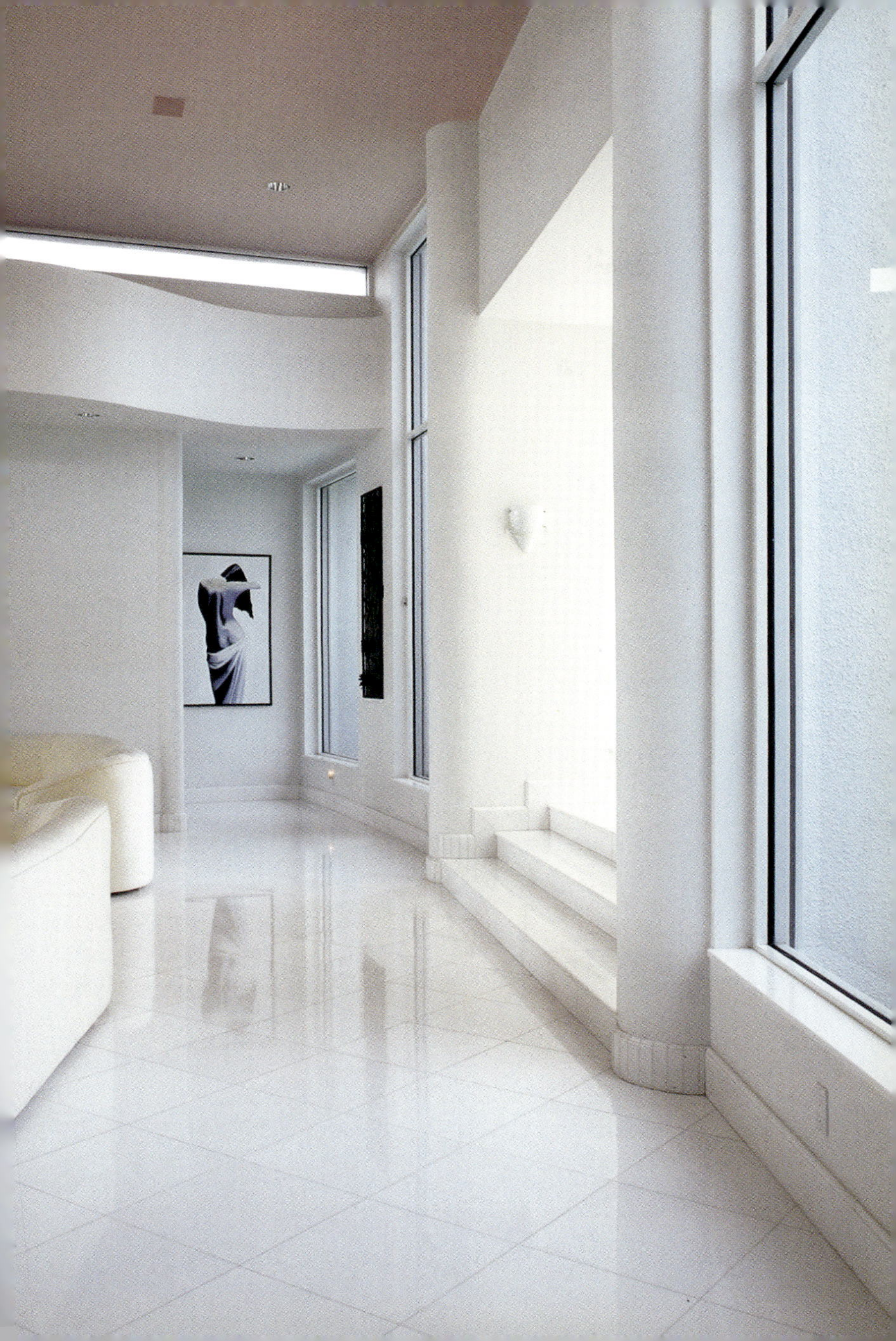

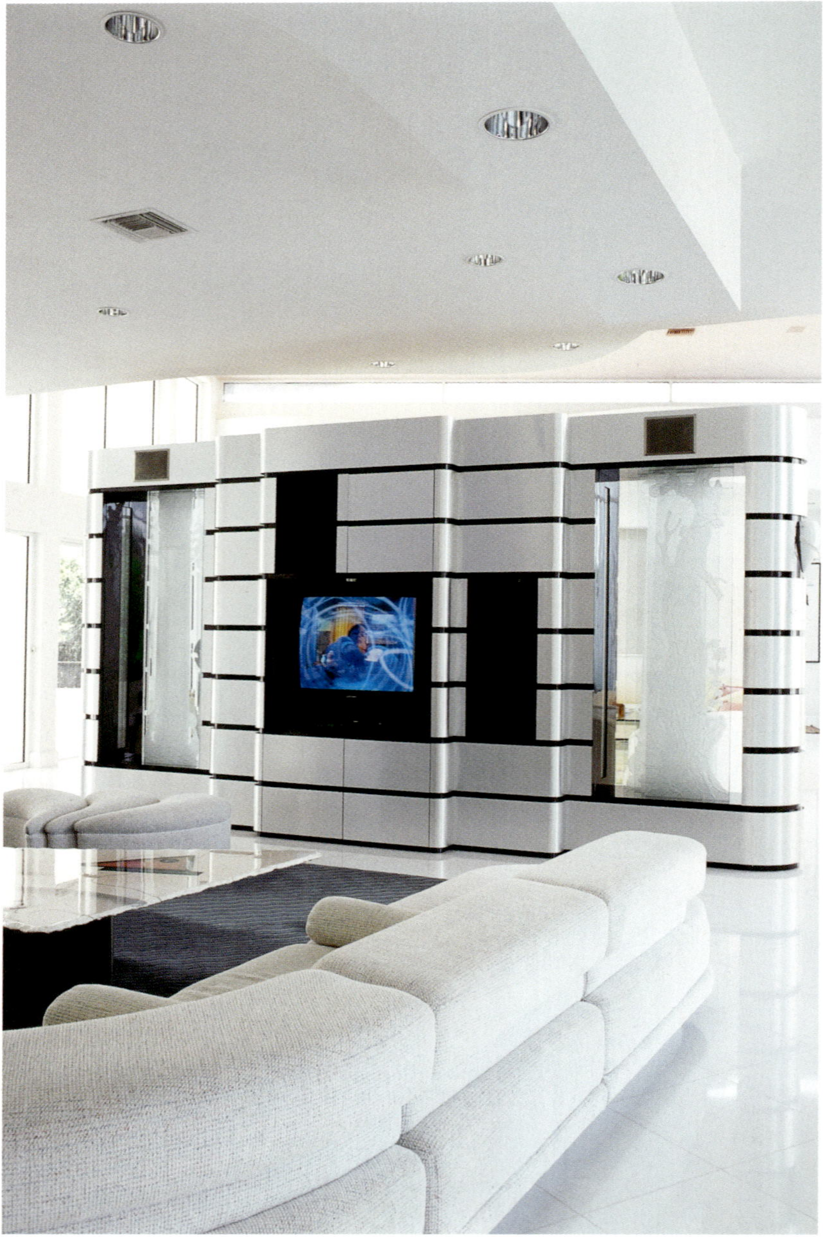

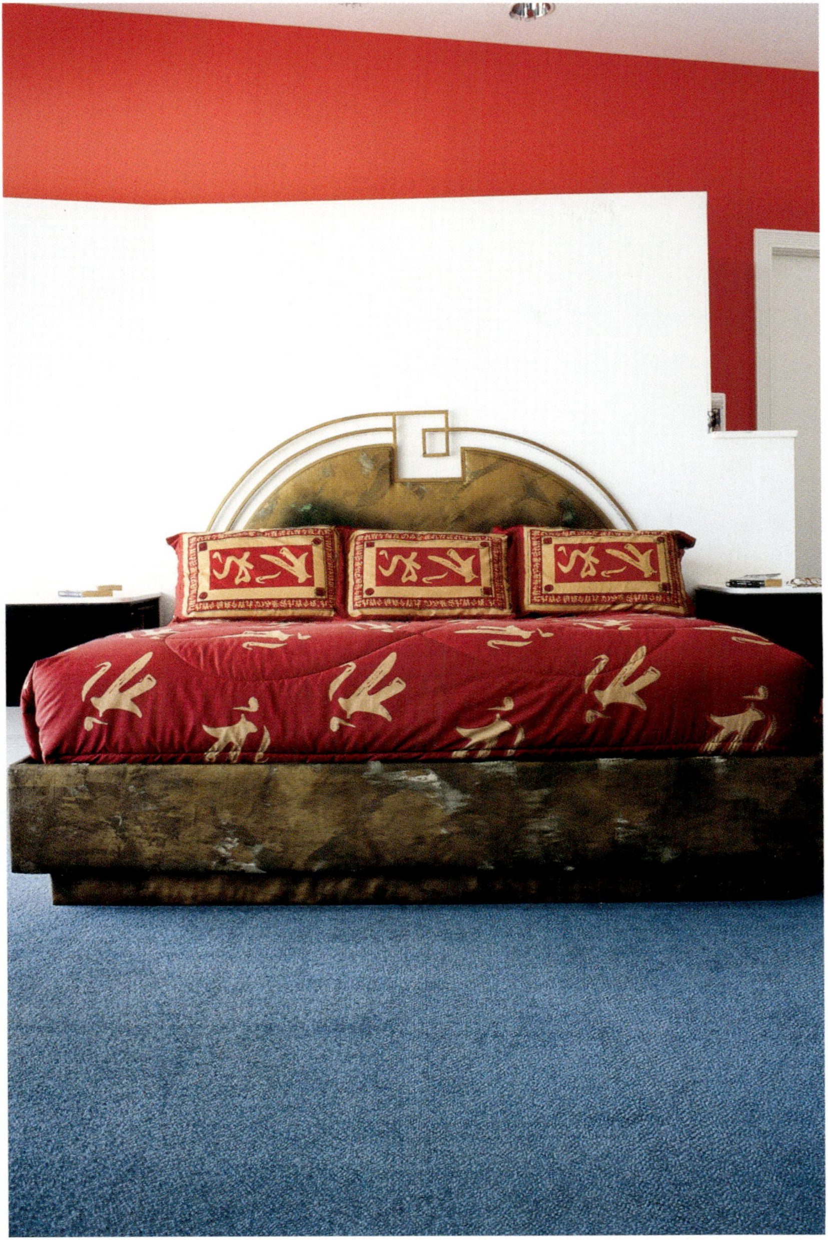

Each bedroom has its own wardrobe-dressing area and bathroom. Inside the latter, tiny tiles in a range of blue tones elegantly combine with the gold-coloured faucets.

Ogni stanza da letto ha una cabina armadio e un bagno in cui, le piccole piastrelle a mosaico di diverse sfumature di blu formano un insieme elegante con la rubinetteria dorata.

Cada dormitorio incluye un armario vestidor y un cuarto de baño propios. En el interior de éstos, pequeños azulejos de diferentes tonos azules combinan elegantemente con la grifería dorada.

Cada quarto tem a sua própria área de vestir/roupeiro e casa de banho. Nesta divisão, os minúsculos azulejos numa série de tons de azul combinam de forma elegante com as torneiras douradas.

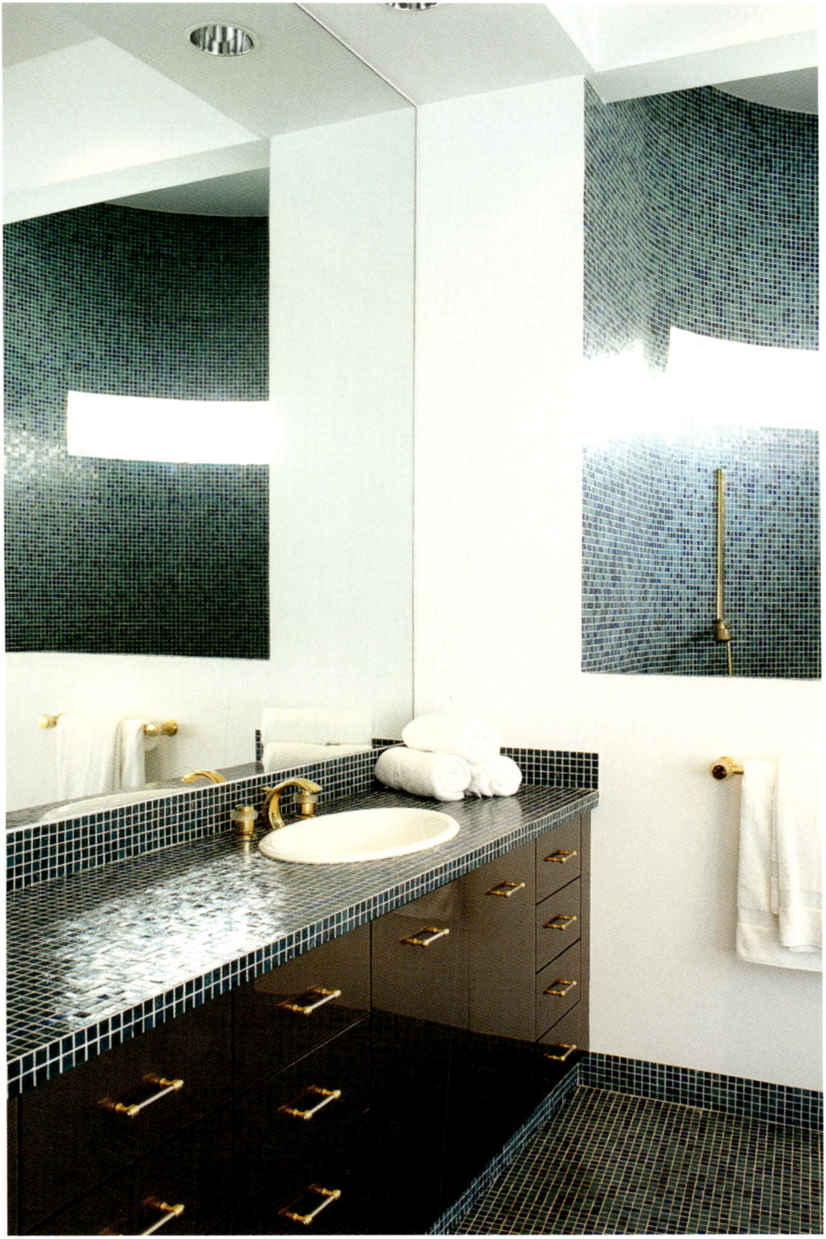

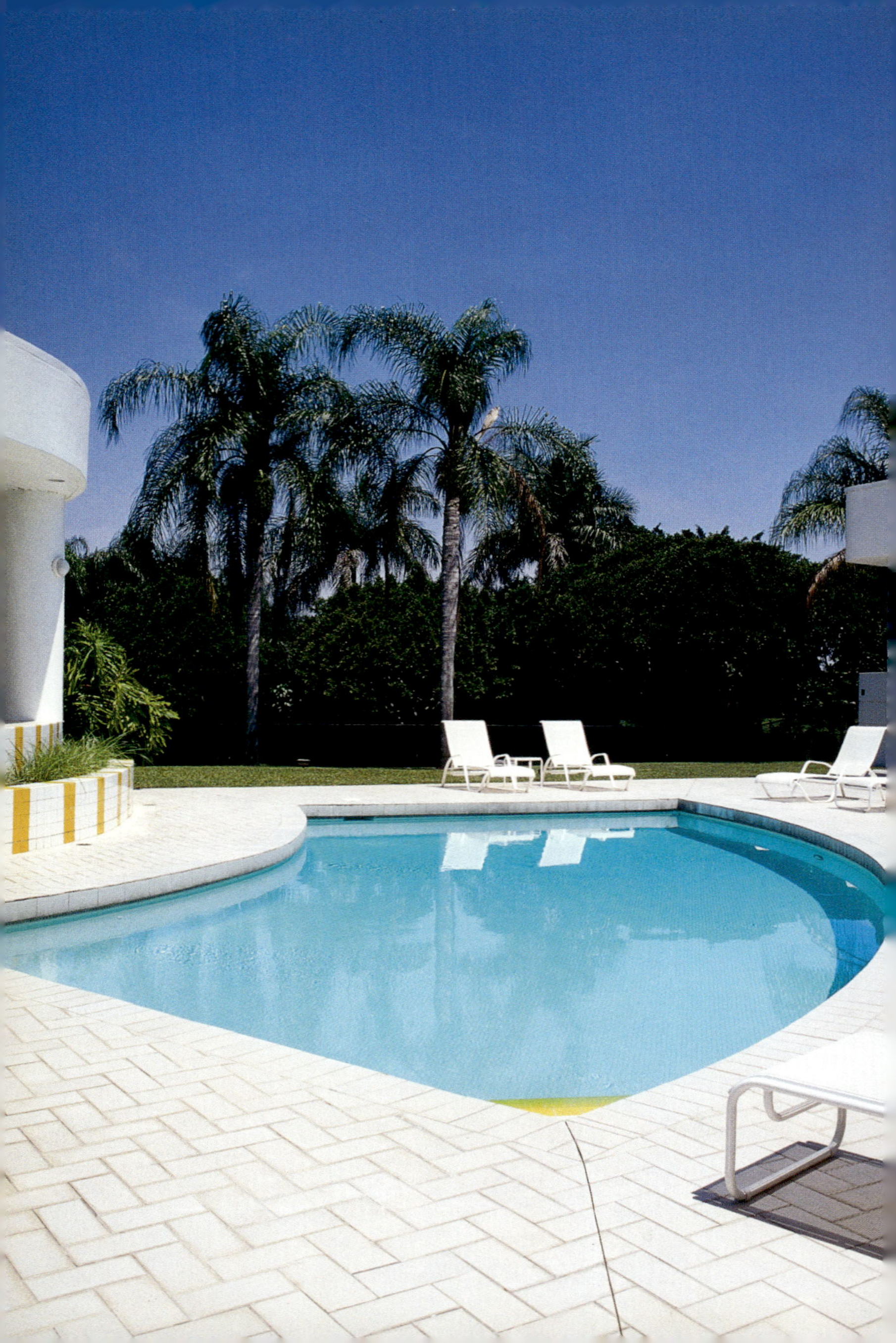

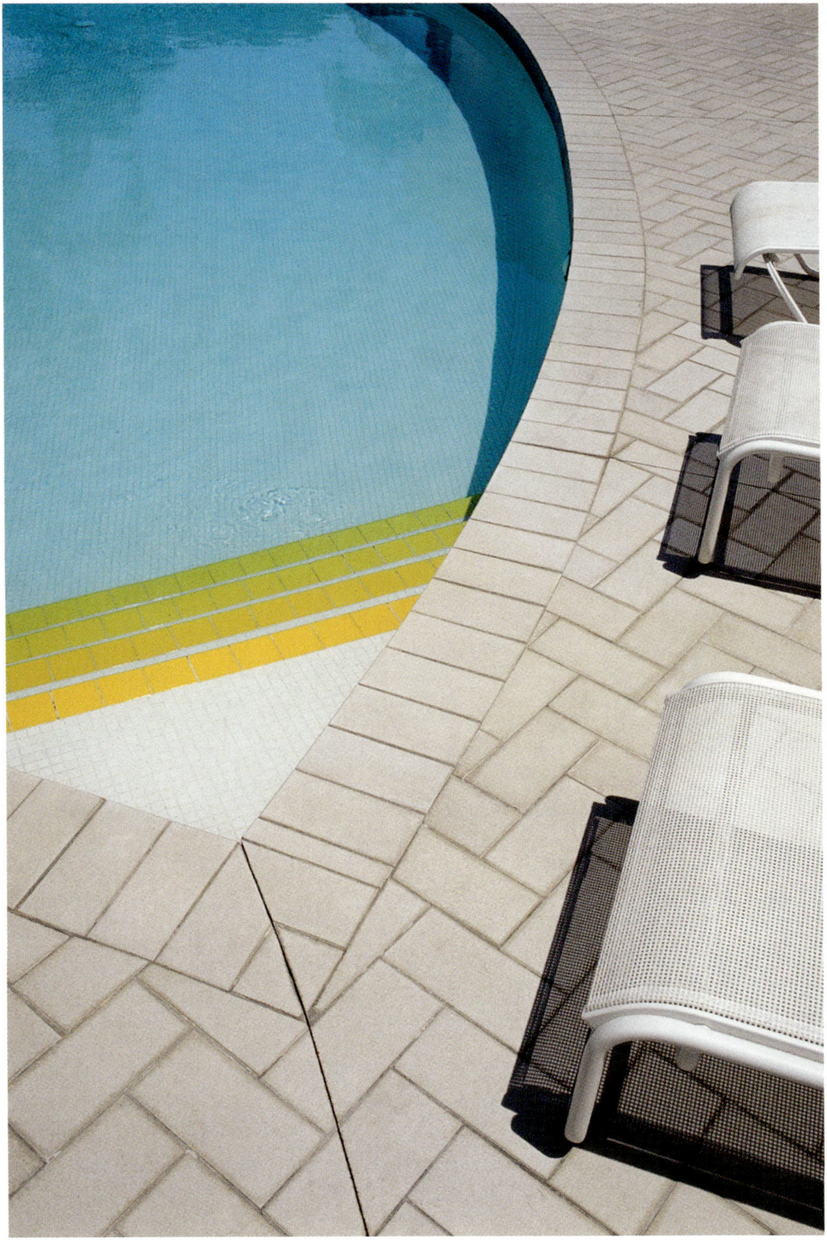

This house features a stark contrast between the inside and outside. The façade is like a compact cement volume, while the inside is perceived as a cosy space in which futuristic design prevails. Features like palm trees, planted on both the façades and in the inside courtyard overlooking the dining room, link both spaces.

Tra gli esterni e gli interni di questa casa esiste un forte contrasto. La facciata è costituita da un volume di cemento compatto, mentre l'interno viene percepito come uno spazio accogliente in cui predomina una decorazione futurista. Elementi come le palme, presenti sia nelle facciate che nel giardino interno su cui si affaccia la sala da pranzo, creano un legame tra i due spazi.

CAPE FLORIDA HOUSE
Laure de Mazieres

Miami, Florida, USA

Esta casa presenta un fuerte contraste entre su exterior y su interior. La fachada se presenta como un compacto volumen de cemento, mientras que el interior se percibe como un acogedor espacio, en el que predomina una decoración futurista. Elementos como las palmeras, ubicadas tanto en las fachadas como en el patio interior que da al comedor, vinculan ambos espacios.

Esta casa destaca-se pelo perfeito contraste entre o interior e o exterior. A fachada assemelha-se a um volume de cimento compacto e o interior distingue-se como espaço acolhedor em que predomina um design futurista. Algumas características como as palmeiras, plantadas junto às fachadas e no pátio interior que comunica com a sala de estar, unem os dois espaços.

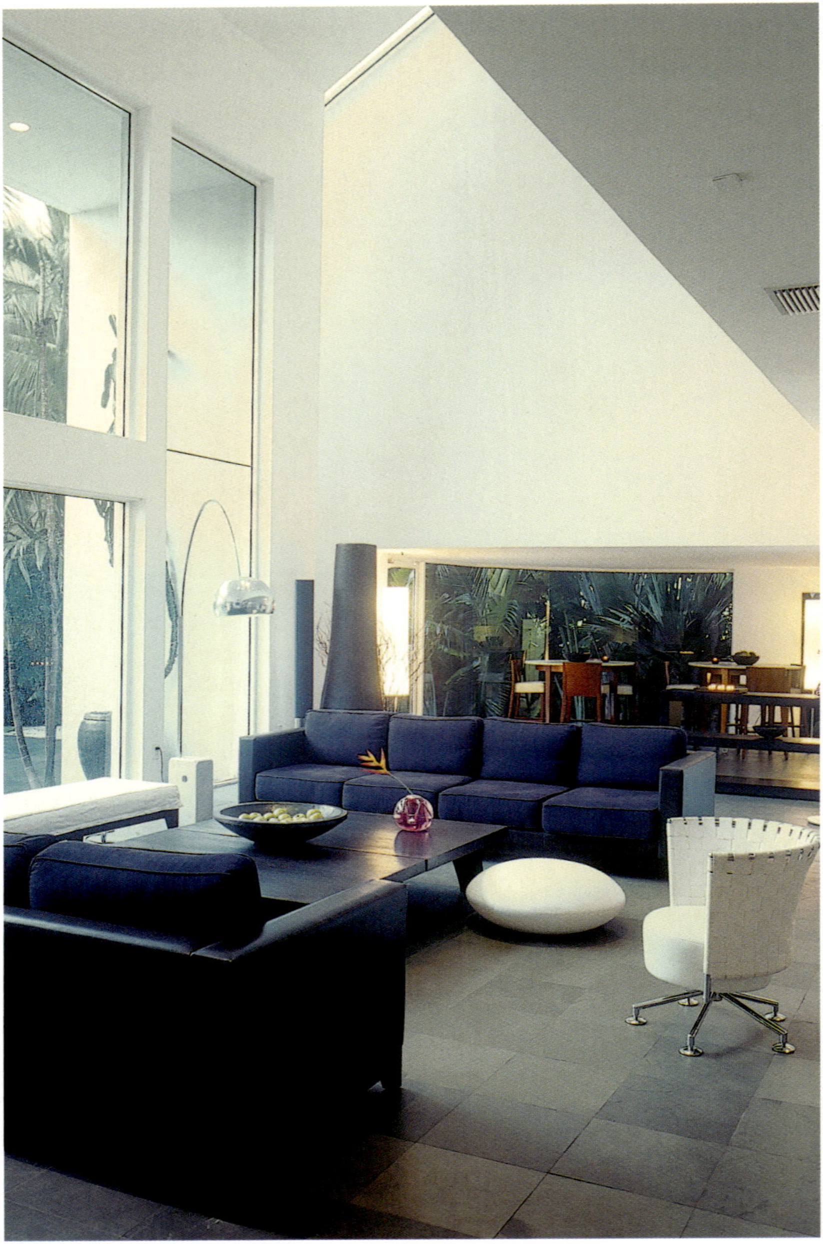

239

The décor combines materials like stone, glass and metal. The predominant colours are cool tones, yet the combination manages to feel cosy.

Gli elementi decorativi riuniscono materiali come pietra, vetro e metallo. I colori predominanti sono freddi, tuttavia la loro combinazione fa sì che il risultato finale sia molto accogliente.

En la decoración se combinan materiales como la piedra, el cristal y el metal. Los colores son predominantemente fríos, pero la combinación consigue que el resultado final resulte acogedor.

A decoração combina materiais tais como a pedra, o vidro e o metal. As cores predominantes são tons frescos e, contudo, a sua combinação torna o ambiente acolhedor.

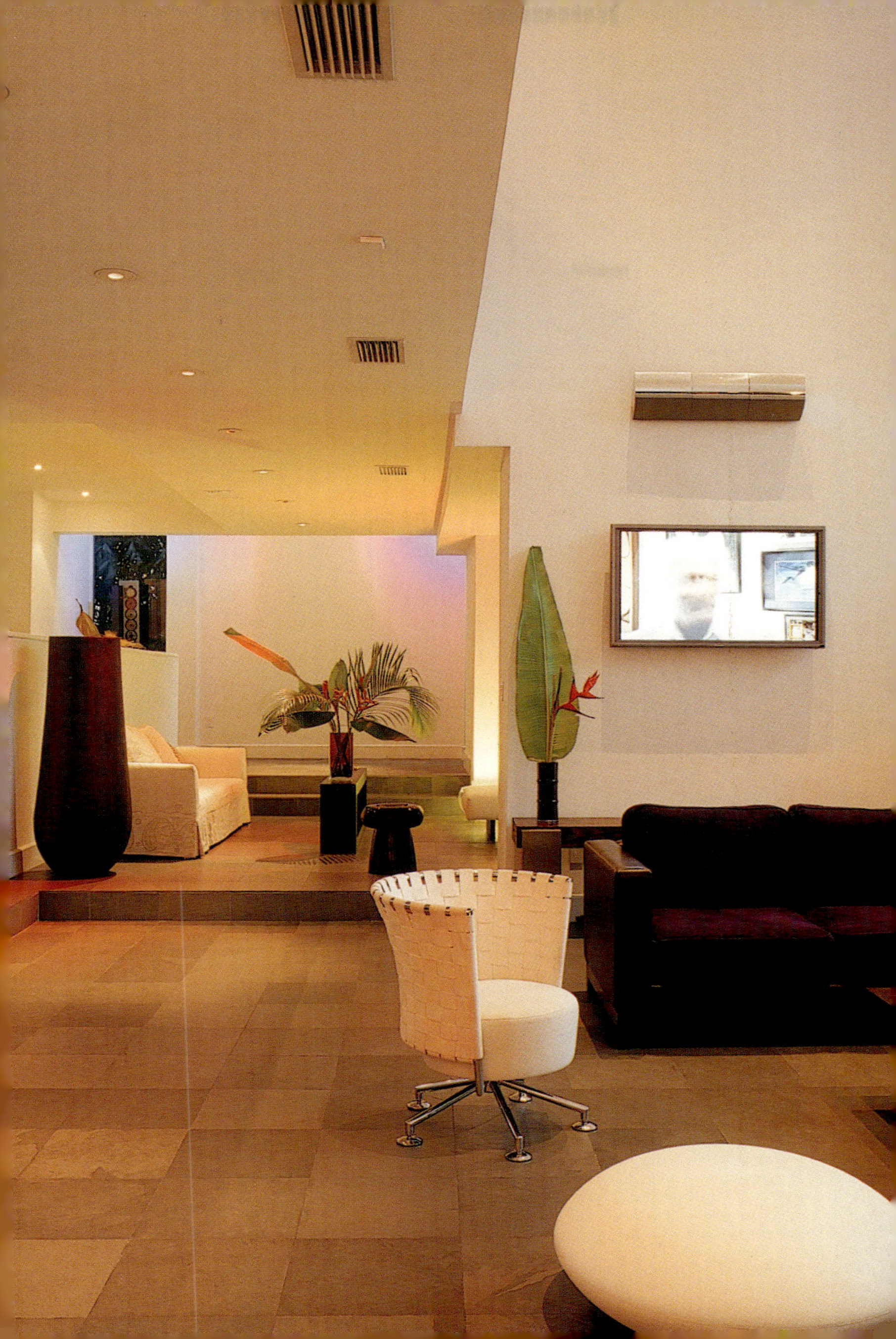

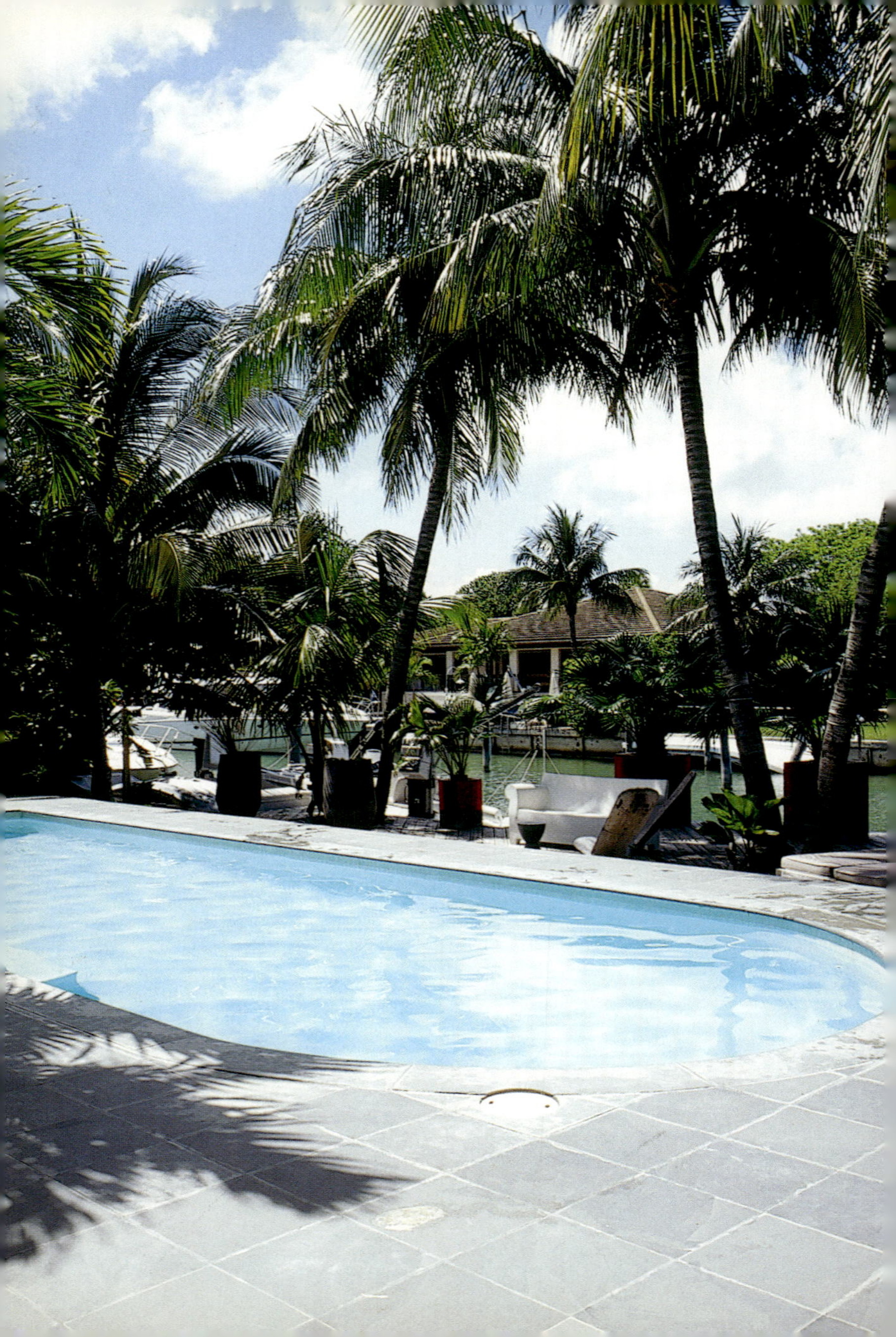

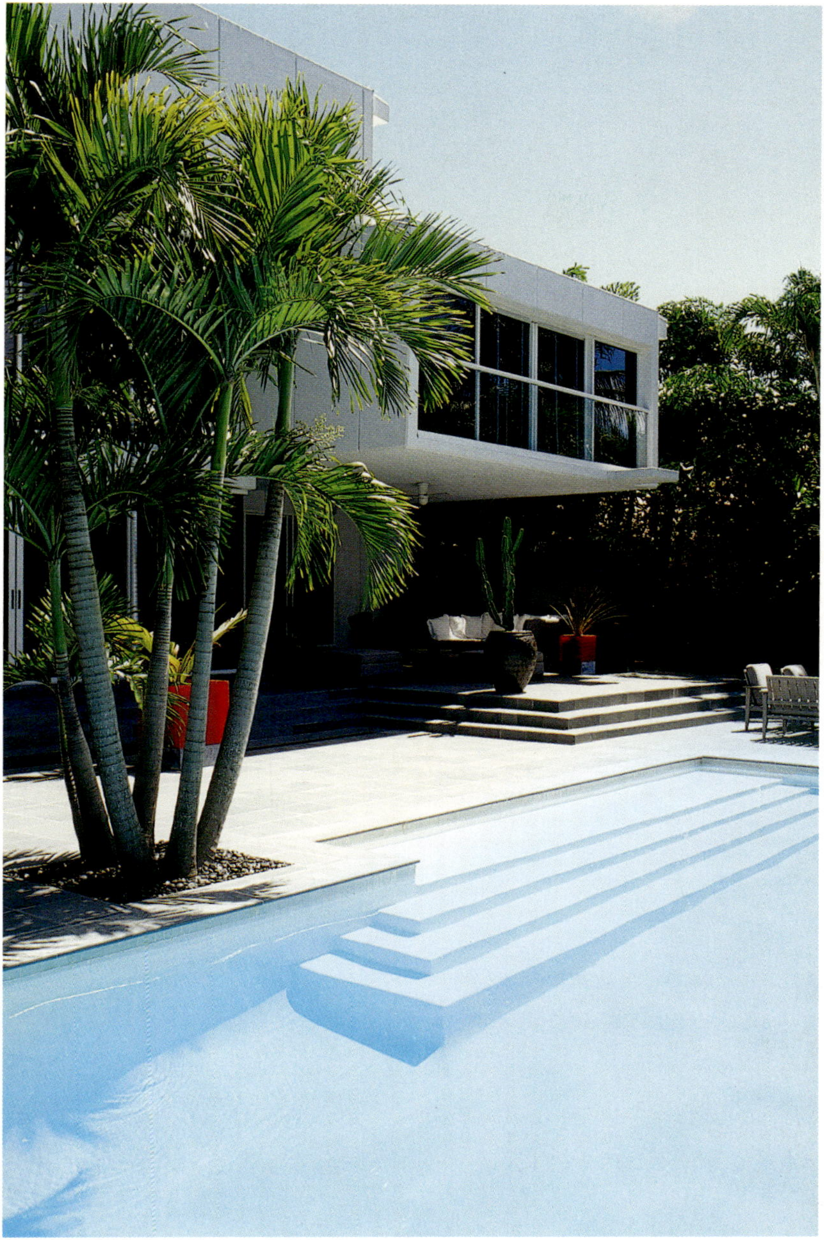

This majestic house is situated on the Pacific Coast of Costa Rica, and its location gives it 360-degree views. The architects' main goal was to integrate the home into its natural surroundings, causing minimal impact on the environment. The result is a minimalist, contemporary composition boasting an innovative, unique structure.

Questa casa maestosa si trova in Costa Rica, sulla costa del Pacifico, e la sua posizione offre un panorama a 360 gradi. L'obiettivo principale degli architetti era integrare la residenza con la natura circostante, riducendo al minimo l'impatto ambientale. Il risultato è una composizione minimalista e contemporanea che presenta una struttura unica e innovativa.

OCOTAL BEACH HOUSE
Víctor Cañas, Joan Roca/Aquart

Ocotal, Costa Rica

Esta majestuosa casa está ubicada en la costa Pacífica de Costa Rica y su posición goza de una panorámica de 360 grados. El objetivo principal de los arquitectos era integrar la vivienda en su entorno natural ocasionando el mínimo impacto en el medio ambiente. El resultado es una composición minimalista y contemporánea que presenta una estructura innovadora y única.

Esta casa grandiosa situa-se na costa do Pacífico da Costa Rica, e a sua localização proporciona vistas de 360 graus. O principal objectivo dos arquitectos foi integrar a casa no seu meio circundante natural, causando um impacto mínimo no ambiente. O resultado é uma composição minimalista e contemporânea ostentando uma estrutura inovadora e única.

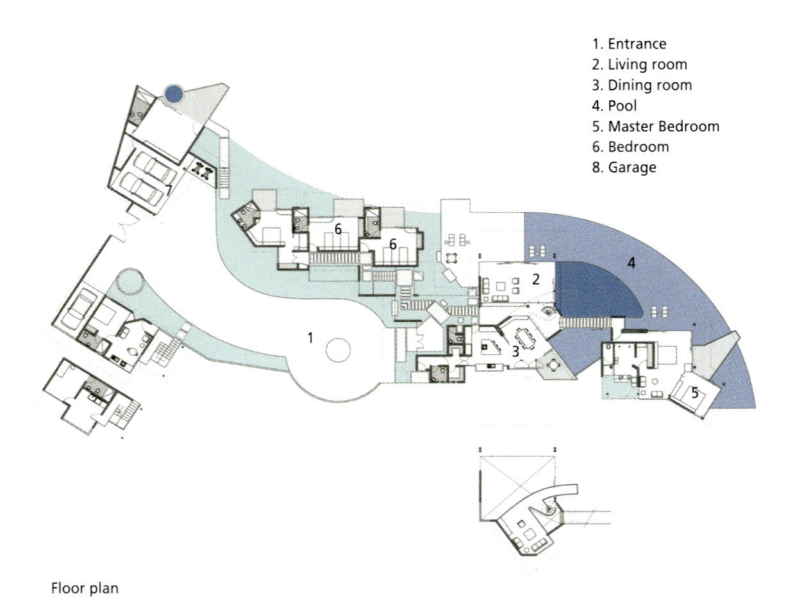

1. Entrance
2. Living room
3. Dining room
4. Pool
5. Master Bedroom
6. Bedroom
8. Garage

Floor plan

The swimming pool is located across from the living room, and thanks to a practically invisible edge, in the outdoor courtyard it becomes a type of infinite surafce of water that blends in with the ocean, creating a seamless appearance.

La piscina situada frente al salón y al patio exterior se convierte, gracias a un borde prácticamente invisible, en una superficie de agua infinita que se mezcla con el océano creando un efecto de continuidad.

La piscina, situata nel cortile esterno di fronte al soggiorno, diventa una sorta di superficie d'acqua infinita che si fonde con l'oceano senza soluzione di continuità, grazie a un bordo praticamente invisibile.

A piscina situa-se ao longo da sala de estar, e - graças a uma borda praticamente invisível no pátio exterior - torna-se uma espécie de superfície infinita de água que se funde com o oceano, criando uma aparência inconsútil.

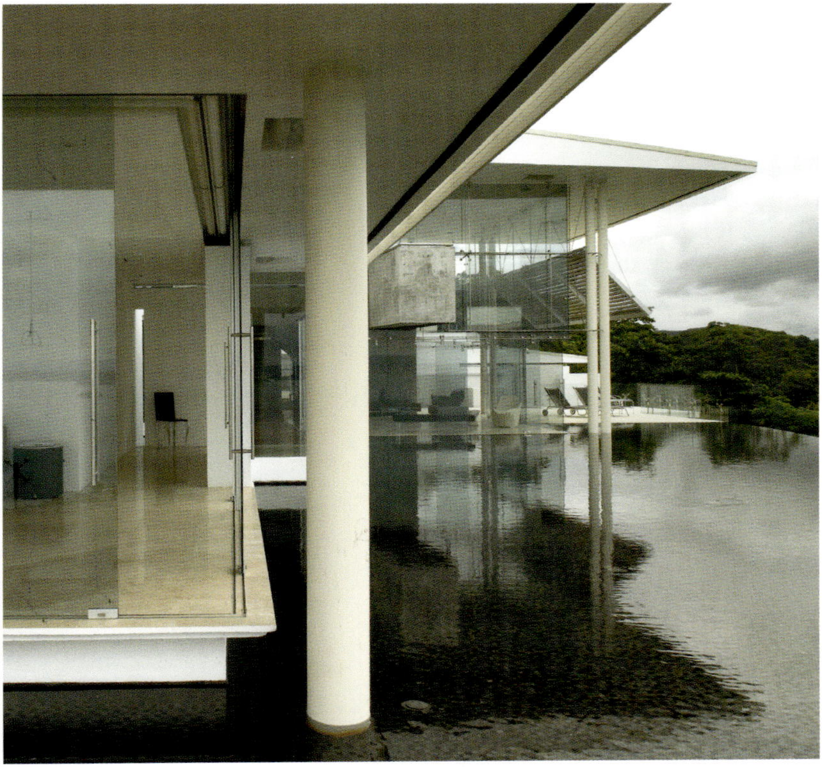

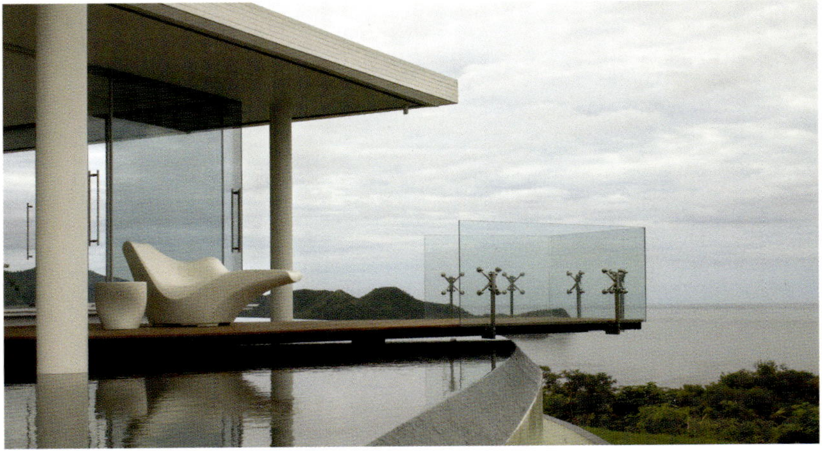

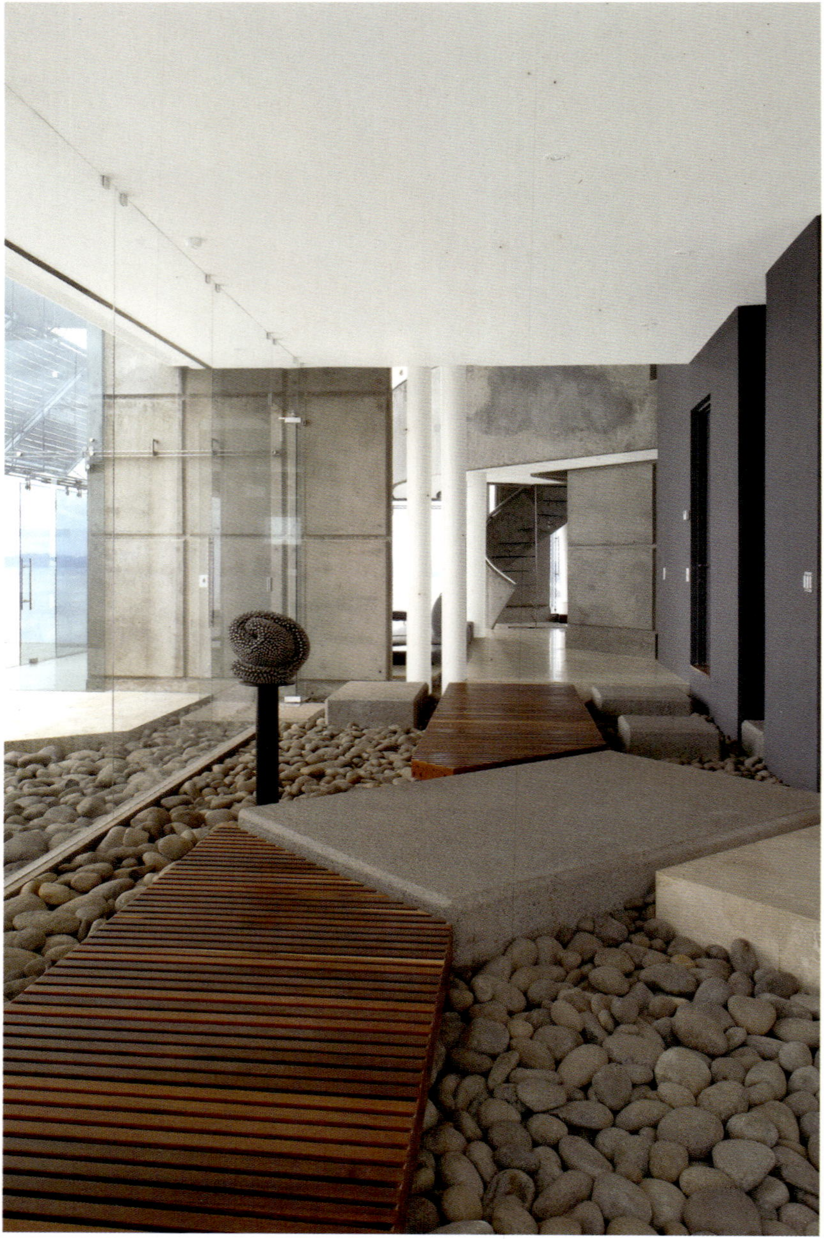

The choice of materials used both inside and outside the house, as well as the simple geometric shapes, manage to make this home visually blend in with its environs.

La scelta dei materiali impiegati all'esterno e all'interno della casa, insieme alle forme geometriche semplici, ha consentito a questa dimora di armonizzarsi visivamente con il paesaggio circostante.

La selección de los materiales empleados en el exterior e interior de la casa, así como las formas geométricas simples, consiguieron que esta vivienda armonizase visualmente con su entorno.

A escolha dos materiais utilizados no interior e no exterior da casa, bem como as formas geométricas simples, fazem com que esta casa se mescle visualmente com o meio circundante.

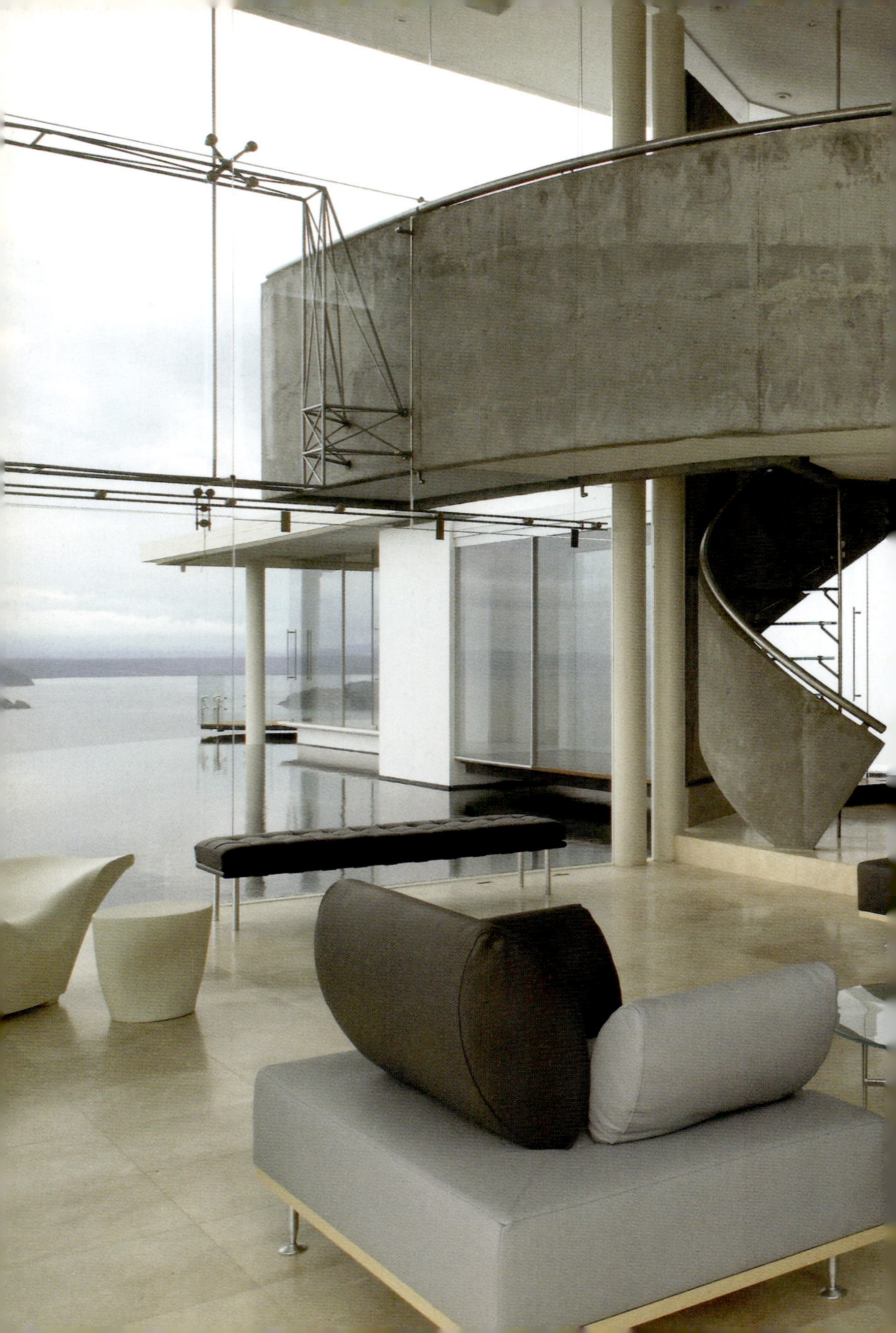

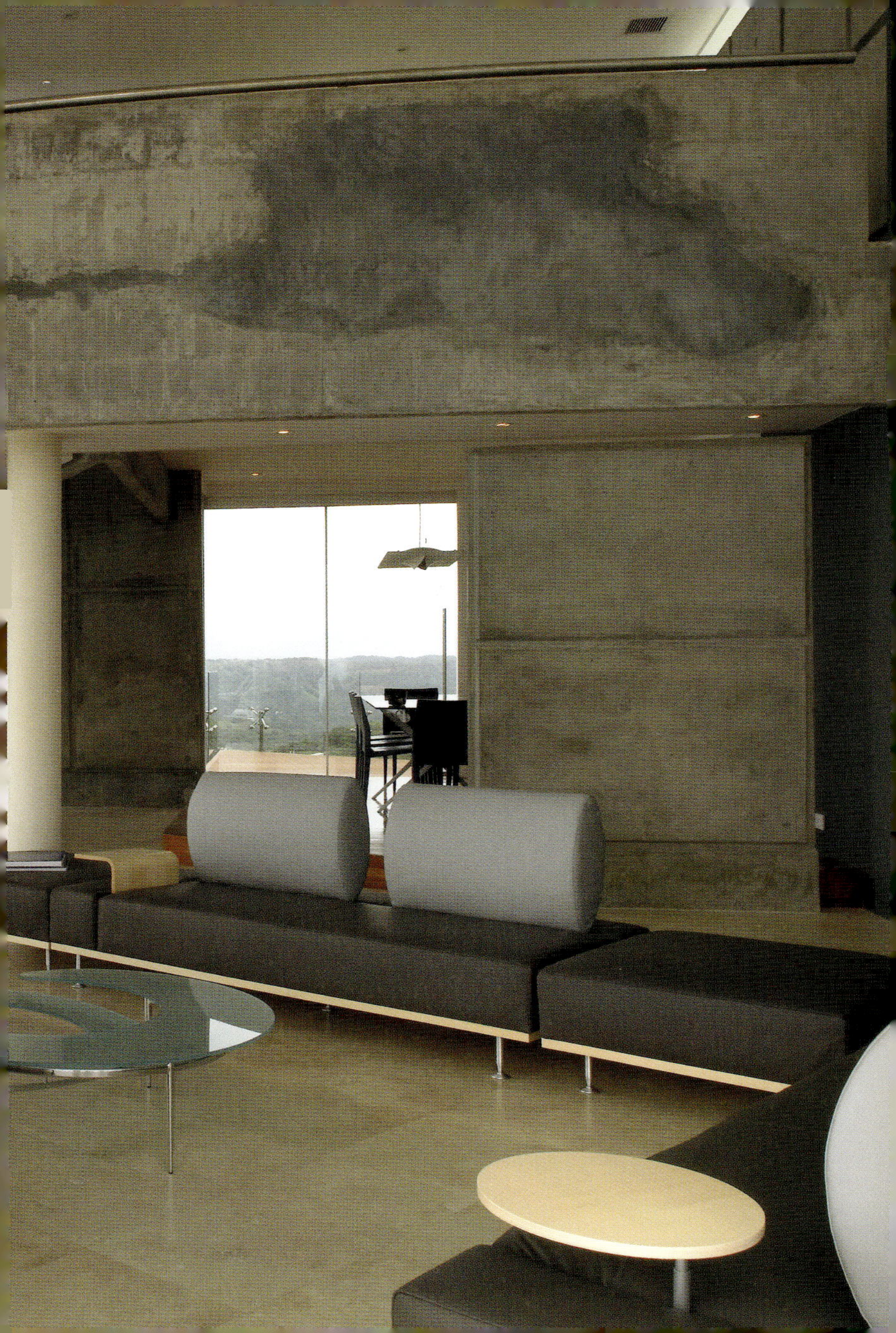

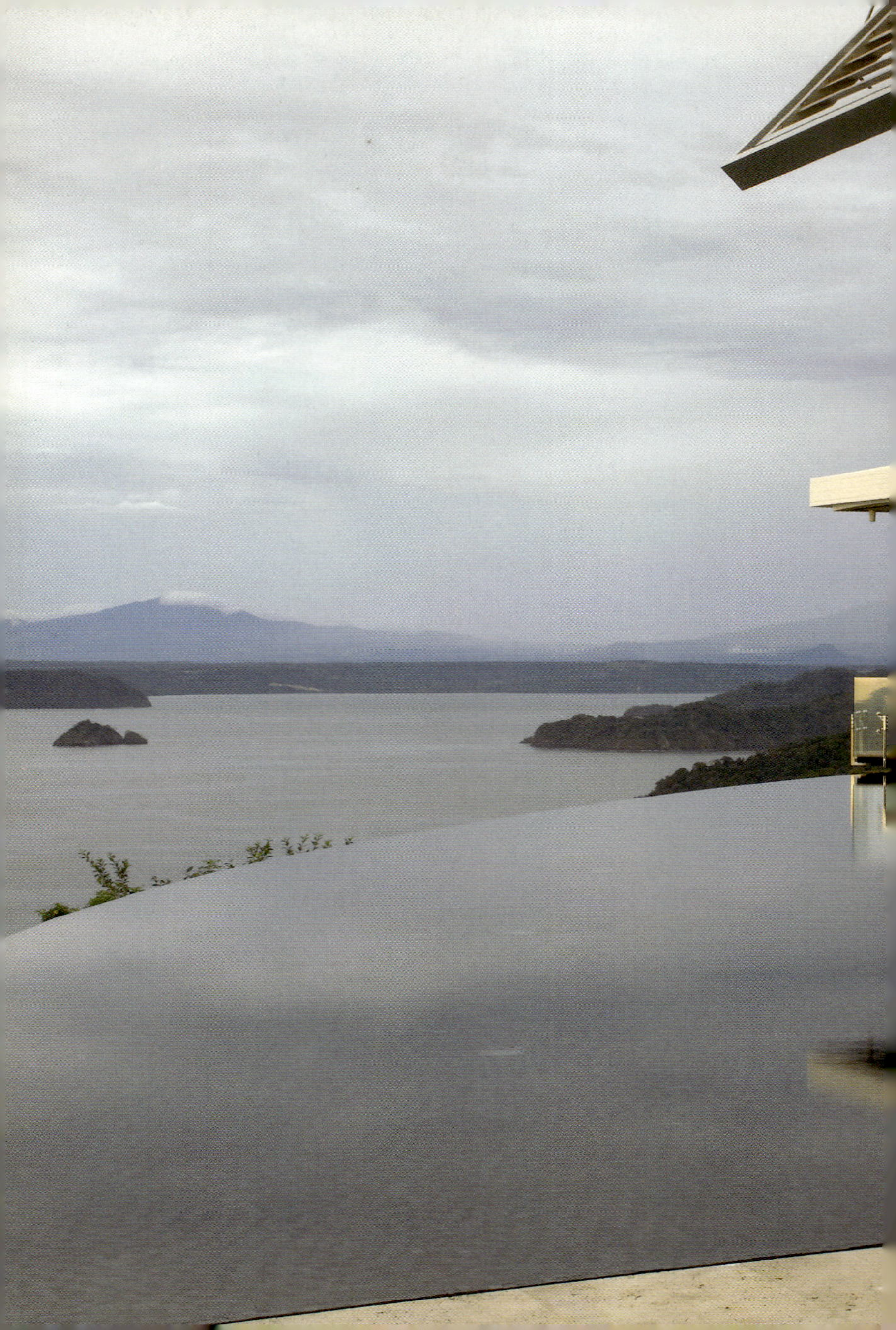

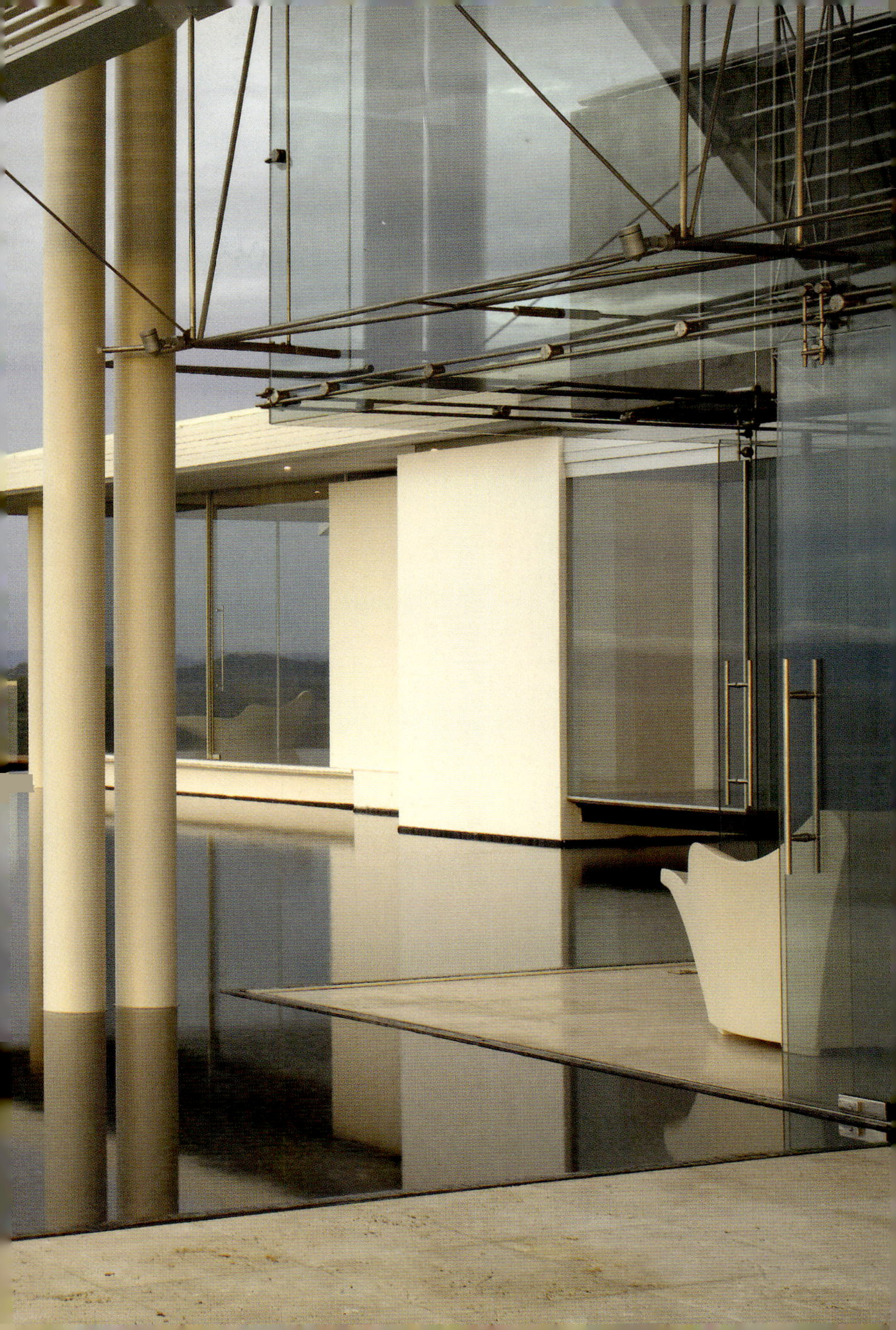

DIRECTORY

pg. 12, 68, 226 **Barry Sugerman Architect P.A. AIA.**
12601 NE 7th Avenue, North Miami, FL 33161, USA
+1 305 893 60 55
www.barrysugerman.com
© Pep Escoda

pg. 20 **Luis Lozada**
Photos: © Pep Escoda

pg. 30 **Hayball Leonard Stent Pty Ltd**
Suite 4, 135 Sturt Street, Southbank, Victoria 3006, Australia
+61 3 96 99 36 44
www.hayball.com.au
© Peter Clarke

pg. 38 **CLS Architetti**
Corso di Porta Romana, 63, 20122 Milan, Italy
+39 02 86 62 47
www.clsarchitetti.com
© Andrea Martiradonna

pg. 50 **Barclay & Crousse Arquitecture**
7, Passage Saint Bernard, 75011 Paris, France
+33 1 49 23 51 36
www.barclaycrousse.com
© Barclay & Crousse

pg. 58 **Rob Wellington Quigley**
434 West Cedar Street, San Diego, CA 92101, USA
+1 619 232 08 88
www.robquigley.com
© Undine Pröhl

pg. 76
© Pep Escoda

pg. 84 **Workroom**
+1 902 478 57 83
www.workroom.ca
© Trevor Mein/Meinphoto

pg. 94 **Wallace Tutt/Tutt Renovation & Development Inc.**
© Pep Escoda

pg. 102 **Nick Milkovich**
Suite 303, 375 West 5th Avenue, BC, Canada
+1 604 737 60 61
www.milkovicharchitects.com
Arthur Erickson
www.arthurerickson.com
© Ron Dahlquist

pg. 112 **Guillermo Arias y Luis Cuartas**
© Andrés Lejona

pg. 120 **Dean Nota Architect**
2465 Myrtle Avenue, Hermosa Beach, CA 90254, USA
+1 310 374 5535
www.nota.net
© Erhard Pfeiffer

pg. 130 **Alfred Browning Parker**
PO Box 115702, Gainesville, FL 32611-5702, USA
+1 352 392 48 36
© Pep Escoda

pg. 138 **Bromley Caldari Architects PC**
242 West 27th Street, New York, NY 10001, USA
+1 212 620 42 50
www. bromleycaldari.com
Jorge Rangel
Lafont 22, 08004 Bacelona, Spain
+ 34 616 51 52 79
© José Luis Hausmann

pg. 148 **Migdal Arquitectos**
Avenida Prolongación Paseo de la Reforma, 1236, piso 11, Col. Santa Fe, Deleg. Cuajimalpa, 0534, Mexico D.F., Mexico
+52 55 91 77 01 77
www.migdal.com.mx
© Alberto Moreno

pg. 156 **Pezo von Ellrichshausen Arquitectos**
Lo Pequén, 502, Concepción, Chile
+56 41 221 02 81
www.pezo.cl
© Cristóbal Palma

pg. 166, 172 **Mathias Klotz**
Los Colonos, 0411, Providencia, Santiago, Chile
www.mathiasklotz.com
© Alberto Piovano

pg. 182 **Paul Uhlmann Architects**
301/87 Griffith Street, Coolangatta, Queensland 4225, Australia
+61 7 55 36 39 11
www.pua.com.au
© David Sandison

pg. 190 **Callas Shortridge Architects**
3621 Hayden Avenue, Culver City, CA 90232, USA
+1 310 280 04 04
www.callas-shortridge.com
© Undine Pröhl

pg. 202
© Pep Escoda. Stylist: Jorge Rangel

pg. 210 **Patkau Architects**
1564 West 6th Avenue, Vancouver, British Columbia V6J 1R2, Canada
+1 604 683 7633
www.patkau.ca
© Undine Pröhl

pg. 218 **Farnan Findlay Architects Pty Ltd**
Suite 65, 61 Marlborough Street, Surry Hills, Sydney, NSW, 2010, Australia
+61 2 93 10 25 16
www.farnanfindlay.com.au
© Brett Boardman

pg. 236 **Laure de Mazieres**
3817 NE 2nd Avenue, Miami, FL 33137, USA
+1 305 576 64 54
www.lauredemazieres.com
© Pep Escoda

pg. 244 **Victor Cañas**
www.victor.canas.co.cr
© Jordi Miralles